TEORIA DOS CHAKRAS

HIROSHI MOTOYAMA

TEORIA DOS CHAKRAS
Ponte para a consciência superior

Tradução
ZULEIKA T. WIECHMANN FRESCHI

Editora
Pensamento
SÃO PAULO

Título do original: *Theories of the Chakras: Bridge to Higher Consciousness.*

Copyright ©1981 Hiroshi Motoyama.

Copyright da edição brasileira © 1988 Editora Pensamento-Cultrix Ltda.

1ª edição 1988.

18ª reimpressão 2025.

Esta edição é publicada mediante acordo com a Theosophical Publishing House,
306 West Geneva Road
Wheaton, Illinois 60189 – E.U.A.

Nenhuma parte deste livro pode ser reproduzida sem permissão por escrito da Theosophical Publishing House, exceto em citações que fizerem parte de resenhas ou de artigos de crítica.

Direitos de tradução para a língua portuguesa adquiridos com exclusividade pela
EDITORA PENSAMENTO-CULTRIX LTDA., que se reserva a
propriedade literária desta tradução.
Rua Dr. Mário Vicente, 368 – 04270-000 – São Paulo, SP – Fone: (11) 2066-9000
http://www.editorapensamento.com.br
E-mail: atendimento@editorapensamento.com.br
Foi feito o depósito legal.

Sumário

Prefácio	Swami Satyananda Saraswati	7
Agradecimentos		15
Introdução		17
Capítulo I	A Prática da Tantra Ioga	27
II	Asanas Iogues	35
III	Pranayama e Bandhas	74
IV	Os Mudras e o Despertar dos Chakras	90
V	Os Chakras e Nadis Conforme Descritos nos *Upanishads*	122
VI	A. Os Chakras e Nadis Conforme Descritos no *Shat-Chakra-Nirupana*	154
	B. Os Chakras Conforme Descritos no *Gorakshashatakam*	177
VII	Os Chakras Segundo o Rev. Leadbeater	182
VIII	Os Chakras e Nadis Descritos por Swami Satyananda Saraswati	204
IX	Experiências e Experimentos Sobre os Chakras Realizados por Motoyama	229
Síntese		267
Perfil do Autor		270

Prefácio

É com grande satisfação que apresento o trabalho do dr. Hiroshi Motoyama aos intelectuais, cientistas e aspirantes espirituais do mundo ocidental. Para aqueles que já estão familiarizados com as pesquisas existentes sobre a ioga e as ciências psíquica e espiritual, não será necessário apresentá-lo. Sua proeminência e renome como cientista são bem conhecidos, pois ele é, atualmente, o mais importante pesquisador desta área. Suas descobertas pioneiras, nos últimos dez anos, têm levado a ciência ortodoxa ao limiar da dimensão espiritual e servirão de base para pesquisas futuras sobre os potenciais mais elevados inerentes à estrutura corpo-mente do ser humano. As práticas de ioga e de tantra, capazes de despertar grandes potenciais, tornar-se-ão o objetivo dos cientistas durante este século.

Este livro — *Teoria dos Chakras: ponte para a consciência superior* — é um documento importante, tanto do ponto de vista científico como do espiritual. Em primeiro lugar, ele apresenta um registro autêntico e único das experiências espirituais de um adepto cuja kundalini foi despertada através das práticas iogues. Além disso, trata-se do único registro dos experimentos pioneiros desenvolvidos no Institute for Religious Psychology de Tóquio, resultando na clara evidência eletrofisiológica da existência de uma rede de chakras e de nadis que forma a infra-estrutura das energias sutis existentes nas dimensões prânica e psíquica que ativam e sustentam o corpo humano físico, material.

Os experimentos do dr. Motoyama integram, com sucesso, as dimensões subjetiva e objetiva do conhecimento e servirão de base e de esquema para novas experiências nos próximos anos. Se os segredos do Universo têm de ser revelados, a dimensão espiritual precisa, primeiro, ser violada e a ciência deve emergir de sua atual limitação da dimensão material.

Neste aspecto, os experimentos do dr. Motoyama são extraordinariamente valiosos. O despertar da kundalini é a experiência mais soberba que um indivíduo pode ter na vida, pois ativa outra dimensão de consciência. No nível físico, a kundalini manifesta-se na forma de uma energia de alta voltagem conduzida através do sistema nervoso, que proporciona uma esfera de atividade mais ampla nos diversos sistemas do corpo físico e aumenta a percepção e as potencialidades.

A alteração do funcionamento fisiológico associada ao despertar de cada chakra é absolutamente distinta das doenças, embora possa produzir uma variedade de sintomas físicos e mentais, vindo a imitá-las temporariamente. Esse fato precisa tornar-se claro para médicos, cientistas e para aqueles que se dedicam à cura. O próprio dr. Motoyama experimentou o despertar da kundalini e apresentou um registro analítico dessa transição no estado da consciência. Além disso, projetou um equipamento de laboratório para demonstrar os parâmetros psicofisiológicos de uma kundalini ativa em indivíduos testados, preparando, assim, o terreno para os cientistas do futuro.

O despertar da kundalini é uma experiência que impulsiona o indivíduo no sentido de cumprir seu propósito e de desempenhar seu papel na vida de forma consciente. Por meios científicos, o dr. Motoyama elucidou o conhecimento e a experiência da kundalini, de modo que outras pessoas sejam capazes de entender. Sua notável contribuição eleva a condição da kundalini de simples mito religioso ou místico para um acontecimento psicológico e eletrofisiológico que pode ser demonstrado e registrado pela avaliação científica. Os cientistas e a humanidade como um todo são, de fato, afortunados por ele ter se incumbido dessa extraordinária tarefa.

Na minha opinião, este trabalho se constitui na descoberta científica mais revolucionária desde a Teoria da Relatividade que suplantou o arquétipo do Universo, de Newton. Segundo o dr. Albert Einstein, que costumava interpretar a ciência de forma mística, o mundo entrou na era nuclear. O dr. Einstein projetava sua percepção sobre o domínio subjetivo com o intuito de conduzir seus famosos "experimentos mentais" sobre a natureza da luz, e, como conseqüência, o arquétipo ortodoxo do Universo foi reexaminado e modificado. Naquele tempo, quando os cientistas se esforçavam por compreender as implicações reveladas pela equação $E = mc^2$, avivou-se uma visão fantástica da transformação da matéria e da liberação de energias que fundamentam a criação do mundo manifesto. Contudo, hoje, as mesmas noções da desintegração do núcleo atômico e da fusão nuclear são compreendidas por crianças de dez ou doze anos de idade em suas aulas de ciência elementar na escola. Existe melhor exemplo da evidência da percepção ou de consciência humana em evolução?

Hoje, o homem está no limiar da dimensão espiritual. Dentro de poucos anos, muitos cientistas comprovarão a teoria da kundalini e dos chakras. O dr. Motoyama é um cientista visionário tão importante quanto Einstein. Assim como Einstein desvendou a visão da dimensão prânica para revelar a energia que sustenta a criação material, também as pesquisas do dr. Motoyama esclarecem o próximo estágio da transformação evolucionária da consciência de toda a humanidade. O discernimento quanto à dimensão de energia espiritual é, agora, apenas um passo à frente dos cientistas que já podem perceber a atividade da kundalini através de suas experiências e instrumentos de laboratório, graças à importante contribuição do dr. Motoyama.

ENTRANDO NA DIMENSÃO ESPIRITUAL

A kundalini está despertando nos homens, e é preciso que os cientistas reconheçam e registrem essa transformação na estrutura e na função do sistema nervoso humano. O despertar das faculdades e das potencialidades mais elevadas do homem não pode mais ser negado ou desprezado pela ciência ortodoxa. O homem vem se posicionando no escalão superior da pirâmide da evolução; os indivíduos que se encontram no pico possuem uma série de capacidades mentais e psíquicas "supernormais", sobre as quais o homem comum tem pouca ou nenhuma compreensão. Esses indivíduos se empenham no sentido de acelerar a evolução da humanidade, que está contraindo doenças físicas, mentais e psíquicas. O gênero humano no plano cósmico tem por destino alçar-se à dimensão espiritual, assim como, um dia, foi destino das formas vivas primitivas emergirem do oceano para a superfície da terra. Nossas antecessores — os animais — estão, do mesmo modo, fadados a evoluir e a assumir uma condição mais elevada. Sem esse extraordinário avanço, o homem nunca teria se tornado um agricultor ou um criador de gado, nunca teria dominado o fogo ou a linguagem, nunca conseguiria desenvolver a capacidade de perceber as cores.

Hoje existe uma situação semelhante, e precisamos reconsiderar a evolução humana sob este aspecto. A teoria da evolução de Darwin é conceituada, mas por que suas conclusões lógicas não são reconhecidas nos dias de hoje? Precisamos ainda nos tornar os "super-homens" de amanhã e, a menos que saibamos como acelerar o processo, poderá levar muitas vidas mais e, talvez, mais alguns milhões de anos. Antigamente, a visão do homem era ofuscada por restritas concepções religiosas, culturais e sociais. Ainda hoje, esse condicionamento continua a influenciar nossas idéias quanto ao que realmente somos e quanto ao papel que exercemos na aceleração do destino que nos é reservado pela evolução. Independentemente de suas posições acadêmicas, os cientistas, psicólogos e fisiólogos não têm mais idéia do seu propósito ou destino fundamental, nem sabem como realizá-lo. Até agora, a humanidade como um todo permanece praticamente alheia às suas possibilidades e aos seus potenciais de evolução.

Dentro de cada um de nós existe um ser animal, um ser humano e um ser divino; essas são as três dimensões da nossa existência. Nossa condição presente não é a última; achamo-nos num estágio ou plataforma intermediária. Durante séculos, o homem tem vivido numa restrita disposição de espírito e, devido a essa limitação, a evolução, de certa forma, parou. Somente agora a cultura ocidental vem emergindo de um longo período de obscuridade, no qual seus homens de visão e seus gênios eram executados ou perseguidos por heresia ou por razões políticas; nesse clima de descrença, de temor e de violência o conhecimento espiritual foi reprimido. Em nossos dias, a cortina foi erguida e o homem está mais uma vez explorando as possibilidades de expansão de sua consciência. O clima agora é outro e a humanidade tornou-se mais receptiva às novas idéias.

Embora nos dias de hoje, talvez não saibamos realmente qual o caminho a seguir, estamos definitivamente cientes de que existe algo além do intelecto. Mesmo não sabendo como desenvolver ou como conceber esta percepção, chegamos à conclusão de que esse intelecto não pode ser o veículo final do conhecimento. Uma coisa está clara: o homem precisa sofrer uma transição. Não somos a primeira nem a última expressão no processo da evolução. Talvez estejamos numa encruzilhada. Talvez essa vida humana exista para servir de trampolim para nos lançarmos no ciclo da evolução. Hoje existem grandes eruditos, porém os relatos que eles elaboram são limitados por suas mentes finitas. Existem filósofos brilhantes, mas suas filosofias estão sujeitas às limitações de suas mentalidades.

Se o homem puder extrapolar sua consciência, experimentará uma dimensão absolutamente nova de sua existência e do que ele pensa sobre sua criação, a finalidade da vida, e assim por diante. O que hoje parece uma definição verdadeira, pode ser contestado no futuro e dissipar-se à luz de novas descobertas. Quem nos garante que conhecemos a verdade hoje? Como podemos estar certos de que as concepções que temos hoje sobre o homem e a criação são corretas? Para que a nossa visão seja completa e verdadeira é preciso utilizarmos os olhos essenciais – os olhos da intuição, da consciência suprema. Existem faculdades no homem que ele ainda não é capaz de expressar; porém, esses potenciais permanecem latentes em todas as pessoas. Como despertá-los? Para o homem ignorante, o intelecto é o último estágio; mas para o homem sábio, ele é a etapa intermediária, sendo possível transcender esse intelecto completamente e, ao mesmo tempo, transmitir a mais pura expressão de sua energia criativa. Um homem pode existir sem uma mente, contanto que ele tenha descoberto outra mente além dessa.

Não só neste século, mas durante eras passadas, o homem tem explorado as possibilidades de expansão das fronteiras de sua consciência. Nem todas as pessoas têm ciência das limitações do intelecto pessoal, e existem milhões de pessoas que, ainda hoje, não estão nem um pouco conscientes. Apesar disso, sempre existe aquele que tenta ir além dos seus limites. Esse processo, essa experiência, sempre está com o homem e, na Índia, é conhecida como *tantra*.

Para entender o tantra, é preciso definir o conceito de mente. Na vida cotidiana, veio a significar os meios pelos quais o homem pensa e sente. A psicologia também define a mente de forma semelhante. No tantra e na ioga, entretanto, mente significa algo bem diferente. Aqui, a palavra mente é conhecida como *chitta* que, literalmente, significa consciência; esse termo abrange a consciência nos diversos níveis de existência. A consciência objetiva é apenas um desses níveis; a consciência subjetiva é outro; a ausência de consciência, outro.

A mente não é pensamento, nem emoção ou memória, como costuma ser interpretada. A mente individual é parte da mente universal, é uma parte do que conhecemos como mente absoluta. O que vem a ser mente absoluta? Ela é composta de um tipo de protomatéria e tem dois pólos antagônicos conhecidos como tempo e espaço. Tempo e espaço são, na verdade, meras categorias da mente; apenas na maneira ortodoxa e convencional de pensar é que tempo e espaço são considerados como existências separadas, diferentes da mente universal. Toda forma material tem um núcleo e, assim, também dota-se de uma mente.

No plano material, os cientistas conseguiram liberar energia dos núcleos da matéria através de um processo de fissão. Do mesmo modo, iogues e adeptos espirituais vêm estudando maneiras semelhantes de liberar a energia dos núcleos da mente e do corpo material. Enquanto tempo e espaço permanecem separados, nada pode emergir da mente universal, mas, quando tempo e espaço se aproximam um do outro, então a mente universal torna-se uma força criativa. Embora a mente individual seja parte da universal, ainda assim ela preserva seu próprio núcleo. Quando isso é deflagrado, o indivíduo atinge o esclarecimento. Há eras vem-se praticando o tantra e a ioga na Índia, com o intuito de estudar esse núcleo e experimentar, de forma direta, a mente universal.

O REAPARECIMENTO DO TANTRA

O tema da consciência, seu estudo e sua descoberta, é conhecido como tantra. Trata-se de uma ciência ampla, na qual tem sido explorado todo método de expansão da experiência consciente. Esta sempre acompanhou o homem, desde que ele começou a sondar os mistérios de sua própria existência. O tantra não é uma filosofia indiana. Houve um tempo em que o tantra era a prática espiritual de homens e mulheres de todos os continentes. Há evidências de que, antes da civilização da Atlântida, o tantra era praticado com o objetivo de obter maior visão e experiência da realidade. O tantra é uma antiga herança espiritual da humanidade. Através das contingências da história, a civilização perdeu contato com a tradição tântrica durante a época de obscurantismo do kali yuga. Agora as civilizações ocidentais estão emergindo das várias centenas de anos de obscurantismo, quando prevalecia um clima de descrença, de temor e inimizade, durante o qual o tantra foi reprimido. Hoje o clima religioso e político está mudando e o tantra vem ressurgindo por todo o mundo. O tantra sobreviveu aos desafios do tempo e da história porque não é uma filosofia, mas um sistema científico, por meio do qual o homem pode melhorar a estrutura e a qualidade de seu corpo e da sua mente, bem como transformar sua personalidade doentia. Embora o sistema de tantra gere muita controvérsia e tenha sido muito mal representado, esta grande e sublime ciência não vem sendo divulgada de forma precisa e verdadeira. É necessário explicar como o tantra produz uma metamorfose em toda a estrutura da consciência pessoal.

O que é a expansão da consciência? Expandir significa romper as limitações da mente individual. Os sentidos fornecem os estímulos e a mente atua com base nesses estímulos. Esta é a limitação da consciência humana comum, porque as percepções sensoriais dependem da qualidade do sistema nervoso sensitivo. O conhecimento é uma qualidade da mente ou depende dos estímulos que são enviados ao cérebro? De acordo com o tantra, a consciência é considerada uma entidade homogênea. Mesmo sem a integração dos sentidos é possível ter o conhecimento, a cognição e a percepção. Normalmente, não possuímos esta percepção supersensorial porque a nossa consciência não oferece oportunidade para experimentar sua natureza homogênea. A mente, a consciência, é uniforme, mas não está atuando integralmente. Se soubermos como ativar as áreas misteriosas da consciência, poderemos experimentar o estado homogêneo da mente universal e atingir a percepção absoluta.

No interior desse corpo físico existe uma fonte cósmica de energia através da qual o cérebro, o corpo e a mente operam. Além disso, há uma fonte transcendental de energia conhecida como kundalini. No tantra, a ioga kundalini é praticada para liberar esta energia e iluminar a consciência. Trata-se de um sistema que ativa toda a estrutura psicofisiológica. As experiências do dr. Motoyama definem claramente a existência dos chakras, que atuam como interruptores dos centros superiores no cérebro.

APELO AOS CIENTISTAS

Atualmente, a kundalini está sendo discutida em todas as sociedades, em todas as línguas e países do mundo. Especialmente os jovens cientistas devem dedicar-se ao reconhecimento e à compreensão dos efeitos da kundalini — em si próprios e nas outras pessoas. Os médicos e os cientistas precisam formar uma ponte entre a dimensão subjetiva interior da consciência espiritual e a dimensão empírica da ciência, como o fizeram Einstein, Itzhak Bentov e o dr. Motoyama. Esse é o momento para se avançar audaciosamente e investigar, de forma científica, a experiência da kundalini. Seu despertar é tanto um evento psicofisiológico como uma realidade espiritual. O estudo de seu amplo potencial é a mais nova fronteira da ciência. Imaginem os importantes benefícios obtidos no tratamento de moléstias, quando se revelar cientificamente que determinados sons e formas (mantras e yantras) podem ativar os sistemas fisiológico e físico do organismo.

Experiências científicas para a avaliação e a determinação dos efeitos das práticas do tantra e da ioga contribuirão imensamente para acelerar a evolução do homem. Tenho absoluta convicção e confiança nos extraordinários efeitos da ioga para curar o corpo doente do homem, aprimorar sua personalidade e transformar seu nível de percepção consciente. O dr. Motoyama transpôs as divergências e demonstrou a realidade científica da kundalini e o conseqüente benefício para a humanidade.

A ioga apresentar-se-á como uma grande força mundial e alterará o curso dos acontecimentos do mundo.

Hari Om Tat Sat.
Swami Satyananda Saraswati,
Fundador, Bihar School of Yoga,
Monghyr (Bihar), Índia
30 de junho de 1981

Agradecimentos

Estou sinceramente grato por este livro estar sendo publicado agora em inglês, pela Theosophical Publishing House.

Nos Estados Unidos, a cultura materialista atingiu a mais alta escala de desenvolvimento, talvez a mais avançada do mundo; já é tempo de os americanos perceberem a importância do progresso espiritual, incentivar o verdadeiro desenvolvimento da verdade sagrada. Desejo intensamente que este livro atenda a este objetivo, na América e em todas as regiões do mundo que adotam a língua inglesa.

Este livro não poderia ter sido escrito sem a ajuda dos meus predecessores Arthur Avalon, C. W. Leadbeater e outros que, pela primeira vez, apresentaram os chakras ao público leitor. Agradeço em particular à Ganesh and Company of Madras, Índia, por haver permitido que fizéssemos citações do livro *The Serpent Power*, de Avalon, e de Swami Satyananda Saraswati, cujas publicações da Bihar School of Yoga formam a base dos capítulos de prática da ioga, e também do Capítulo VIII.

A conclusão do manuscrito só foi possível graças à colaboração de muitas pessoas. Gostaria de agradecer, especialmente, ao dr. Toshiaki Harada, ex-pesquisador, e à srta. Kiyomi Kuratani, Chefe do Departamento de Tradução do Instituto, pelo preparo da tradução original e por seu laborioso empenho em editá-lo; ao sr. Arthur H. Thornhill III da Universidade de Harvard, que adiou a atividade de sua dissertação doutoral para reescrever o meu manuscrito, e à sra. Rande Brown Ouchi, que assistiu na organização do texto e fez muitas sugestões valiosas. Gostaria também de expressar minha gratidão pelos esforços desta no sentido de apresentar o meu trabalho aos leitores ocidentais, com a obra *Science and Evolution of Consciousness*, publicada pela Autumn Press, em 1978. Finalmente, especiais agradecimentos à srta. Rosemarie Stewart da Theosophical Publishing House por seus serviços editoriais e prestimoso parecer.

Hiroshi Motoyama
Instituto de Psicologia Religiosa, Tóquio
Julho, 1981

Introdução

Esta introdução destina-se sobretudo àqueles que abordam o assunto deste livro pela primeira vez; seu intuito é ajudar a esclarecer o seu conteúdo. Na Índia, as técnicas e práticas da tantra ioga – um ramo esotérico da ioga – têm sido transmitidas de geração a geração, durante centenas de anos. Entre elas, existe um conjunto de métodos para despertar a Kundalini e os chakras. Dizem que, através desse despertar, o praticante é capaz de transcender as habituais limitações humanas e evoluir tornando-se livre e imortal, totalmente consciente do mundo e de uma existência onde a morte não existe. Na história indiana, surgiu um grande número de santos que atingiram esse elevado estágio de esclarecimento espiritual, através dos métodos da Ioga Tântrica ou de equivalentes (Buddha Shakyamuni, por exemplo). São precisamente esses métodos que este livro procura descrever e elucidar. Nossa introdução apresenta uma descrição geral do que se quer dizer com "exotérico" e "esotérico", com "chakra" e "nadi", e com "o corpo" e "a mente".

O ESOTÉRICO E O EXOTÉRICO: YIN E YANG

Tudo possui dois aspectos; um aspecto de superfície, que é submetido à ação da luz, e um aspecto interior, oculto, que não é evidenciado

Acima do solo, por exemplo, uma planta apresenta um pedúnculo, galhos e folhas que são aquecidos e iluminados pelo sol, ao passo que suas raízes estão debaixo da terra, inatingíveis por qualquer raio de sol. No inverno, a parte que fica acima do solo parece morrer; porém, quando a primavera traz sua tepidez, os galhos estalam com vida, surgem novas folhas verdes e os botões se abrem. Nada disso poderia acontecer se não fossem as raízes, a parte oculta da planta. São as raízes encobertas que fornecem a energia para sustentar a parte exterior que vive sob a ação da neve, da chuva, do vento e do sol, e é graças às raízes que ela retorna à vida saindo de seu estado invernal. Esse aspecto latente, obscuro, encoberto, é conhecido, na filosofia chinesa, como "yin", enquanto "yang" é o nome que se dá ao manifesto, ao evidente, ao que está exposto.

Do mesmo modo, todas as religiões apresentam esses dois aspectos: o yang e o yin. O aspecto *yang*, que é aberto, público e genericamente conhecido, é chamado de aspecto exotérico. A doutrina yang/exotérica fala de Deus, de Buda ou do Absoluto no que se refere à sua relação com este mundo, o mundo das formas concretas. Deus, Buda e outras divindades são apresentados de modo que as pessoas comuns os possam compreender. Shakyamuni e Kannon (Avalokiteshvara) no Budismo, Deus Pai no Cristianismo, e Amaterasu Omikami no Xintoísmo são claros exemplos disso. Acredita-se que tais divindades trabalham para a salvação do homem e para a preservação da paz no mundo. A parte exotérica da religião representa, portanto, a fé do homem nas divindades que trabalham em estreita relação com o mundo físico. Trata-se da religião voltada para o mundo dos seres humanos.

Em contrapartida, o aspecto *yin* da religião, ou seja, a parte interior, oculta, chamamos de esotérico. Essa parte da religião gira em torno das divindades, não do ser humano comum. O principal objetivo da doutrina esotérica consiste em elevar os homens ao estado em que deixam de ser simplesmente humanos e tornam-se eles mesmos seres transcendentais. Em subdivisões esotéricas da religião, métodos designados especialmente à transformação dos seres humanos em seres superiores são ensinados e praticados sob rigorosa supervisão de instrutores qualificados.

No Cristianismo, então, é possível considerar o Protestantismo como a doutrina exotérica e os sacramentos do Catolicismo como a doutrina esotérica. No Budismo japonês, as seitas Jodo e Shin podem ser consideradas exotéricas, e o Shingon Budismo é esotérico. Na tradição iogue, a hatha ioga e kriya ioga, que enfatizam o controle do corpo físico, são exotéricas, enquanto a tantra ioga, que é a essência oculta de todos os variados tipos de ioga, é esotérica.

OS TRÊS CORPOS E AS TRÊS MENTES DA TANTRA IOGA

A antiga lenda sobre a existência da tantra ioga diz que ela foi criada e transmitida à humanidade pelo deus Shiva. O deus Shiva, conhecido como o *Destruidor*, está no mesmo nível hierárquico que o deus Brahma, o *Criador*, e o deus Vishnu, o *Preservador* — os três grandes deuses da doutrina religiosa indiana. A tantra ioga trazida por Shiva proporciona os meios pelos quais o homem pode transcender-se e atingir um estado de ser que se identifica e se unifica com Deus, o Absoluto, Ele mesmo.

Segundo a doutrina da tantra ioga, o homem tem três corpos e três mentes a eles correspondentes, um em cada uma das três principais dimensões do ser. Durante o crescimento espiritual, o homem precisa galgar a escada da evolução e percorrer essas dimensões, passo a passo, aumentando, gradualmente, a consciência que tem dos reinos superiores. Dessa forma, o homem pode libertar-se das limitações dos três corpos e de suas mentes correspondentes, entrando, finalmente, no reino de Deus.

Os três corpos e as três mentes são, precisamente:
a) o corpo físico e sua mente, ou seja, a consciência que funciona em associação com o corpo físico;
b) o corpo astral (sutil) e sua mente, ou seja, a consciência que experimentamos originariamente como emoções e sentimentos; e
c) o corpo causal e sua mente, ou seja, a consciência que se expressa principalmente como inteligência e sabedoria.

Desses três, o corpo físico e sua mente existe e atua no mundo concreto. Esta etapa, então, pode ser chamada yang em relação às outras duas, aquelas que não podem ser conhecidas nem pelos sentidos físicos nem pelo pensamento enraizado nas sensações físicas. Essa parte yang, entretanto, é, de fato, sustentada e mantida viva pelos aspectos ocultos yin — o astral e o causal.

OS CHAKRAS E OS NADIS

Os três estágios corpo/mente existem e operam em dimensões diferentes; cada uma é mantida pelo tipo de prana (energia vital) necessário e apropriado a cada dimensão. Isso não significa que eles sejam entidades separadas. Trata-se, pelo contrário, de partes de um conjunto sistemático. Cada corpo/mente tem dentro de si centros de energia para controlar o fluxo de prana e um sistema de canais de energia. Tais canais são denominados nadis, e os centros que os controlam são conhecidos como "chakras". No corpo físico, os canais são representados pelos sistemas cardiovascular, linfático e pelos meridianos da acupuntura,* os centros são representados pelo cérebro, pelo complexo nervoso e pontos de acupuntura. Os centros e canais correspondentes a todos os três corpos estão intimamente correlacionados.

Além de centro de controle em cada dimensão, o chakra funciona como centro de intercâmbio entre as dimensões física e astral, e entre as dimensões astral e causal. Através dos chakras, o prana sutil no corpo astral pode ser transformado, por exemplo, em energia para a dimensão física, fornecendo, assim, ao corpo físico, essencial energia de vida. Entre os mais espetaculares exemplos desta particular transformação encontram-se os casos de iogues que estiveram enterrados sob o solo durante inacreditáveis períodos de tempo e ainda continuaram vivos. Acredita-se que isso seja possível pela ação do chakra Vishuddhi (garganta) que, quando ativado, supostamente capacita a pessoa a subsistir na energia astral, em forma de "ambrosia". Essa energia penetra no corpo físico provinda do visarga Bindu (veja Capítulo VIII) do corpo astral, e pode ser provocada através de uma técnica de suspensão da respiração, conhecida como khecharimudra. Então a energia astral é materializada como oxigênio, proteína, gordura, etc., necessários à manutenção da vida, capacitando a pessoa a sobreviver mesmo quando enterrada.

Acredita-se ainda que a energia física pode ser transformada em

---

* Sistema de meridianos da acupuntura: na teoria da acupuntura, desenvolvida na China, acredita-se que o Ki, ou a força vital, circula no corpo humano através de uma rede sistemática de canais de energia. Esses canais costumam ser chamados de "meridianos".

energia astral por meio da atividade dos chakras, e que a energia física pode ser convertida em energia psicológica (ojas) dentro da dimensão física.

Portanto, o chakra é considerado como um intermediário de transferência e conversão de energia entre duas dimensões vizinhas do ser, tanto como um centro proporciona a conversão de energia entre um corpo e sua mente correspondente.

Quando os chakras são despertos e ativados, o homem não apenas se torna ciente das esferas superiores da existência, mas também adquire o poder de entrar nessas esferas, e então, em contrapartida, fortalece e dá vida às dimensões inferiores.

A LOCALIZAÇÃO DOS CHAKRAS E SUAS FUNÇÕES

Existem sete chakras. Nos estágios preliminares do despertar, os chakras são habitualmente percebidos como círculos de luz, ou auras localizadas, de várias cores. As localizações, cores e funções físicas dos chakras podem ser sumarizadas como se segue.

Chakra Muladhara: Na região do cóccix. Apresenta-se como um disco de luz vermelha. Controla o sistema gênito-urinário.

Chakra Svadhishthana: De 3 a 5 centímetros abaixo do umbigo; freqüentemente apresenta-se como um disco de luz vermelha-escarlate. Também controla o sistema gênito-urinário.

Chakra Manipura: Ao redor do umbigo. Apresenta-se como um disco de luz azul ou verde.

Como informação complementar, é interessante notar que em acupuntura existe um ponto importante localizado no umbigo, chamado de ponto shinketsu (shencheh, VC 8).* Acredita-se que este seja o ponto onde a energia divina circula para dentro e fora do corpo. A doutrina da ioga é semelhante a esta. Ela afirma que o prana penetra em todo o corpo físico, provindo de dimensões superiores, por meio do kandasthana, uma região esférica ao redor do umbigo que circunda o chakra manipura. O prana é, então, convertido em energia fisiológica e distribuído por todo o corpo através dos nadis físicos para a manutenção da vida.

Chakra Anahata: Próximo à intersecção da linha mediana e de uma linha que liga os dois mamilos. Também chamado de chakra do coração. Apresenta-se como um disco de luz vermelha intensa ou dourada. Controla o coração.

O ponto correspondente em acupuntura é o ponto danchu (shan-chung, VC 17) na concepção do vaso meridiano.

Chakra Vishuddhi: Na garganta. Apresenta-se como um disco de luz violeta. Controla os órgãos respiratórios.

Chakra Ajna: Entre as sobrancelhas. Conhecido comumente como a terceira visão. Apresenta-se como um disco de luz branca de grande intensidade. Este chakra controla as funções secretoras da glândula pituitária assim como as atividades intelectuais. Dizem que quando este chakra é ativado, a pessoa encontra sua própria divindade, isto é, o verdadeiro eu superior.

Chakra Sahasrara: Localiza-se no alto da cabeça. Este chakra possui o controle global de todos os aspectos do corpo e da mente. Quando o

---

* Neste livro, mencionamos o nome japonês, o nome chinês e o número padronizado para cada ponto de acupuntura. Por exemplo, chukan (chung-wan, VC 12) refere-se ao 12º no meridiano do vaso de concepção, pronunciado "chukan", em japonês, e "chung-wan", em chinês. A precisa localização desses pontos pode ser estabelecida em qualquer atividade de referência-padrão de acupuntura. As abreviações dos meridianos são as seguintes: P, meridiano do pulmão; IG, meridiano do intestino grosso; E, meridiano do estômago; BP, meridiano do baço; C, meridiano do coração; B, meridiano da bexiga; R, meridiano do rim; CC, meridiano do músculo constritor cardíaco; TC, meridiano trinervado cardíaco; VB, meridiano da vesícula biliar; F, meridiano do fígado; VG, meridiano do vaso governador; e VC, meridiano do vaso de concepção.

"Portão de Brahman" neste chakra é aberto, o indivíduo pode deixar o corpo físico e entrar nas esferas do corpo astral ou do causal. Esse chakra apresenta-se como um grande disco de luz dourada ou rósea.

O prana incorporado nesses sete chakras é distribuído na forma e proporção apropriadas, por todos os três corpos e mentes através de uma rede de nádis. Permita-nos, agora, voltar a discutir esses canais.

OS NADIS NO CORPO FÍSICO

Por enquanto, não foi determinado o verdadeiro número de nadis existentes. Alguns ensinamentos falam num total de 72.000, enquanto outros dizem que existem por volta de 340.000. Contudo, todos os ensinamentos viáveis citam dez ou catorze nadis como os mais importantes. Dentre esses, destacam-se os três nadis principais: *Sushumna*, *Ida* e *Pingala*. Entre os pesquisadores modernos comprometidos com os estudos fisiológicos e anatômicos da ioga, muitos afirmam que os nadis são representados no corpo humano por meio do sistema nervoso. Eles teorizam que o sushumna corresponde à medula espinhal e o ida e o pingala aos troncos do nervo simpático, localizados em cada lado do cordão espinhal. Esta interpretação parece plausível à primeira vista, porém um estudo das antigas exposições sobre os nadis nos *Upanishads* e em outros clássicos da ioga torna essa teoria de difícil aceitação.

De acordo com os *Upanishads* e outras fontes, o sushumna situa-se no canal medular da coluna vertebral, e possui uma abertura para o Portão de Brahman. Anatomicamente falando, o canal medular da coluna vertebral não possui filamentos nervosos, apenas fluido cérebro-espinhal. Portanto, é neurologicamente impossível que a medula espinhal também possua uma abertura para o alto da cabeça, destinada à circulação do prana.

O meridiano do vaso governador, como é conhecido em acupuntura, mostra a mais clara harmonia no interior do sushumna. O fluxo de energia, nesse meridiano, começa na extremidade do cóccix, sobe pela espinha, atinge o ponto no alto da cabeça chamado hyakue (paihui, VG20), e então desce pela linha meridiana até um ponto logo abaixo do umbigo. Acredita-se que a energia que flui neste meridiano seja do tipo yang e que controle todo o corpo — é o que se diz a respeito do sushumna.

Além disso, na teoria da acupuntura, dizem que o Ki (Ch'i), energia do cosmos, flui para dentro e fora através do ponto hyakue, o qual pode corresponder ao Portão de Brahman. Assim, o sushumna demonstra uma correlação mais íntima com o meridiano do vaso governador do que com a medula espinhal.

No tocante a ida e pingala, textos antigos afirmam que eles começam um de cada lado do chakra muladhara (no períneo) e terminam em cada narina. Isso difere completamente da descrição anatômica dos troncos nervosos simpáticos, que não começam nem terminam nessas localizações. Por outro lado, sabe-se que as duas linhas secundárias do meridiano da bexiga, as quais se situam de cada lado da coluna vertebral, percorrem o períneo e terminam ao lado da base do nariz.

Eis um resumo das semelhanças entre as doutrinas iogues sobre os nadis e os meridianos da medicina chinesa:

- Ambos são canais de energia vital, isto é, prana ou Ki.
- Os percursos do fluxo de energia apresentam uma estreita semelhança mútua.
- Muitas das funções que elas exercem são as mesmas.

(Isto será discutido detalhadamente em capítulos posteriores.)

Os nadis do corpo físico e os meridianos da acupuntura podem, portanto, ser considerados essencialmente os mesmos.

Nesse caso, como alguém — na antigüidade ou nos dias atuais — consegue descobrir os nadis e os meridianos? Antes de mais nada, os mestres da acupuntura, da moxibustão e da massagem mostram-se capazes de distinguir, intuitivamente, a existência dos meridianos, ou melhor, do fluxo de energia durante o tratamento de seus pacientes. A cor e a condição da superfície do corpo, as alterações de temperatura do organismo, etc., tudo provavelmente ajuda a fornecer indícios sobre a existência do fluxo de energia.

Além disso, tanto os iogues como os médicos acupunturistas tornam-se cientes do fluxo de energia interior através de um tipo de percepção extra-sensorial durante a meditação. Existem muitos registros na literatura que fundamentam esse aspecto, especialmente em *The Yellow Emperor's Treatise on Internal Medicine* (*Huang Ti Nei Ching*) e em várias ioga-sutras.

O DESPERTAR DOS CHAKRAS

Nos capítulos posteriores, será apresentada uma exposição detalhada das alterações que se manifestam no corpo e na mente, quando um chakra é ativado. Aqui, daremos dois breves exemplos, a título de ilustração.

Quando o chakra manipura se encontra em atividade, a região ao redor do umbigo dá a impressão de estar coberta de energia e força e qualquer disfunção digestiva parece melhorar. Pode também haver uma nítida sensação de calor concentrada em volta do umbigo ou no interior do abdômen. Nessas ocasiões, um disco de luz multicor (por exemplo, vermelho, azul e dourado) é observado na região do abdômen ou na fronte, entre as sobrancelhas. Freqüentemente, ocorrem alterações psicológicas, tais como emoções intensificadas, maior sensibilidade, capacidade de simpatizar-se com os outros e habilidade de controlar as emoções.

Como um segundo exemplo, antes da ativação do chakra anahata, pode haver dores freqüentes na parte da frente do tórax ou um funcionamento irregular do coração, tal como pulsação acelerada. Durante a meditação, nota-se um disco de luz escarlate intensa ou dourada na frente do coração ou no ponto entre as sobrancelhas. Pouco depois, ouvem-se vozes ou sons vindos de outros mundos. São comuns os zumbidos, como os das abelhas, e um som que lembra o da flauta. A atitude otimista torna se constante. Não importa o tipo de dificuldade encontrada, não há sentimento de desassossego, mas sim de tranqüilidade, confiança e a certeza de que a situação melhorará de algum modo. O sentimento de amor para com os outros também se intensifica. A habilidade psicocinética (PK) — capacidade da mente de controlar a matéria diretamente ou de alcançar certos objetivos delineados na imaginação — começa a manifestar-se, tornando assim possível a cura de moléstias.

Com a ativação e o despertar dos chakras pelos meios corretos, uma pessoa pode evoluir e desfrutar das esferas superiores do ser. A tantra ioga oferece métodos sistemáticos para despertar adequadamente esses chakras, sem qualquer perigo. No último capítulo deste livro, apresento resultados detalhados com esclarecimentos de experiências físicas e psicológicas elaboradas em indivíduos que, através da prática correta da tantra ioga, despertaram os chakras, sofreram alterações físicas e psicológicas e, conseqüentemente, desenvolveram certas habilidades paranormais.

Tais resultados experimentais sugerem que o homem pode elevar-se e evoluir, alcançando a condição superior do ser.

É minha firme intenção que este livro proporcione ao leitor informações rigorosamente precisas para que ele possa aprender os métodos adequados à prática e despertar em si próprio a percepção da existência de mundos em dimensões superiores.

Há pessoas que afirmam que nós, humanos, cultivamos um profundo desejo de nos tornarmos mais do que humanos. Deve-se esclarecer que esse desejo não é impossível, nem muito perigoso, desde que as práticas corretas sejam executadas sem nenhum erro. É preciso acrescentar, também, que a orientação de um orientador qualificado é imprescindível, no caso de serem encontradas dificuldades no decorrer do estudo. Quando isso acontecer e o leitor não tiver acesso a outra pessoa qualificada, ele deve se sentir livre para entrar em contato com este instituto – o Instituto de Psicologia Religiosa – onde regularmente são ministrados ensinamentos e orientações sobre o despertar dos chakras.

I
A Prática da Tantra Ioga

A FINALIDADE DA IOGA

A finalidade das disciplinas iogues tem sido descrita de forma muito variada: como a descoberta da Verdade, como a realização do Eu superior, como a realização da identidade de Brahman e Atman e como a unificação do homem com Deus. Todas essas descrições se voltam para os conceitos fundamentais da ioga. Entretanto, tendo em mente os propósitos deste livro, usaremos a seguinte definição: ioga é um meio de atingir a união com o verdadeiro Eu superior, o Deus íntimo.

A palavra sânscrita "ioga" tem dois significados. O primeiro, "união", implica harmonia, unidade e estabilidade. O segundo, "jugo" (como o utilizado para atrelar os bois ao carro, a fim de puxá-lo), significa a união do eu pessoal com o eu divino. Tal unificação é possível através da concentração em torno de um símbolo ou de uma entidade sagrada, assim como de um chakra, de uma mandala, de um mantra, ou simplesmente do verdadeiro Eu superior. A realização desse objetivo requer a completa negação do que for pessoal, do eu individualizado, que é um obstáculo entre o aspirante e seu objetivo de completa liberdade. Somente quando a negação da individualidade for atingida é que o aspirante poderá começar a viver numa dimensão superior, em que todas as coisas, inclusive o eu pessoal, são encerradas numa única. Dessa união surge a verdadeira vida, e nela jaz o portão de entrada para a libertação espiritual. Entendidas dessa maneira, a autonegação e a auto-realização não possuem sentido contraditório. Quando uma pessoa persiste em elevar seu nível de existência através da prática constante, a união com Deus — o principal objetivo da ioga — pode finalmente ser realizada.

Em nossa percepção habitual da realidade, o sujeito e o objeto existem como entidades distintas, separadas. De fato, a ciência baseia-se na contraposição do sujeito ao objeto. Um cientista procura observar o fenômeno num padrão preciso e através de leis formuladas, que explicam o que ele está observando. A observação do próprio sujeito, entretanto, não é considerada; o conhecimento obtido, por esta razão, é do objeto apenas, e não do sujeito que distinguiu e compreendeu esse objeto. Neste sentido, a ciência não examina completamente o campo de observação, e seu conhecimento é, portanto, incompleto.

Em contrapartida, o conhecimento alcançado através da unidade do sujeito e do objeto leva em consideração a realidade de ambos, e a profunda integridade universal da qual essa realidade surgiu. Tal união do sujeito com o objeto — presente no enunciado chamado Samadhi — é o principal objetivo da prática iogue. No trabalho científico, um objeto é compreendido através da infiltração pelos cinco órgãos sensitivos. Contudo, quando o sujeito, que confronta e se opõe ao objeto, é negado e transcendido, a intrínseca natureza desse objeto pode ser apreendida diretamente pelo superconsciente, em vez de sê-lo através dos órgãos sensitivos. Essa forma de conhecimento pode ser chamada de sabedoria. O propósito da ioga é atingir o estado de integridade do sujeito e objeto, no qual jaz a verdadeira sabedoria.

A ativação dos chakras é um modo indispensável de realizar esse objetivo. As técnicas para ativar o chakra, parte da tantra ioga, intensificam as funções do corpo e da mente e são o caminho mais eficiente de desenvolver os "siddhis". Embora definidos comumente como "poderes milagrosos", os siddhis são melhor compreendidos como faculdades conferidas ao aspirante quando este experimenta o reino divino da existência. A mera crença intelectual no mundo das divindades é fútil especulação; precisamos efetivamente experimentar a realidade deste mundo para nos unirmos ao Absoluto e atingirmos a libertação final — o Nirvana. O despertar dos chakras transporta a pessoa para o mundo divino, o mundo do Verdadeiro Eu Superior.

AS OITO DISCIPLINAS DA IOGA

A prática iogue compreende oito tipos ou "cláusulas" de disciplina. Elas foram, primeiro, codificadas por Patanjali, que coligiu seu *Ioga sutras* no século V ou VI a. C., tendo como base os ensinamentos de várias seitas iogues. As oito disciplinas são:

(1) Yama (abstinência do comportamento pecaminoso)
(2) Niyama (conduta virtuosa)
(3) Asana (postura física)
(4) Pranayama (controle da respiração)
(5) Pratyahara (remoção dos sentidos)
(6) Dharana (concentração)
(7) Dhyana (meditação)
(8) Samadhi (união de sujeito e objeto)

Essas disciplinas podem ser classificadas em cinco grupos:
(1) *Treinamento moral*: Yama, Niyama. Purificação e harmonização da mente.
(2) *Treinamento físico*: Asana, Pranayama. Regularização da energia vital e da circulação sangüínea; controle das funções muscular e nervosa.
(3) *Treinamento mental*: Pratyahara, Dharana. Irromper a carapaça do ego através da interiorização e do controle da consciência.
(4) *Treinamento espiritual*: Dhyana. Realização da superconsciência e contato com seres espirituais.
(5) *Samadhi*: Integridade com o Divino, o mais elevado estágio do desenvolvimento espiritual.

No método genuíno, algumas dessas disciplinas são praticadas juntamente com configurações energéticas conhecidas como mudras. Os mudras são práticas muito importantes, as quais, tradicionalmente, têm sido ensinadas somente por discípulos proeminentes. São mais importantes do que a prática isolada do pranayama ou das asanas, e por essa razão são considerados potencialmente perigosos para os que não estiverem adequadamente preparados. Contudo, nos dias de hoje eles estão sendo ensinados abertamente para discípulos sérios, por muitos gurus em todo o mundo, talvez para satisfazer às crescentes necessidades espirituais da humanidade neste período de crise.

Os mudras são gestos que produzem grande energia psíquica e profundas emoções "espirituais". Certos mudras costumam ser utilizados para controlar processos fisiológicos involuntários normais do subconsciente. Eles desenvolvem a percepção do fluxo de energia vital (prana) no corpo astral e permitem ao praticante controlá-lo de forma consciente. Uma vez obtido isso, o prana pode ser enviado a qualquer parte do corpo, ou até transmitido a outras pessoas (por essa razão, a cura psíquica torna-se possível). Muitos dos mudras englobam a prática de asana, pranayama e bandha (ver Capítulo III). Uma vez que cada uma das partes constituintes gera seus próprios efeitos benéficos, o efeito acumulativo pode ser extraordinário. Os mudras são importantes como preparação para a prática de pratyahara e dharana; na realidade, eles são a essência das técnicas usadas para ativar os chakras. Ao mesmo tempo, favorecem a saúde física e mental.

No Capítulo IV, será apresentada uma explanação detalhada sobre os mudras, após os ensinamentos sobre as asanas (Capítulo II) e o pranayama (Capítulo III). Para completar o capítulo, resta uma discussão sobre as práticas iniciais das disciplinas iogues yama e niyama.

TREINAMENTO MORAL

A mente humana compõe-se tanto de elementos conscientes como de elementos inconscientes. Normalmente, o consciente exerce certa dose de controle sobre o inconsciente. Entretanto, desejos inconscientes impulsivos, como o apetite, o desejo sexual e o apego emocional estão em constante atividade, influenciando a consciência; quando. eles chegam a dominar a mente de uma pessoa, esta se torna egoísta; o indivíduo torna-se anti-social e exerce uma influência negativa sobre todos a seu redor.

Um bando de motociclistas imprudentes é um exemplo típico disso. Impulsionados pelo desejo de velocidade e pela necessidade de "se exibir", eles não se sentem culpados pelo aborrecimento que causam aos outros. Todavia, cedo ou tarde, acabam sofrendo sérios ferimentos, que podem chegar até a morte. A autodestruição é o destino dos que não conseguem controlar os desejos insensatos, instintivos, que se originam no inconsciente.

Não pretendo insinuar que os ímpetos inconscientes geram somente efeitos negativos ou que sempre causem má conduta. Se controlada, essa poderosa energia pode ser canalizada para uma dimensão mais elevada e utilizada para promover a harmonia. Entretanto, os que não possuem o autocontrole necessário freqüentemente manifestam tendências neuróticas e comportamento instável. Por exemplo, unidas por fraquezas comuns, essas pessoas geralmente se associam para formar grupos antagônicos à sociedade, como acontece no caso dos bandos de motociclistas.

Indivíduos neuróticos ou com distúrbios mentais freqüentemente aparecem em nosso Instituto procurando ajuda. Muitas vezes, encontramos dois fatores que contribuem para isso: disciplina moral deficiente durante a infância e falta de formação religiosa no lar. Acredito que uma criança deve ser ensinada, tanto em casa como na escola, a distinguir o bom comportamento do mau, e que deve ser elogiada ou repreendida de acordo com seu modo de agir. Crianças disciplinadas desta maneira tendem a desenvolver um maior autocontrole do que aquelas que não o são. Além disso, se forem educadas na crença de que Deus ajuda os bons e pune os maus, estarão propensas a evitar o mau comportamento na idade adulta.

Somente as pessoas que podem exercitar o autocontrole conseguem atingir a estabilidade mental e manter um equilíbrio apropriado entre os domínios consciente e inconsciente da mente. Sem esse equilíbrio, o avanço espiritual através da concentração e da meditação é impossível. Portanto, yama e niyama são pré-requisitos indispensáveis para a prática iogue adiantada.

YAMA

O *Ioga sutras* estabelece que a yama possui cinco aspectos: não-violência, veracidade, não roubar, continência e não cobiçar.

Não violência: O comportamento violento, em geral, surge quando emoções como o ódio e a ambição de poder não podem ser controlados. A auto-acusação e o sentimento de culpa, que permanecem no inconsciente como resultado do comportamento violento, perturbam o equilíbrio da mente e impedem inevitavelmente o progresso espiritual. Além do mais, a não-violência é essencial para a manutenção da coexistência pacífica dentro de nossa sociedade.

Veracidade: Veracidade e sinceridade ajudam a formar uma mente estável e tranqüila e contribuem para a manutenção de relações sociais harmoniosas.

Não roubar: Roubar, naturalmente, resulta em condenação social, e também produz efeitos nocivos na mente e no corpo de quem perpetra o roubo.

Continência: Depois da alimentação, o desejo sexual é o mais forte anseio humano. Através da abstinência de relações sexuais por períodos específicos, durante a prática espiritual, o indivíduo pode desenvolver a habilidade de controlar os desejos instintivos. Isso promove a tranqüilidade.

Não cobiçar: A ganância é um dos mais fortes instintos do homem; controlá-lo é uma forma de contribuir tanto para a serenidade interior como para a paz social.

O *Ioga sutras* estabelece que o cumprimento da yama também produz certos siddhis (energias espirituais). Por exemplo, se um homem praticar a não-violência, seus inimigos desaparecerão, os homens maus abandonarão as armas e os leões passarão por ele sem atacá-lo. A pessoa que for constantemente sincera verá seus desejos satisfeitos de forma espontânea. Do mesmo modo, quando se cumpre com perfeição o preceito de não roubar, a riqueza surge naturalmente de fontes inesperadas. A continência gera energia. Depois de cinco ou dez anos de prática de meditação conjugada com continência, o adepto estará apto a transformar a energia sexual em energia espiritual (ojas). Em contrapartida, isso acarreta poderes telepáticos e psicocinéticos, além de melhorar a saúde mental e física. Finalmente, a completa extinção da cobiça gera a capacidade de compreender as vidas passadas e futuras das pessoas. O passado, o presente e o futuro são refletidos claramente na superfície espelhada de uma mente serena e constante.

NIYAMA

Segundo o *Ioga Sutras*, a niyama também possui cinco aspectos: purificação, contentamento, mortificação, entoação de sons sagrados e adoração a seres divinos. Essas práticas relacionam-se com a conduta pessoal do indivíduo, ao contrário da moralidade social que é a base das práticas da yama.

Purificação: Ambos, mente e corpo, devem ser purificados. O iogue banha-se três vezes ao dia para manter a higiene física; para a purificação mental, empregam-se diversos meios. Um deles é alegrar-se quando os outros sentem-se felizes e sentir a tristeza do próximo como se fosse a própria. Isso desenvolve gradualmente a extensão de nossas emoções e torna a mente pura e livre. Controlar a respiração através dos exercícios de pranayama também é importante. O funcionamento do coração, em conseqüência, torna-se mais sereno e relaxado, e a mente não mais é excitada facilmente pelos estímulos externos. A concentração nos chakras anahata e ajna também é um método bastante efetivo de purificar a mente. Essa prática favorece a serenidade (*sattva*). Na ioga, três qualidades da vida ("três gunas") são postuladas: *tamas* (inatividade, inércia, indolência), *rajas* (atividade, paixão), e *sattva* (serenidade, calma, conhecimento). Quando o *sattva guna* obtém domínio sobre os outros dois, uma luz branca brilhante é sentida extra-sensorialmente, e a ela se segue a paz.

Contentamento: Significa a satisfação com as necessidades básicas da vida – a abstinência do desejo por coisas supérfluas. Uma vez que a pessoa percebe que todas as coisas que ela possui – seu corpo, sua mente, sua própria vida – são concedidas por Deus, e que na realidade nada é seu, ela sente uma profunda gratidão. Isso resulta numa inigualável tranqüilidade mental.

Mortificação: O apetite, um dos mais fortes instintos humanos, pode ser superado pelo jejum. Uma mente fraca tende a ser fortalecida através de diversas formas de ascetismo. Por exemplo, no Japão, o ascetismo com água – banhar-se com baldes de água gelada em pleno inverno, ou banhar-se numa cachoeira – é amplamente praticado. O jejum e o ascetismo com água facilitam o aparecimento do superconsciente, pelo fato de tornar mais lento o metabolismo do corpo e de aquietar as áreas da consciência relacionadas com funções corporais.

Entoação de sons sagrados: Entoar a Escritura, os mantras e outros sons sagrados que revelam aspectos do Divino é uma prática extremamente poderosa. Primeiro, o praticante tem consciência do som quando ele aparece em sua garganta; logo que a percepção se aprofunda, sua consciência se torna cada vez mais clara e se transforma no próprio som. A mente é purificada, tornando-se serena.

Adoração a seres divinos: Não se refere ao Ser Supremo, mas sim aos espíritos divinos que possuem individualidade própria. A essência dessas divindades é *Purusha*, a consciência universal do Verdadeiro Eu Superior. Nesse mundo de obrigação cármica, purusha pode existir apenas numa forma maculada, impura; porém, seres divinos que habitam em seus estados puros, desfrutam de completa liberdade, além dos limites do tempo e do espaço. Eles são os guias espirituais dos iogues e de seus gurus; através de sua visualização e culto, a mente do aspirante torna-se serena e limpa. Com o auxílio da superconsciência e dos poderes psíquicos, os encontros diretos com seres divinos tornam-se possíveis.

A observância da niyama traz muitos benefícios. Através da purificação da mente e do corpo, sattva (tranqüilidade, paz, sabedoria) difunde-se no ser do devoto. Este desenvolve a capacidade de concentrar e controlar seus órgãos sensoriais. Ademais, um poder intuitivo lhe é conferido, habilitando-o a distinguir entre as dimensões superiores da mente, as quais ainda estão sujeitas às leis do carma e do purusha, que transcende o carma. Pela prática do contentamento (a abstinência dos desejos materiais), a pessoa experimenta o mundo superior que mantém as nossas vidas, desfrutando de paz mental e de felicidade suprema. Através da prática da mortificação, lhe são conferidas habilidades psíquicas – ambas, física e mental. Pela entoação de sons sagrados a pessoa é capaz de encontrar a divindade. Através da adoração de seres onipotentes, puros e divinos, a pessoa pode penetrar num estado pacífico, transcendental, conhecido como samadhi não-diferenciado.

O propósito da yama e niyama, por conseguinte, é preparar a mente para a iluminação espiritual. Yama estabiliza a mente no domínio do comportamento social, e niyama purifica-a através da redução do que é mundano, da atividade voltada para o exterior. Embora isso possa parecer uma pregação moralista convencional para forçar o bom comportamento e a abstenção da má conduta, yama e niyama são, definitivamente, práticas necessárias para o indivíduo que assume um compromisso para com a prática espiritual.

II
Asanas Iogues

Muitas pessoas associam as asanas com os exercícios físicos de movimentos enérgicos. Todavia, isso não passa de um mal-entendido, pois o verdadeiro significado de asana é "postura" — uma posição estática na qual o corpo e a mente ficam relaxados e serenos. Exercícios físicos produzem efeitos fisiológicos em músculos e ossos, enquanto o propósito das asanas da ioga é melhorar a saúde mental e espiritual, além da saúde física.

Algumas diferenças exteriores são óbvias. Por exemplo, os exercícios físicos geralmente incluem movimentos rápidos e precisos, acompanhados de respiração rápida e até mesmo acelerada. As asanas, por outro lado, são praticadas com movimentos suaves, respiração profunda e concentração aguçada. Devem ser mantidas durante algumas inspirações antes de o praticante retornar lentamente à posição inicial. Não é necessário empreender esforços excessivos. Através das asanas, as funções dos órgãos internos, dos músculos e dos sistemas nervosos são tonificadas e estabilizadas.

Segundo a tradição, o deus Shiva, adorado pelos iogues como a divindade que liberta os seres humanos desse mundo, criou a ioga e as asanas. Acredita-se que ele tenha criado 8.400.000 de asanas transmitindo-as à deusa Parvati, sua primeira discípula. De acordo com a doutrina antiga, a prática de asanas serve para libertar o indivíduo dos vínculos cármicos. Considerando-se que cada pessoa reencarna 8.400.000 vezes, a prática de cada asana, ao que se imagina, liberta-a de uma encarnação. Todavia, na realidade, apenas algumas centenas de asanas chegaram até nós, depois de milhares de anos, e somente 84 delas são descritas detalhadamente nas Escrituras.

A palavra "tantra" deriva de "tonati" (expansão) e "trayati" (libertação). Portanto, tantra é um sistema esotérico de prática espiritual que objetiva expandir a consciência e libertar a mente. Dizem que se originou do corpo secreto do conhecimento, inclusive das asanas, transmitidos de Shiva para Parvati e ensinados, por sua vez, à sua descendência. Na prática, o tantra utiliza-se de asanas, de pranayama, de bandhas e de mudras para purificar a mente e o corpo.* A ativação dos chakras é parte integrante deste sistema.

Historicamente falando, o primeiro comentário existente sobre as asanas foi registrado pelo grande guru Goraknath, que viveu no século X a. C. Antes dessa época, entretanto, os segredos da ciência iogue parecem ter sido mantidos ocultos de todos, com exceção de discípulos proeminentes. Contudo, agora qualquer pessoa pode praticar ioga e estudar seus ensinamentos. De fato, a ioga tem atraído adeptos de todo o mundo nas últimas décadas, um fenômeno que talvez possa ser atribuído à crescente necessidade de desenvolvimento mental e espiritual.

De acordo com a tradição, as asanas estão classificadas em três níveis de dificuldade — principiante, intermediário e avançado — os quais requerem progressivamente, maiores níveis de flexibilidade, de vigor físico, de controle muscular, de respiração harmoniosa e de concentração mental. Existe outra distinção comum entre asanas dinâmicas e estáticas. As asanas dinâmicas lembram exercícios físicos, agindo para remover a rigidez, fortalecer os músculos e melhorar a cútis, favorecer a função dos pulmões e intensificar a atividade dos órgãos digestivos e excretores. São convenientes para principiantes e incluem as asanas de "liberação de ar" (pawanmuktasana), a "saudação ao sol", o estiramento das pernas, o arqueamento para a frente, a postura da "naja", etc. As asanas estáticas são praticadas mantendo-se uma posição imóvel durante alguns minutos, enquanto se respira serenamente. Elas proporcionam uma benéfica massagem nos órgãos internos, nas glândulas endócrinas e nos sistemas

---

* Muitas das práticas descritas neste livro são também encontradas na hatha ioga, na mantra ioga, etc. Entretanto, elas devem ser consideradas como parte da prática tântrica, porque nosso objetivo fundamental é ativar o sistema esotérico dos chakras e dos nadis e controlar, conscientemente, seu fluxo de energia. A percepção interior e a utilização consciente dessa estrutura esotérica — em particular, a ativação controlada do shakti, a força criativa cósmica feminina que gera toda forma manifesta — é o que distingue o tantra da prática convencional da ioga.

muscular e nervoso; são também bons exercícios preparatórios para a meditação, devido ao efeito de serenidade que produzem na mente. Essas asanas são praticadas com a concentração mental sobre uma parte do corpo, e incluem a postura do "leão", a dos ombros eretos, a de lótus, etc.

Para este livro, foram delineadas novas disposições das asanas, que as classificam de acordo com suas funções como práticas preparatórias para a ativação dos chakras. O primeiro grupo consiste de asanas para aumentar a assimilação do prana pelo corpo e pela mente, e para equilibrar seu fluxo. Elas podem ser chamadas de asanas de circulação do prana e compreendem as asanas para principiantes e algumas das asanas dinâmicas. As asanas do segundo grupo fortalecem o sushumna, canal psíquico central que percorre a espinha dorsal. Elas corrigem desvios da espinha ou vértebras deslocadas, e facilitam o fluxo do prana por todo o sushumna. O terceiro grupo é composto de asanas para induzir a concentração sobre os chakras.

Esses três grupos representam três estágios progressivos e preparatórios para a ativação dos chakras. Primeiro, o prana que flui por todo o corpo precisa ser ativado e normalizado. Então, sua circulação por toda a extensão do sushumna — o nadi mais importante — pode ser intensificada, e a passagem purificada. Isso facilita a elevação da kundalini, o poder psíquico que se acredita estar adormecido na base da espinha. O despertar da kundalini é indispensável para a verdadeira ativação dos chakras. Finalmente, a concentração direta sobre os chakras proporciona o imediato estímulo que capacita seu completo despertar.

Antes de apresentar uma explanação detalhada das asanas, devem ser observadas algumas precauções gerais:

- Antes de iniciar a prática da asana, esvazie a bexiga e o intestino.
- Como o estômago deve estar vazio, não execute asanas até pelo menos três ou quatro horas após alimentar-se.
- Não a pratique após prolongado banho de sol.
- Geralmente, respire pelas narinas, em harmonia com o movimento da asana (mais detalhes serão explicados posteriormente).
- Não a pratique sobre um colchão de ar ou de espuma; deve-se estirar um cobertor no chão.
- Pratique-a numa sala silenciosa, bem ventilada. Ventos fortes, frios ou impuros devem ser evitados. Certifique-se também de que possui um espaço suficientemente amplo, livre de móveis, para esticar-se.

- Não sujeite os músculos e as articulações a um esforço ou tensão demasiados. As asanas devem ser praticadas dentro de limites confortáveis à capacidade do praticante.
- No caso de sofrer de doenças crônicas, tais como úlcera ou hérnia, pratique apenas asanas adequadas ou nenhuma delas, seguindo a orientação de um professor qualificado.
- A melhor hora para a prática da ioga é das quatro às seis da manhã.
- Execute as asanas vagarosamente com intensa percepção do corpo. Se experimentar ligeira dor ou prazer, não reaja; simplesmente fique atento à sensação. Desse modo, você desenvolverá a concentração e a paciência.
- Vista roupas largas que sejam simples e confortáveis. Retire relógios de pulso, jóias e outros ornamentos.
- Um banho frio antes de iniciar a prática acentuará muito os efeitos da asana.
- Execute shavasana (literalmente, a postura do cadáver, pág. 39) no início e no fim da prática da asana, e sempre que sentir fadiga. Isso relaxa e revigora o corpo, enchendo-o de prana e equilibrando o fluxo.
- Se você sentir dor exagerada em alguma parte do corpo, pare imediatamente a prática e procure o conselho de um instrutor.
- Se estiver com gases intestinais ou com o sangue excessivamente impuro, não pratique as asanas invertidas (de cabeça para baixo). Isso impedirá que a toxina chegue ao cérebro, causando danos.
- Uma dieta vegetariana não é indispensável. Coma o suficiente para satisfazer o apetite, mas não em demasia a ponto de causar peso no estômago e digestão vagarosa.

GRUPO 1:
ASANAS PARA PROMOVER
A CIRCULAÇÃO DO PRANA

Segundo o Ayurveda, um clássico da antiga medicina indiana, o corpo humano é controlado por três "humores": fleuma (kapha), pneuma (vayu), e ácido ou bílis (pitta). Ocorrendo irregularidade na função de qualquer desses três estágios do metabolismo humano, é provável que se desenvolva uma doença.

Vayu não se refere apenas aos gases do trato gastrintestinal, mas também a certo tipo de prana, compreendido como um corpo fluente sutil que circula através dos nadis. Acredito que os nadis sejam absolutamente equivalentes aos meridianos da acupuntura chinesa; de acordo com minhas pesquisas, parece que esses canais são formados de tecido conjuntivo e preenchidos com fluido corpóreo. Nas articulações o fluxo da energia "ki"* (equivalente à forma mais densa de prana) é facilmente obstruído. Aqui, o fluxo reduzido pode causar dores reumáticas e resultar em fluxo de energia deficiente por todo o corpo, causa fundamental de muitos distúrbios. O principal objetivo do primeiro grupo de asanas — chamado pawanmuktasana, exercícios de "liberação de ar" — é, portanto, promover o desimpedimento do fluxo do prana pelos nadis, primeiramente através do desprendimento das obstruções nas juntas.

Antes da pawanmuktasana, ou qualquer prática de asana, recomenda-se a shavasana (postura do "cadáver"). Ela relaxa o corpo e permite que o prana seja facilmente absorvido e distribuído.

Shavasana (postura do "cadáver")

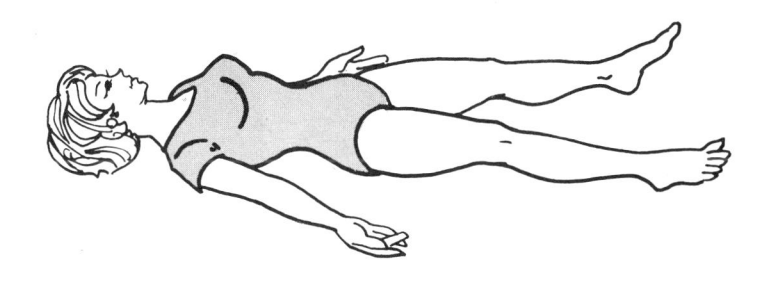

* Denominação japonesa, referente à energia vital que flui pelo corpo humano. (N. T.)

Deite-se estirado de costas, com os braços ao lado do corpo e as palmas viradas para cima. Mova os pés, separando-os ligeiramente, até encontrar uma posição confortável. Feche os olhos. Relaxe todo o corpo. Não se mova, de forma alguma, mesmo se sentir desconforto. A respiração deve ser rítmica e natural; perceba a inspiração e a expiração. Conte as respirações — 1ª inspiração, 1ª expiração, 2ª inspiração, 2ª expiração, e assim por diante — durante cinco minutos. Se a mente começar a divagar, volte-a para a contagem; se houver esquecido o número, comece novamente do 1.

À medida que a percepção do processo da respiração continuar, você experimentará uma melhora no relaxamento físico e mental.

Pawanmuktasana (exercícios de liberação de ar)

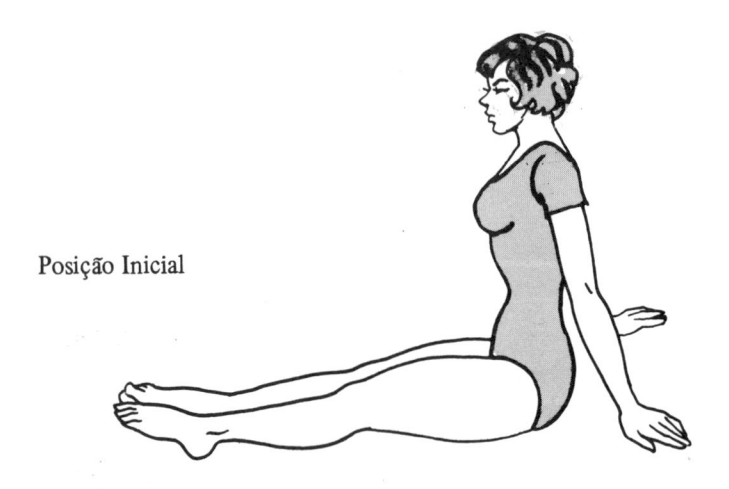

Posição Inicial

(1) *Flexão dos dedos do pé*

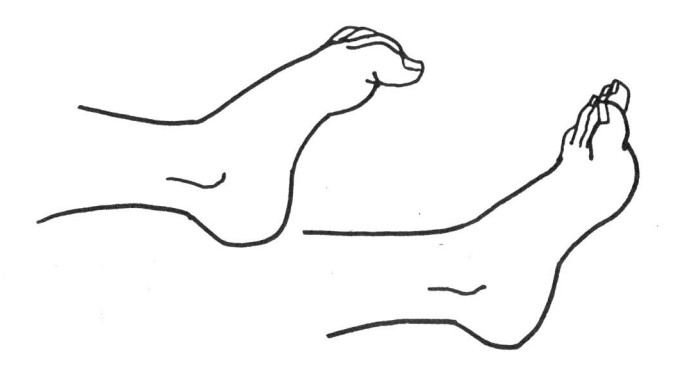

Sente-se ereto no chão com as pernas completamente estendidas. Apóie as palmas das mãos no chão, ao lado dos quadris e um pouco mais atrás, utilizando os braços retos como suporte. Dirija sua atenção para os dedos dos pés. Mova-os (de ambos os pés) vagarosamente para trás e para a frente, sem deslocar as pernas ou os tornozelos. Repita dez vezes.

(2) *Flexão do tornozelo*

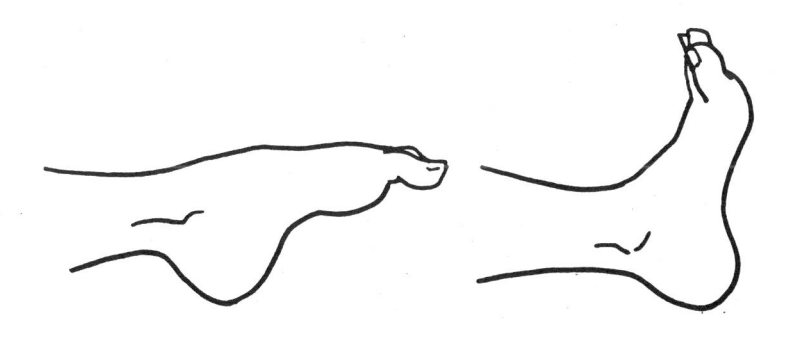

Permaneça na posição inicial descrita em (1). Mova ambos os pés para a frente e para trás o máximo possível, flexionando as juntas do tornozelo. Repita dez vezes.

(3) *Rotação do tornozelo*

Continue na posição inicial. Separe ligeiramente as pernas. Mantenha os calcanhares em contato com o chão, gire o pé direito no sentido horário (flexionando o tornozelo) dez vezes, e então em sentido anti-horário mais dez vezes. Repita com o pé esquerdo. Em seguida, faça novamente o exercício, girando ambos os pés ao mesmo tempo.

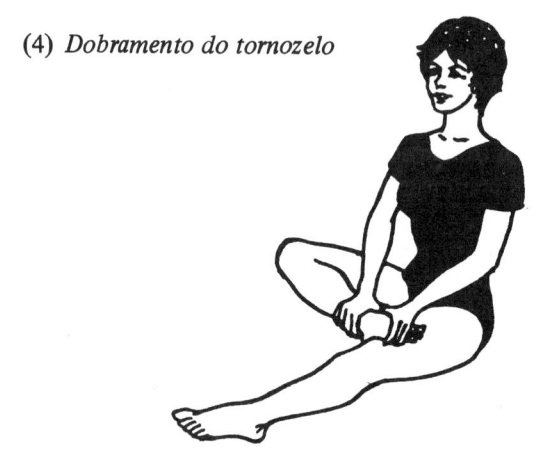

(4) *Dobramento do tornozelo*

Sente-se na posição inicial, coloque o tornozelo direito sobre a coxa esquerda. Enquanto segura o tornozelo direito com a mão direita, gire o pé direito com a mão esquerda em sentido horário, por dez vezes; faça o mesmo mais dez vezes no sentido anti-horário. Repita o procedimento com o pé esquerdo sobre a coxa direita.

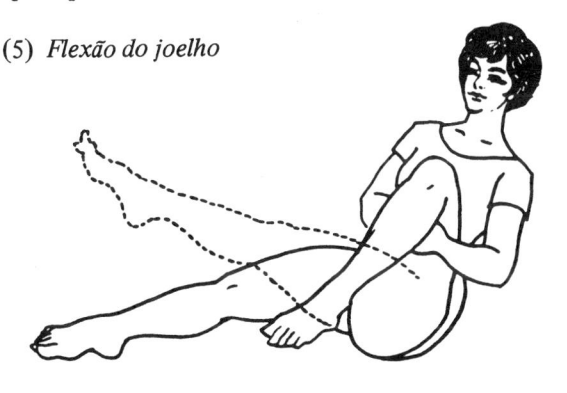

(5) *Flexão do joelho*

Sentado na posição inicial, dobre e levante o joelho esquerdo, entrelaçando os dedos das mãos sob a coxa. Desdobre a perna sem permitir que o calcanhar ou os dedos toquem o solo, mantendo as mãos sob a coxa. Retorne a perna à posição anterior, trazendo o calcanhar próximo à nádega esquerda. Repita dez vezes, então faça o mesmo com a perna direita.

(6) *Rotação do joelho*

Sentado na posição inicial, junte as mãos entrelaçando os dedos sob a coxa direita, próximo ao tronco e eleve a perna esquerda do chão. Gire a perna direita, num movimento circular a partir do joelho, dez vezes em sentido horário, e faça o mesmo, mais dez vezes, no sentido anti-horário. Repita com a perna esquerda.

(7) *Meia borboleta*

Coloque o pé esquerdo em cima da coxa direita. Segure o joelho direito com a mão direita e coloque a mão esquerda na curvatura do joelho esquerdo. Mova suavemente a perna dobrada para cima e para baixo com a mão esquerda, relaxando os músculos da perna direita o máximo possível. Continue até que o joelho esquerdo toque, ou quase toque o solo. Repita com o joelho direito. Após alguns dias ou semanas de prática, os joelhos poderão, confortavelmente, tocar o chão. Como resultado desse aumento de flexibilidade e alcance de movimento nas juntas dos quadris, o fluxo de prana e sangue beneficia-se nesta área.

(8) *Rotação da junta dos quadris*

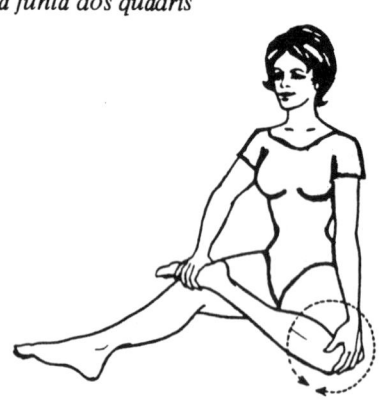

Sente-se na mesma posição que em (4); segure os dedos do pé esquerdo com a mão direita e o joelho esquerdo com a mão esquerda. Gire o joelho a partir da junta do quadril dez vezes em sentido horário e mais dez vezes no sentido anti-horário.

Repita o mesmo procedimento com o joelho direito.

(9) *Borboleta completa*

Na posição sentada, coloque as solas dos pés juntas e traga os calcanhares o mais próximo possível do corpo. Empurre os joelhos em direção ao solo com as mãos e solte-os para que voltem novamente para cima. Repita vinte vezes.

(10) *Passo de gralha*

De cócoras, coloque as palmas das mãos nos joelhos e caminhe, enquanto mantém a posição agachada. Você pode caminhar tanto sobre os dedos como sobre as solas dos pés, da forma que for mais difícil. Continue por um pequeno período de tempo, sem esforço excessivo. Como uma variação, toque o joelho no solo a cada passo.

O passo de gralha é um exercício excelente para preparar as pernas para as posturas de meditação, e é benéfico para as pessoas que possuem fraca circulação de prana e sangue nas pernas. É também recomendado para os que sofrem de prisão de ventre — estes deverão beber dois copos de água antes de executar um minuto de caminhada de gralha, seguido de mais dois copos de água e outro minuto de caminhada. Se isto for feito três ou quatro vezes, a prisão de ventre pode ser aliviada.

(11) *Mão cerrada*

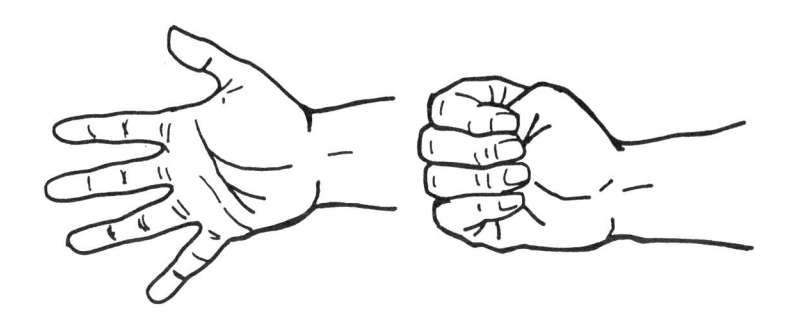

Sente-se na posição inicial, estenda os braços para a frente no nível do ombro. Alternadamente, abra e feche os dedos de ambas as mãos. Feche os dedos sobre os polegares para permitir que a mão fique bem vedada. Repita dez vezes.

(12) *Flexão do pulso*

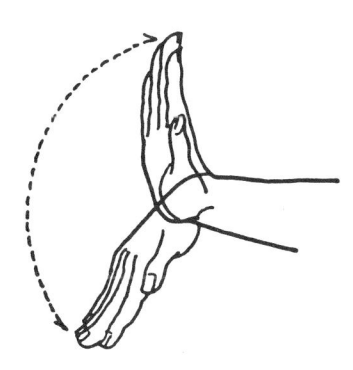

(13) *Rotação do pulso*

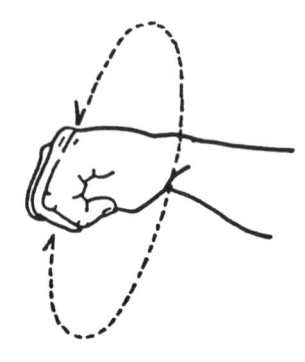

Mantenha a posição inicial com os braços estendidos para a frente no nível do ombro e curve as mãos para trás, forçando o pulso, como se fosse comprimir as palmas contra a parede, com os dedos erguidos. Então curve os pulsos para apontar os dedos para baixo. Repita alternadamente por dez vezes.

Comece da mesma posição que em (12), baixe a mão esquerda. Cerre o punho direito e gire o pulso dez vezes em cada direção. Repita com a mão esquerda. Estenda ambos os braços à frente do corpo com os punhos cerrados. Gire os pulsos juntos dez vezes em cada direção.

(14) *Flexão do cotovelo*

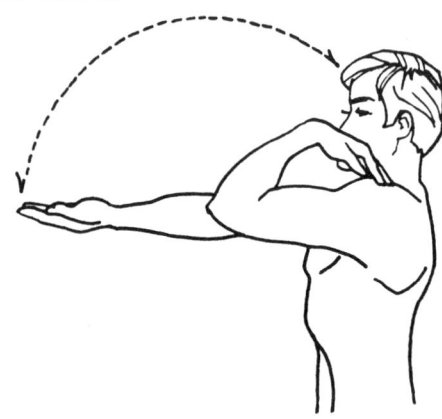

Adote a posição inicial e estenda os braços para a frente, as palmas viradas para cima. Dobre ambos os braços na altura dos cotovelos e toque os ombros com as pontas dos dedos, então estenda os braços novamente. Repita dez vezes. A seguir, execute o mesmo exercício, agora com os braços estendidos para os lados.

(15) *Rotação dos ombros*

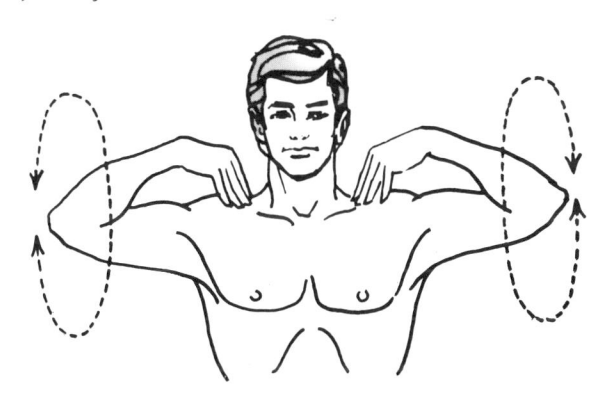

Mantenha a mesma posição com as pontas dos dedos tocando os ombros, mova os ombros num padrão circular, girando as juntas dos ombros. Faça isso dez vezes em cada direção. Execute o maior movimento circular possível, traga os dois cotovelos à frente do tórax.

Assim se completa o círculo de asanas para estimular todas as juntas dos membros. Observe que, no caso das extremidades inferiores, você começa com os dedos dos pés, passa para os tornozelos e joelhos e termina nas juntas do quadril. Nas extremidades superiores, prossiga nesta mesma ordem, dos dedos para os pulsos, cotovelos e juntas dos ombros.

Os efeitos das asanas de liberação de ar sobre a circulação do prana podem ser explicados através da teoria dos meridianos da medicina chinesa, da seguinte maneira:

Existem doze meridianos principais de energia ki que circulam sobre e por todo o corpo; a maioria deles está relacionada com o órgão interno específico que atravessam. Os pontos terminais desses meridianos localizam-se nos dedos dos pés e das mãos, e são conhecidos como pontos *sei* ("fonte"). Por exemplo, o ponto sei do meridiano do pulmão está localizado no polegar; o do meridiano do intestino grosso está na ponta do indicador. A posição dos catorze pontos sei (os doze principais, mais os meridianos das ramificações estomacais e do diafragma) aparece ilustrada no diagrama abaixo (os meridianos são virtualmente identificáveis tanto para o lado direito como para o esquerdo).

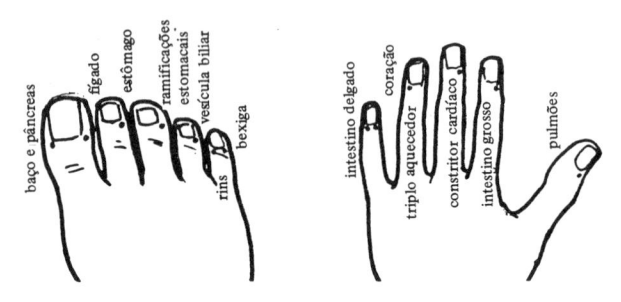

Os pontos sei são muito importantes, pois é por eles que a energia ki entra e sai dos meridianos. Acredita-se que o nível da energia nesses pontos se reflete inteiramente na condição de todo o meridiano. Sabemos que no caso de doença aguda, a acupuntura ou o tratamento com moxa surte um efeito imediato. Os exercícios de cerramento de mão e de flexão dos dedos do pé de pawanmuktasana estimulam diretamente os pontos sei e, portanto, desenvolvem uma melhor circulação de energia ki (prana).

A medicina chinesa também alude aos pontos *gen* ("fonte"), localizados tanto nos pulsos como nos tornozelos, ou entre os pontos sei e as juntas. Distúrbios nos órgãos internos, relacionados com meridianos específicos, são freqüentemente refletidos nos pontos gen e muitas vezes recomenda-se o tratamento nesses pontos. Por conseguinte, os exercícios que flexionam e giram os tornozelos e pulsos estimulam os pontos gen e ajudam a normalizar as funções dos órgãos internos relacionados com os doze meridianos.

The Yellow Emperor's Treatise on Internal Medicine — o mais antigo texto da medicina chinesa e fonte original da informação acima — afirma que os joelhos e os cotovelos correlacionam-se intimamente com os pontos gen, e que também podem exercer um efeito positivo sobre doenças dos órgãos internos. Por essa razão, a rotação dos joelhos e dos cotovelos é benéfica; a estimulação das juntas dos quadris e dos ombros produz efeitos semelhantes.

Em termos de medicina ocidental, portanto, as juntas são consideradas como partes muito vulneráveis do corpo. O fluido tende a se acumular e a estagnar-se nessas áreas, e todo o corpo gradualmente, torna-se cansado. Essa situação pode causar reumatismo e nevralgia, enfermidades comuns da era moderna. Nesse sentido, é possível observar também os benefícios das asanas de liberação de ar. Além de melhorarem o fluxo da energia ki através dos meridianos, elas favorecem a circulação do sangue e de fluidos do corpo nas juntas, ajudando deste modo a curar enfermidades e a manter a boa saúde.

GRUPO 2:
ASANAS PARA REGULARIZAR O SUSHUMNA

Conforme esclarecido anteriormente, o objetivo fundamental dessas asanas é fortalecer e regularizar o principal canal psíquico que corre através da medula espinhal, o nadi sushumna. O deslocamento da coluna vertebral é prejudicial ao fluxo de prana através do sushumna, e causa distúrbios nos nervos e órgãos internos — bem como nos nadis e chakras — por ele controlados. Neste segundo grupo, as asanas destinam-se a corrigir deslocamentos vertebrais, ajudando assim a purificar o sushumna. Trata-se de um estágio preparatório indispensável para elevar a kundalini e ativar os chakras.

(1) *Tadasana*

Fique de pé e em posição ereta, deixando uma distância de 10 a 15 cm entre os pés. Fite um objeto colocado diretamente à frente de seus olhos. Durante a inspiração, erga os braços acima da cabeça, com as palmas das mãos viradas para cima, e com os olhos fite as mãos. Levante os calcanhares e estique todo o corpo como se ele estivesse sendo puxado para trás. Prenda a respiração por um ou dois segundos e então, durante a expiração, retorne vagarosamente à posição inicial. Repita dez vezes.

Tadasana   Hasta Uttanasana

Benefícios: Tadasana desenvolve e força os músculos abdominais retos (estômago) e estimula o crescimento adequado do osso vertebral. Dissolve a congestão dos orifícios entre as vértebras da espinha dorsal e também protege os nervos que emergem desses orifícios contra a pressão indevida, ao corrigir os deslocamentos vertebrais. Caminhando cem passos em tadasana depois de beber seis copos de água é possível limpar bloqueios intestinais que não sejam crônicos.

(2) *Hasta uttanasana*

De pé, com o tronco ereto e os braços ao lado do corpo. Enquanto inspira, levante os braços acima da cabeça, na largura dos ombros, e curve a cabeça e o tronco ligeiramente para trás. Concentre-se no chakra vishuddhi durante um ou dois segundos, e então faça o pada hastasana.

(3) *Pada hastasana*

Expirando, curve-se para a frente a partir dos quadris até as palmas ou os dedos das mãos tocarem os dedos dos pés, ou agarre a parte de trás dos tornozelos; se possível, coloque a testa entre os joelhos. No final desta postura, solte completamente o ar, contraindo a parte inferior do abdômen, e concentre-se no chakra savadhishthana por um ou dois segundos. Levante o tronco lentamente e volte para hasta uttanasana. Mantenha as pernas retas durante todo o movimento. Pratique dez vezes essas duas asanas em seqüências alternadas.

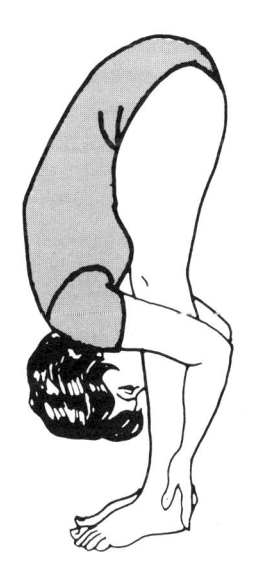

Pada hastasana

Benefícios: Hasta uttanasana estira as vísceras abdominais e melhora a digestão. Também remove o excesso de gordura do abdômen e exercita os músculos dos braços e ombros. Todas as juntas vertebrais são estimuladas e os nervos espinhais tonificados. O funcionamento dos pulmões é favorecido através da expansão dos alvéolos (compartimentos do pulmão).

Pada hastasana beneficia a digestão e a circulação do sangue, além de ser um tratamento eficiente para a prisão de ventre e distúrbios gastrintestinais. A gordura excedente na região do abdômen é reduzida. Os nervos vertebrais são tonificados e a espinha torna-se flexível.

(4) *Yoga mudra* (postura de união psíquica)

Sente-se na postura de lótus (padmasana) e feche os olhos. Segure um pulso atrás das costas com a outra mão e relaxe. Vagarosamente, curve o tronco para a frente até que a testa toque ou quase toque o solo, relaxando todo o corpo tanto quanto for possível na posição final. Retorne lentamente à posição inicial. Se necessário, os principiantes podem sentar-se sobre um acolchoado enquanto executam esta asana.

Respiração: Respire normalmente, relaxando o corpo. Inspire lenta e profundamente na posição inicial, e expire ao curvar-se para a frente. Respire profunda e vagarosamente na posição final por cinco minutos ou mais, e inspire à medida que retorna à posição inicial. Repita esta asana várias vezes.

Concentração: No chakra manipura.

Precauções: Não force as costas, tornozelos, joelhos ou coxas esticando-os mais do que sua flexibilidade permite.

Benefícios: Esta asana massageia os órgãos abdominais e ajuda a neutralizar o mau funcionamento dessa região, inclusive a prisão de ventre e a indigestão. Separa as vértebras uma das outras, além de distender e tonificar as fibras do sistema nervoso autônomo da espinha que passam através dos orifícios intervertebrais. Esses nervos ligam todo o corpo ao cérebro e melhoras em seu estado contribuem para a saúde perfeita. Essa asana é também muito eficaz na ativação do chakra manipura.

(5) *Paschimottanasana* (Postura do alongamento das costas)

Sente-se no chão com as pernas esticadas, os braços sobre as coxas e relaxe o corpo todo, especialmente os músculos das costas. Lentamente, dobre o dorso para a frente, deslizando as mãos sobre as pernas até atingir o dedão do pé. Se isso for impossível, segure os pés. Se isso também for difícil, como geralmente acontece com os principiantes, segure os tornozelos ou as pernas no ponto mais próximo possível dos pés. Mais uma vez, relaxe conscientemente os músculos das costas e das pernas. Mantenha as pernas retas, puxe o tronco para baixo, em direção às pernas, utilizando-se dos braços em vez de dos músculos do tronco. Esse deve ser um processo suave, sem qualquer movimento brusco ou tensão excessiva em qualquer parte do corpo.

Se possível, encoste a testa nos joelhos. Uma vez que, geralmente, isso é muito difícil para os iniciantes, curvar-se para a frente o máximo possível já basta. Não faça força, em nenhuma circunstância. Algumas semanas ou meses de prática regular proporcionar-lhe-ão condições para que a testa ou até mesmo o queixo toquem os joelhos. Permaneça na posição final durante um período de tempo confortável, relaxando todo o corpo, e então retorne vagarosamente à posição inicial.

Nota: Os joelhos não devem dobrar-se, visto que o objetivo desta asana é alongar os músculos posteriores da perna. Eles irão se alongando com o tempo.

Respiração: Enquanto sentado, respire normalmente; então expire devagar, curvando o corpo para a frente até segurar os pés. Inspire enquanto mantiver o corpo imóvel e expire quando puxar o tronco mais para a frente com os braços. Na postura final, respire lenta e profundamente, e inspire quando retornar à posição inicial. Se você conseguir manter a postura final por um bom tempo, simplesmente prenda a expiração.

Duração: Os adeptos podem manter, confortavelmente, a postura final por cinco minutos ou mais. Os principiantes, entretanto, devem repetir as asanas abreviadas várias vezes. Os benefícios espirituais são notáveis se a posição final for mantida com um relaxamento completo durante prolongados períodos de tempo.

Concentração: No chakra svadhishthana.

Restrições: Pessoas que possuem deslocamento nos discos intervertebrais não devem tentar executar esta asana; nem aquelas que sofrem de ciática, artrite crônica ou infecções no osso sacro.

Benefícios: Os músculos do jarrete são alongados e as juntas dos quadris, sacro-ilíacas e da vértebra lombar são relaxadas. Flatulência, prisão de ventre, dores nas costas e também excesso de gordura na região abdominal resultam eficientemente removidos. Todos os órgãos do abdômen são tonificados e distúrbios abdominais, tais como diabetes, podem melhorar lentamente. Ativam-se os rins, o fígado, o pâncreas e as glândulas supra-renais. Como os órgãos pélvicos também são tonificados, esta asana é benéfica principalmente para aliviar as dores ginecológicas. Também melhora o fluxo do sangue nos nervos e músculos espinhais. Paschimottanasana é tradicionalmente considerada uma asana muito poderosa para o despertar espiritual, sendo muito elogiada nos textos iogues antigos.

(6) *Pada Prasarita Paschimottanasana*
   (Postura de alongamento das pernas)

Sente-se com as pernas o mais separadas que puder (180° é o ideal) e respire normalmente, relaxando todo o corpo, sobretudo os músculos das costas. Expire lentamente, curvando-se para a frente, e coloque as mãos no chão, com as pontas dos dedos unidas. Tente colocar a testa nas costas das mãos. Respire lenta e profundamente na postura final durante alguns minutos, então retorne à posição inicial.

Concentração: No chakra svadhishthana.

Benefícios: Os mesmos de paschimottanasana; porém, esta postura é mais eficaz no relaxamento da parte inferior das costas e das juntas dos quadris.

(7) *Bhujangasana* (Postura da naja)

Deitado sobre o estômago, com as pernas estendidas, coloque as palmas das mãos no chão, debaixo dos ombros. Vagarosamente, erga a cabeça e os ombros, esticando a cabeça para trás o máximo possível. Na execução deste movimento, erga os ombros com os músculos das costas e não com os braços. Todo o dorso é lentamente curvado para trás, até que os braços fiquem retos. Mantenha o umbigo rente ao chão.

Respiração: Inspire enquanto ergue o tronco. Respire normalmente na posição final ou, se ela for mantida por apenas alguns segundos, prenda a inspiração.

Duração: Mantenha a postura final por quanto tempo puder fazê-lo com conforto e repita cinco vezes.

Concentração: No chakra vishuddhi.

Restrições: Pessoas que sofrem de úlcera péptica, de hérnia, de tuberculose intestinal ou de hipertireoidismo não devem executar essa asana.

Benefícios: Essa asana tonifica os ovários e o útero, e é útil na cura de distúrbios femininos, tais como a leucorréia, a dismenorréia e a amenorréia. É também benéfica para todos os órgãos abdominais, principalmente o fígado e os rins. Estimula o apetite e alivia a prisão de ventre. Conserva a coluna flexível e saudável, corrige discos intervertebrais deslocados e alivia dores nas costas.

(8) *Dhanurasana* (Postura do arco)

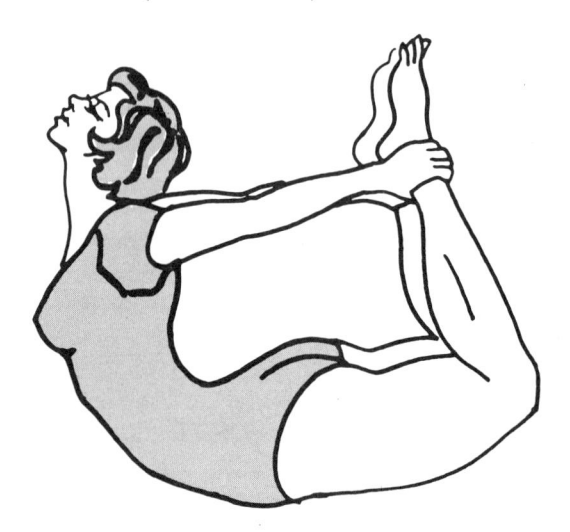

Deite-se diretamente sobre o estômago e inspire profundamente. Dobre as pernas desde os joelhos e segure os tornozelos com as mãos. Enrijecendo os músculos da perna, erga a cabeça, o tórax e as coxas o mais alto possível do chão, flexionando as costas num arco retesado enquanto mantém os braços retos.

Nota: Não repita essa asana até que a respiração volte ao normal. Na postura final, prenda a inspiração ou respire lenta e profundamente. Pode, também, balançar de um lado para outro na posição final. Expire lentamente enquanto retorna para a posição inicial.

Duração: Mantenha-se na postura final por tanto tempo quanto puder fazê-lo com conforto. Pratique cinco vezes.

Concentração: No chakra vishuddhi.

Restrições: Não pode ser praticada por pessoas com hérnia, úlcera péptica, tuberculose intestinal, ou espinhas deformadas ou curvadas.

Benefícios: Pelo fato de essa asana massagear os órgãos e músculos abdominais, ela ajuda a aliviar distúrbios gastrintestinais, tais como a prisão de ventre e a dispepsia. É benéfica para casos de mau funcionamento do fígado e pode reduzir também o excesso de gordura na área abdominal.

(9) *Halasana* (Postura do arado)

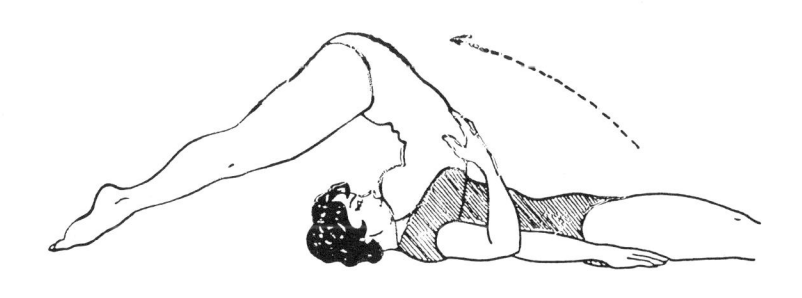

Deite-se de costas, com os braços retos ao lado do corpo e as palmas viradas para o chão. Mantendo as pernas esticadas, lentamente levante-as para a posição vertical e além dela. Utilize-se dos músculos abdominais, sem pressionar os braços contra o chão. Quando as pernas passarem da posição vertical, flexione o tronco para cima, curvando-se vagarosamente para que as pernas desçam sobre a cabeça, e os dedos dos pés toquem o solo. Mantenha as pernas retas, dobre os braços, e apóie as costas com as mãos. Relaxe o corpo e permaneça nesta postura final durante um período confortável de tempo. Então, retorne à posição inicial, ou execute o seguinte:

(a) Leve os pés mais para longe da cabeça até que o corpo esteja completamente estendido e o queixo apertado contra o alto do tórax. Permaneça nessa posição durante um período confortável de tempo e então retorne à posição final da halasana básica.
(b) Traga os pés na direção da cabeça o mais próximo possível, com as pernas retas, diretamente sobre a cabeça, e encoste os dedos dos pés no chão. Segure os pés com as mãos. Mantenha essa posição durante um

período confortável de tempo, e então retorne à postura final da halasana básica.

Retorne lentamente à posição supina.

Respiração: Respire normalmente na posição supina; em seguida inspire e prenda a respiração quando assumir a postura. Respire lenta e profundamente na posição final.

Duração: Os praticantes adiantados podem permanecer na posição final básica por dez minutos ou mais. Os iniciantes devem manter a postura por apenas quinze segundos durante a primeira semana de prática, repetindo-a por quatro vezes. O período pode ir aumentando quinze segundos nas semanas subseqüentes, até que a postura seja mantida por um minuto.

Concentração: No chakra vishuddhi ou no manipura.

Precauções: A menos que possuam costas flexíveis, os principiantes devem praticar purwa halasana — em que o praticante ergue as pernas sobre a cabeça num ângulo de 45° — até que os músculos e juntas das costas se tornem suficientemente flexíveis para, depois de várias semanas de prática diária, assumir a postura final.

Restrições: Os idosos e os enfermos, bem como os que sofrem de ciática, de outros males da coluna, ou de pressão alta, não devem praticar essa asana.

Benefícios: Halasana regula o funcionamento dos órgãos do abdômen, principalmente dos rins, do fígado e do pâncreas, e ativa a digestão. Pode aliviar a prisão de ventre e também afinar a região da cintura. Regula a atividade da glândula tireoideana e, portanto, estabiliza o metabolismo. Esta asana é também benéfica para casos de diabetes e de hemorróidas. Ela relaxa as vértebras e tonifica os nervos espinhais, contribuindo assim para a saúde de todo o corpo.

(10) *Matsyasana* (postura do peixe)

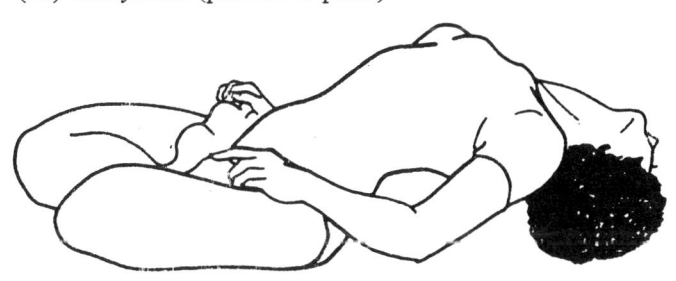

Sente-se na posição de lótus (padmasana) e respire normalmente. Curve-se para trás, apoiando o corpo nas mãos e nos cotovelos até que o alto da cabeça encoste no chão. Segure os dedões dos pés e coloque os cotovelos no chão, arcando as costas o mais que puder. Inspire e retenha o ar durante este movimento.

Como variação, entrelace os dedos das mãos e coloque-as atrás da cabeça.

Respiração: Respire lenta e profundamente na postura final. (Pessoas com tonsilite ou com garganta inflamada podem, se assim o desejarem, praticar o pranayama shitakari.* Retenha o ar quando estiver retornando ao padmasana e então respire normalmente.)

Duração: Permaneça na postura final por cinco minutos, se possível, porém não se esforce em demasia.

Concentração: No chakra manipura ou anahata.

Benefícios: Já que essa asana força os órgãos abdominais, principalmente os intestinos, ela é benéfica para qualquer tipo de distúrbio nessa região. Para aliviar a prisão de ventre, basta praticá-la depois de beber três copos de água. É benéfica também para as pessoas que sofrem de doenças pulmonares, tais como asma ou bronquite, visto que estimula a respiração profunda, ajuda a circulação do sangue estagnado nas costas e regulariza o funcionamento da glândula tireóide.

As dez asanas acima descritas forçam a coluna vertebral através de movimentos para a frente e para trás. As asanas seguintes amoldam a coluna através da torção.

---

* Pranayama shitakari: A língua é dobrada para trás até que sua superfície inferior toque o céu da boca, como no mudra khechari (ver p. 95). Mantêm-se os dentes cerrados e os lábios recuados o máximo possível. Então pratica-se a respiração iogue (ver p. 75), inspirando pela boca e expirando pelo nariz. Isso ajuda a acalmar todo o corpo, do mesmo modo como faz o pranayama shitali (na qual a língua é enrolada em forma de um tubo estreito e estendida para fora da boca).

(a)

(11) *Trikonasana* (Postura triangular)

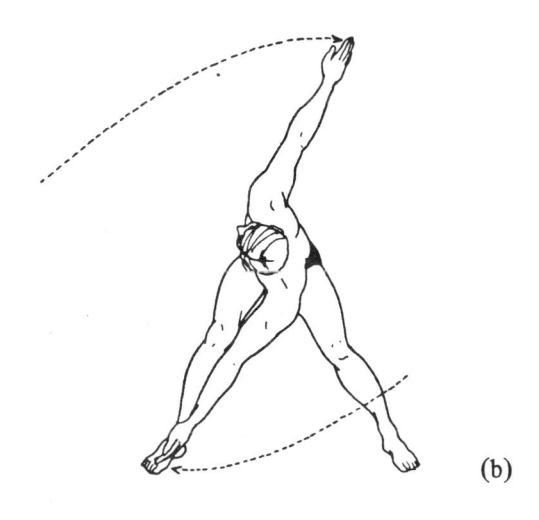

(b)

Fique de pé, com uma separação de cerca de 90 cm entre os pés e abra os braços. Curve o corpo a partir dos quadris, formando um ângulo reto, como na Fig. (a) e gire o tronco tocando o pé direito com a mão esquerda, como na Fig. (b). Olhe para o braço direito estendido para cima, cuja palma da mão deve estar virada para a direita. Então gire o tronco para a direção oposta e execute a mesma postura do lado esquerdo. Traga o tronco para o centro do corpo, retorne à posição inicial e abaixe os braços.

Respiração: Inspire quando levantar os braços, expire enquanto curva o tronco, prenda a expiração enquanto gira o corpo, inspire quando se levantar e expire enquanto abaixa os braços.

Duração: Pratique cinco vezes sucessivamente.

Benefícios: Através da trikonasana, a espinha e os nervos vertebrais são massageados, todo o sistema nervoso é estimulado delicadamente e os músculos da parte inferior das costas são relaxados. É benéfico, também, para pessoas que sofrem de depressão nervosa. Esta asana massageia os órgãos abdominais e, por essa razão, melhora o apetite e a digestão; também é útil para remover a prisão de ventre, pois estimula a contração peristáltica dos intestinos.

(12) *Torção dinâmica da espinha*

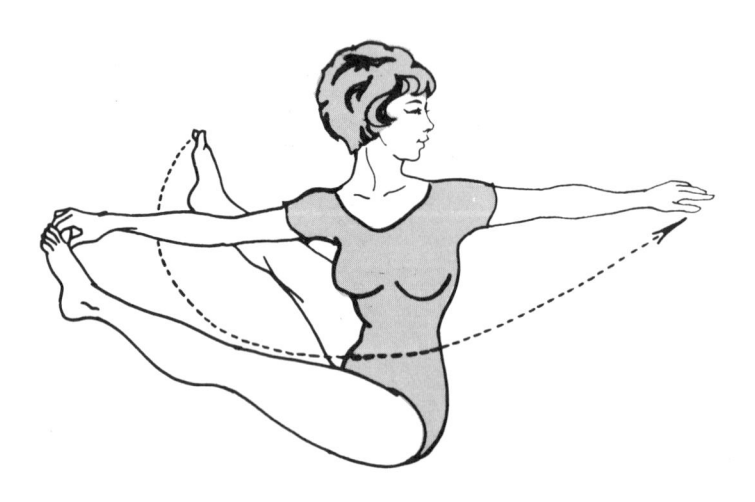

Sente-se com as pernas estendidas para a frente e separe-as o tanto quanto lhe for confortável. Mantendo os braços retos, estique a mão direita para que pegue o dedão esquerdo do pé e o braço esquerdo para trás, conservando ambos os braços numa linha reta. Vire a cabeça e olhe para trás, em direção à mão esquerda. Então vire o tronco para a direção contrária, invertendo as posições dos braços. Repita este círculo de quinze a vinte vezes. No começo, faça este exercício devagar, então aumente gradualmente a velocidade.

(13) *Ardha Matsyendrasana* (Postura de torção parcial da espinha)

Sente-se com a perna esquerda esticada à frente do corpo e a planta do pé direito rente ao solo e do lado do joelho esquerdo. Dobre a perna esquerda para a direita e coloque o calcanhar esquerdo contra a nádega direita. Ponha o braço esquerdo sobre o lado externo da perna direita e pegue o pé ou o tornozelo direito com a mão esquerda. O joelho direito deve estar o mais próximo possível do braço esquerdo. Vire o corpo para a direita, colocando o braço direito atrás das costas. Gire as costas e depois o pescoço o quanto lhe for confortável, sem forçá-los. Permaneça na posição final por pouco tempo e então, lentamente, retorne à posição inicial. Repita para o outro lado do corpo.

Nota: Essa asana é muito importante e deve ser praticada pelo menos uma vez por dia.

Respiração: Expire enquanto gira o tronco, respire o mais profundamente possível, sem esforço, na posição final e inspire enquanto retorna à posição inicial.

Duração: Quando os músculos da espinha forem bastante flexíveis, mantenha a postura por, no mínimo, um minuto em cada lado do corpo.
Concentração: No chakra ajna.
Benefícios: Os nervos vertebrais são tonificados, e os músculos das costas e as juntas intervertebrais tornam-se flexíveis. Essa asana cura males digestivos através de massagem nos órgãos abdominais. Ela regula a secreção de adrenalina das glândulas ad-renais e também ativa o pâncreas, eliminando assim a tendência à diabetes. Os nervos que se originam nas costas são tonificados, e há alívio da lumbalgia e do reumatismo muscular. Todo o sistema nervoso é estimulado por essa asana. Discos intervertebrais deslocados (inclusive desvios da coluna) podem ser corrigidos.

Variação simplificada para principiantes:

Pessoas com o corpo muito rijo, que consideram a ardha matsyendrasana impossível de se fazer, devem esticar a perna que na forma normal estaria dobrada sob as nádegas, diretamente à frente do corpo. Quanto ao mais, a técnica é exatamente a mesma da ardha matsyendrasana normal. Quando o corpo se tornar flexível o bastante, a pessoa poderá executar a postura completa, visto que os efeitos são muito bons.

(14) *Bhu Namanasana* (Postura de prostração com torção espinhal)

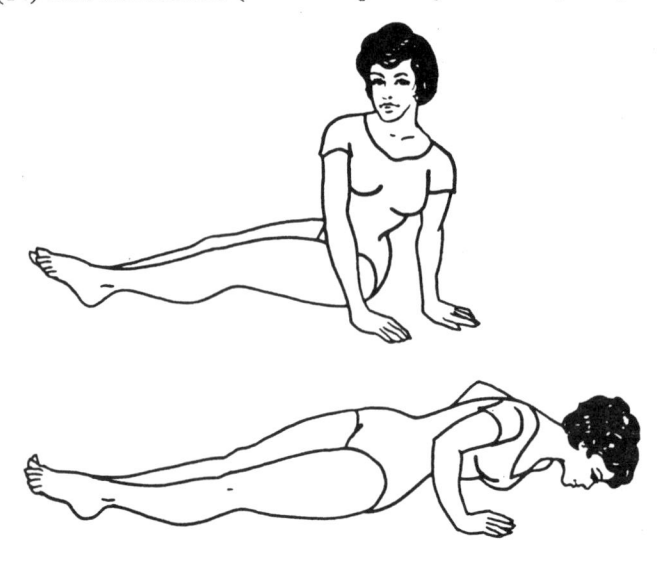

Sente-se com a espinha ereta e as pernas estendidas à frente. Coloque ambas as mãos ao lado do quadril esquerdo. Gire o tronco 90° para a esquerda. Flexione a parte superior do corpo e encoste o nariz no chão. As nádegas não devem se levantar. Erga o tronco e a cabeça e retorne à posição inicial.

Respiração: Inspire na posição inicial; expire enquanto dobra o tronco, e inspire na volta.

Duração: Pratique até dez vezes de cada lado.

Concentração: Você pode tanto concentrar-se na respiração como relaxar conscientemente os músculos das costas.

Benefícios: Esta asana força a espinha e a parte inferior das costas, relaxando os músculos e estimulando os nervos vertebrais.

Isso conclui a descrição de asanas de torção da coluna. A asana seguinte serve para ajustar a área cervical.

(15) *Movimento do pescoço*

1. Sente-se com as pernas estendidas e as mãos no chão ao lado das coxas. Lentamente, incline a cabeça para trás, e depois para a frente. Repita dez vezes.

2. Enquanto olha para a frente, incline vagarosamente a cabeça para a esquerda e depois para a direita. Repita dez vezes.

3. Na mesma posição, incline a cabeça para a frente, ao mesmo tempo vire-a para a esquerda e para a direita. Ou mantenha a cabeça ereta enquanto a gira para a esquerda e para a direita. Repita também dez vezes.

4. Devagar, gire a cabeça em movimentos circulares o máximo possível, sem forçar, dez vezes em cada direção.

Benefícios: O pescoço é a encruzilhada vital do corpo. Todos os nervos que ligam as diferentes partes do corpo com o cérebro precisam passar por ele. Por esse motivo, exercitar o pescoço regularmente ajuda a manter uma saúde perfeita através do ajuste das vértebras cervicais e da normalização do funcionamento dos sistemas da região cervical e cefálica.

GRUPO 3:
ASANAS PARA MEDITAÇÃO

(1) *Padmasana* (Postura do lótus)

Sente-se com as pernas estendidas à frente. Dobre uma das pernas colocando o pé sobre a coxa oposta, com a sola virada para cima e o calcanhar tocando o osso pélvico. Dobre a outra perna de forma que o pé se posicione da mesma maneira na coxa oposta.

Nota: Pratique padmasana juntamente com mudra jnana ou chin (ver p. 90, Capítulo IV). Nessa asana, a espinha deve ser mantida reta e completamente firme, como se estivesse fixada no solo. Uma almofada baixa colocada sob as nádegas tornará mais fácil a execução dessa asana. Pratique a padmasana depois que as pernas estiverem mais flexíveis através da prática das asanas preliminares descritas anteriormente.

Restrições: Pessoas com ciática ou infecções sacrais não devem praticar essa asana.

Benefícios: Praticantes que tiverem dominado a padmasana podem manter o corpo completamente firme por grandes períodos de tempo. A firmeza do corpo traz a firmeza da mente, e essa firmeza é o primeiro estágio para a meditação produtiva. Essa asana ajuda a direcionar o fluxo adequado do prana do chakra muladhara para o sahasrara. Além disso, os nervos coccígeo e sacro são tonificados pela infusão dentro das regiões abdominais e das costas de grande quantidade de sangue, que normalmente circula nas pernas. Problemas físicos, nervosos e emocionais são eficientemente resolvidos.

(2) *Siddhasana* (Postura de execução masculina)

Sente-se com as pernas estendidas à frente. Dobre a perna direita e coloque a sola diretamente contra a parte interna da coxa esquerda.

O calcanhar deve pressionar o períneo, a área entre os órgãos genitais e o ânus. Dobre a perna esquerda e coloque o pé na barriga da perna direita, pressionando o osso pélvico logo acima dos órgãos genitais com o calcanhar esquerdo. Empurre os dedos e a parte superior da sola do pé esquerdo para dentro do encaixe entre a barriga da perna direita e os músculos da coxa. Pode ser necessário deslocar ligeiramente a perna direita para isso; segure os dedos do pé direito e puxe-os para cima, colocando-os entre a coxa esquerda e a barriga da perna. As pernas devem agora ser apertadas com os joelhos no solo e o calcanhar esquerdo diretamente acima do calcanhar direito. Mantenha a espinha ereta, tão reta e firme quanto uma árvore plantada no solo.

Nota: Siddhasana é somente para homens. Pode ser praticada com ambas as pernas no alto, e sempre com mudra jnana ou chin (ver Capítulo IV). Muitas pessoas – principalmente iniciantes – acham mais fácil executar e manter essa asana por longos períodos de tempo quando sentados sobre uma almofada baixa.

Restrições: Pessoas com ciática ou infecções no nervo sacro não devem praticar essa asana.

Benefícios: Siddhasana é uma postura de meditação que facilita a firmeza espiritual para uma meditação longa e profunda. Ela ativa os dois mecanismos psicomusculares relacionados com o sexo, bandha mula p. 86) e mudra vajroli, os quais retransmitem os impulsos sexuais de olta para a coluna vertebral e para o cérebro. O praticante pode, portanto, obter controle sobre as funções sexuais, o que é essencial para a manutenção do celibato e da sublimação da energia sexual para propósitos espirituais, bem como para obter controle sobre as atividades sensoriais. Ela também acalma todo o sistema nervoso.

(3) *Siddha yoni asana* (Postura de execução feminina)

Sente-se com as pernas estendidas à frente. Dobre a perna direita, coloque a sola diretamente contra a parte interior da coxa e o calcanhar sob a *labia majora*. Dobre a perna esquerda e coloque os dedos do pé direito dentro do espaço entre a barriga da perna esquerda e a coxa. Mantenha a coluna completamente ereta como se ela estivesse enraizada na terra.

Nota: Siddha yoni asana é uma forma de siddhasana para mulheres que foi transmitida apenas oralmente de geração em geração. Pode ser praticada com ambas as pernas no alto e tanto com mudra jnana como mudra chin. É mais eficaz quando não se usam roupas íntimas. Principiantes perceberão que é mais fácil manter esta postura por um período prolongado de tempo quando se sentarem sobre uma almofada baixa.

Restrições: Mulheres com ciática ou infecção sacral não devem praticar esta asana.

Benefícios: Siddha yoni asana é uma excelente postura de meditação, na qual a aspirante pode manter a firmeza física necessária para uma concentração profunda. Pode ser utilizada eficientemente pela iogue a fim de acentuar a meditação espiritual, e por uma mãe de família que deseje controlar os impulsos sexuais. Afeta diretamente os plexos nervosos que controlam os órgãos genitais, e também serve para tonificar e equilibrar todo o sistema nervoso.

(4) *Baddha yoni asana*

Sente-se em qualquer asana de meditação e inspire lenta e profundamente. Prenda a respiração e levante ambas as mãos para a face. Feche os ouvidos com os polegares, os olhos com os indicadores, as narinas com os dedos médios, e a boca colocando os dedos anulares e os mínimos acima e abaixo dos lábios. Concentre-se no bindu visargha atrás da cabeça (ver Capítulo VIII, p. 226), mantenha presa a respiração e tente perceber qualquer manifestação sonora normalmente inaudível. Após prender a respiração por tanto tempo quanto lhe for possível fazê-lo sem esforço, retire os dedos médios das narinas e expire, enquanto mantém os outros dedos em suas respectivas posições. Inspire novamente e feche as narinas com os dedos médios. Repita o processo por várias vezes.

Concentração: No bindu visargha.

Benefícios: Essa é uma excelente asana para afastar a mente do mundo exterior. Diferentes filosofias, bem como a ciência da ioga pregam que a origem do Universo é um som ou vibração primordial incessante e infinito. Essa asana possibilita a percepção das diferentes manifestações desse som através da consciência dos sons psíquicos que provêm do bindu visargha atrás da cabeça. Trata-se, na verdade, de uma técnica de ioga do nada (som místico interior), através do qual o iogue é treinado para ouvir o perfeito espectro de sons, desde o mais grosseiro até o mais sutil. Os benefícios físicos do padmasana e siddhasana são duplos; além de tudo, essa postura é benéfica no tratamento de males dos olhos, dos ouvidos e do cérebro.

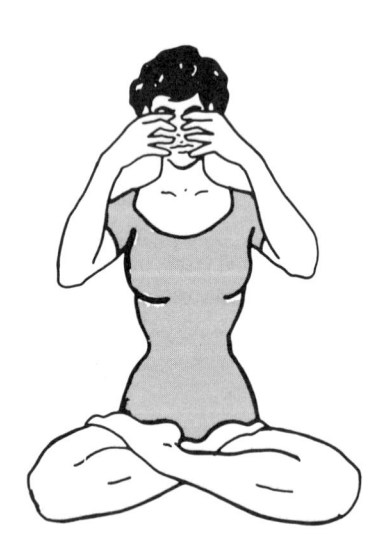

As asanas são, portanto, métodos iogues que ajudam a melhorar a circulação de prana e de sangue, a fim de corrigir a coluna vertebral e ativar os nadis e o sistema nervoso: em resumo, objetivam trazer harmonia ao corpo físico. Quando um rádio não funciona bem, as partes danificadas são reparadas ou ajustadas até que finalmente todo o mecanismo esteja em ordem para trabalhar. O mesmo acontece com o corpo humano. Contudo, nenhum rádio funcionará se não lhe fornecerem energia elétrica. O processo iogue para levar energia ao corpo humano é chamado de pranayama, que será explanado no capítulo seguinte.

III
Pranayama e Bandhas

Prana significa força vital. A filosofia iogue afirma que essa força vital se difunde por todo o Universo e permeia todas as coisas, sejam animadas ou inanimadas. Além do mais, acredita-se que essa energia vital esteja intimamente relacionada com a respiração, visto ser através dela que o prana entra no corpo humano. O ar e o oxigênio que respiramos podem ser considerados como suas manifestações, porém o prana propriamente dito é algo mais tênue e essencial do que qualquer gás. Ayama significa expansão e também transmite a idéia de coerção e controle. Por conseguinte, pranayama significa "técnicas de controle do prana".*

Muitas pessoas consideram o pranayama como simples exercícios respiratórios para a absorção de oxigênio suplementar na corrente sangüínea, porém este é apenas um de seus benefícios. Os objetivos do pranayama — a serem detalhados em capítulos posteriores — são: 1) a absorção de prana pela energia do corpo sutil (astral) através da visualização do processo; 2) o aumento do fluxo de prana nos nadis sutis; 3) a conversão dessa energia sutil em energia vital na dimensão física através do funcionamento dos chakras, os quais ligam os nadis sutis ao corpo físico; 4) o aumento da circulação dessa energia nos vasos sangüíneos, nervos e meridianos. Por esse motivo, pranayama é considerado, de forma apropriada, um grupo de métodos para a absorção e circulação do prana nos corpos físico e astral, com a finalidade de revigorá-los.

Em primeiro lugar, apresentaremos uma descrição da "respiração

---

* O objetivo não é controlar o prana universal, apenas o que entra e flui por todo o corpo humano.

iogue", que pode ser praticada diariamente como preparação para o pranayama.

RESPIRAÇÃO IOGUE

A respiração iogue é uma combinação da respiração abdominal com a torácica.

Respiração abdominal: Dilate o abdômen através da contração do diafragma, como se estivesse inalando uma grande quantidade de ar nos pulmões. Então contraia o abdômen relaxando o diafragma e deixe-o elevar-se para que uma maior quantidade de ar seja expelida dos pulmões. Durante esse processo, não movimente nem o tórax nem os ombros.

Respiração torácica: Inspire expandindo o tórax e expire contraindo-o. É importante não movimentar o abdômen.

Respiração iogue: Inspire profundamente, expandindo primeiro o abdômen e depois o tórax, de forma contínua e sem pausas, a fim de obter o máximo de ar dentro dos pulmões. Expire relaxando o tórax e o abdômen, até expelir uma grande quantidade de ar dos pulmões. Esta seqüência deve ser feita com movimentos ondulatórios, sem brusquidão.

A respiração iogue deve ser praticada antes do pranayama e todos os dias, para que se torne um hábito. No início, a prática exigirá um esforço consciente, porém mais tarde (dentro de algumas semanas) tornar-se-á natural e inconsciente durante todo o dia. Quando formamos esse hábito, não mais será necessário fazer a inspiração e expiração profundas.

Através do controle da respiração iogue, o praticante se torna menos suscetível ao frio, à bronquite, à asma e aos distúrbios relacionados com essas doenças. Ele (ou ela) é revestido de energia, não se cansa com facilidade e sua mente torna-se mais calma e livre de ansiedades. Como exposto anteriormente, essa respiração iogue não é o pranayama propriamente dito, mas simplesmente uma prática preliminar que deve ser executada com naturalidade durante o dia todo.

Antes de discutirmos os detalhes da prática do pranayama, é oportuno tomar as seguintes precauções:

- A bexiga, o estômago e os intestinos devem estar vazios, portanto pratique pranayama pelo menos quatro horas após alimentar-se.

- Pratique depois das asanas, mas antes da meditação.
- Durante o pranayama, relaxe o corpo o mais que puder, esteja livre de tensões ou desconfortos. Mantenha a espinha, o pescoço e a cabeça eretos e centralizados.
- Retenha a respiração somente o quanto lhe for confortável. Retenção excessiva pode causar danos pulmonares ou mau funcionamento dos pulmões.
- Pratique em locais bem ventilados (sem correntes de ar), limpos e agradáveis, nunca em lugares sujos, poluídos com fumaça de cigarro ou que cheirem mal.
- Quando iniciar o pranayama, poderá sofrer um pouco de prisão de ventre e diminuição na produção urinária. Em caso de intestino preso, evite o sal ou temperos excessivos, e se sentir o intestino solto, suspenda a prática e adote uma dieta à base de cereais (arroz) e iogurtes durante alguns dias.
- Siddhasana e siddha yoni asana são as melhores posturas para o pranayama, uma vez que permitem maior expansão dos ombros.
- Em estágios mais avançados, o pranayama deve ser praticado com a orientação de um instrutor.
- Praticantes de pranayama intensivo não devem fumar tabaco, cânhamo, etc.

MÉTODOS DE PRÁTICA DO PRANAYAMA

(1) *Pranayama Nadi Shodhan*

Sente-se em padmasana ou siddhasana e coloque as mãos sobre os joelhos, estirando a espinha e mantendo a cabeça levantada. Relaxe todo o corpo e feche os olhos. Tome consciência apenas do seu corpo e de sua respiração durante alguns minutos.

Estágio 1: Técnica básica.

Conserve a mão esquerda sobre o joelho, erga a mão direita e coloque o dedo médio e o indicador entre as sobrancelhas. Eles permanecem nesta posição durante toda a prática. O polegar deve ser colocado ao lado da narina direita e o delo anular ao lado da esquerda.

Feche a narina direita com o polegar. Respire com a narina esquerda cinco vezes, em ritmo normal.

Libere a narina direita e então pressione o dedo anular sobre a narina esquerda, respirando em ritmo normal cinco vezes. Esse processo deve ser repetido por vinte e cinco ciclos; cada ciclo consiste de cinco respirações completas em cada narina. O estudante não deve respirar com força e não deve haver ruído enquanto o ar entra e sai pelas narinas. Após quinze dias, passe do Estágio 1 para o 2.

Estágio 2: Respiração com narinas alternadas.

Feche a narina direita com o polegar e inspire através da esquerda. Depois que completar a inspiração, feche a narina esquerda com o dedo anular e libere a pressão do polegar sobre a narina direita; expire através dela. Em seguida, inspire pela narina direita e feche-a no final da inspiração. Abra a esquerda e expire. Esse processo forma um ciclo. O período de duração da inspiração e da expiração deve ser igual (por exemplo, uma contagem de até cinco para inspirar e a mesma para expirar, ou a duração que achar confortável). Em nenhuma circunstância deve haver esforço excessivo.

Após poucos dias, os períodos de inspiração e expiração podem ser prolongados, porém nunca diferenciados um do outro (uma proporção de 1:1). Não aumente a velocidade da contagem durante a expiração, no intuito de compensar a falta de fôlego.

Ao mínimo sinal de desconforto, reduza o tempo de cada inspiração e expiração. Depois de quinze dias ou mais, passe para o Estágio 3.

Estágio 3: Antaranga kumbhaka.

Feche a narina direita e inspire pela esquerda. No final da inspiração, feche ambas as narinas com o polegar e o dedo anular, e prenda a respiração. Expire pela narina direita e então inspire também por ela, mantendo a esquerda fechada. Novamente prenda a respiração com ambas as narinas fechadas. Abra a narina esquerda e expire, conservando a direita fechada. Cada ação — inspiração, retenção e expiração — deve ser praticada contando-se até cinco. Este é um ciclo: pratique vinte e cinco ciclos.

Depois de diversos dias de prática, altere os períodos de inspiração, retenção e expiração para uma proporção de 1:2:2. Em outras palavras, para uma inspiração conte até cinco, prenda a respiração contando até dez e expire contando novamente até dez.

Após alguns dias, aumente a contagem da inspiração em mais 1 (isto é, de 5 para 6), e para a retenção e a expiração aumente mais 2. Quando esses períodos mais longos forem dominados a ponto de você não sentir o mínimo desconforto, aumente de novo o período de cada ciclo, conservando a mesma proporção.

Depois de algumas semanas ou meses de prática, aumente o índice para 1:4:2. Quando essa etapa for vencida, mude a proporção para 1:6:4; superada esta, passe para 1:8:6. Essa é a proporção final.

Quando essa proporção definitiva puder ser cumprida vinte e cinco vezes com perfeito relaxamento e sem a necessidade de descansar, então prossiga para o último estágio, o de n.º 4.

Estágio 4: Antaranga e bahiranga kumbhaka
(Retenção interna e externa)

Inspire através da narina esquerda e prenda a respiração. Expire pela narina direita e solte todo o ar. Inspire através da narina direita e retenha. Expire pela esquerda e suspenda a respiração. Este é um ciclo: repita por quinze ciclos. A proporção deve ser iniciada com 1:4:2:2 (inspiração: retenção interna: expiração: retenção externa).

Você deve aumentar lentamente as respectivas durações, mantendo a mesma proporção. Praticantes adiantados podem executar a bandha jalandhara ou mula (ver a seção sobre bandha) durante as retenções interna e externa do Estágio 4.

Precauções: O nadi shodhan deve ser praticado entre as asanas e a meditação. A respiração não deve ser retida a ponto de causar desconforto. Cada nova etapa precisa ser experimentada apenas quando se atingir perfeição na etapa precedente. Pratique em locais bem ventilados, com muita atenção e cuidado, e apenas sob a orientação de um especialista.

Benefícios: Pelo fato de o nadi shodhan produzir um estado de calma e tranqüilidade na mente, ele é um prelúdio indispensável nas práticas meditativas avançadas. Todos os nadis são liberados de bloqueios, o fluxo de prana nos nadis ida e pingala uniformiza-se e o sistema sangüíneo é purificado de toxinas. Todo o corpo nutre-se com a porção de oxigênio suplementar absorvida, e o dióxido de carbono é eficientemente expelido. Renova-se o ar nos pulmões. As células do cérebro são purificadas, estimulando-se os centros cerebrais a trabalhar quase que com sua capacidade total.

(2) *Pranayama Bhastrika* (Pranayama dos pulmões)

Sente-se em padmasana ou siddhasana, com a cabeça e a espinha eretas e os olhos fechados. Relaxe todo o corpo.
Estágio 1: Coloque a mão esquerda sobre o joelho esquerdo e ponha o dedo médio e o indicador da mão direita entre as sobrancelhas, com o polegar ao lado da narina direita e o anular ao lado da narina

esquerda. Feche a narina direita com o polegar. Respire rapida e ritmicamente vinte vezes pela narina esquerda, expandindo e contraindo o abdômen. Então feche ambas as narinas com o polegar e o dedo anular e execute a bandha jalandhara ou mula (ver Cap. III, pp. 85-88). Prenda a respiração durante um período confortável de tempo, então desfaça a bandha e expire. Feche a narina esquerda e respire vinte vezes, de novo com rapidez e ritmo, expandindo e contraindo os músculos dos pulmões. Então inspire profundamente, feche ambas as narinas e execute a bandha jalandhara ou mula. Retenha o ar por algum tempo e expire vagarosamente. Isso é um ciclo; execute três ciclos.

Estágio 2: Sente-se na mesma posição, com ambas as mãos sobre os joelhos. Respire com rapidez vinte vezes por ambas as narinas simultaneamente. Então inspire profundamente, prenda a respiração e execute a bandha jalandhara ou mula. Depois de um certo período confortável, desfaça a bandha e expire. Esse é um ciclo, execute três ciclos.

A prática completa de bhastrika inclui os dois estágios.

Duração: Os principiantes devem executar aproximadamente vinte repetições de respiração rápida. Os praticantes adiantados podem aumentar gradualmente até cinqüenta vezes, e os ciclos podem ser aumentados de três para cinco.

Nota: Nessa técnica, os pulmões trabalham como fole de ferreiro.

Precauções: Se sentir fraqueza ou começar a transpirar é sinal que a prática está sendo executada de forma incorreta. Evite a respiração violenta, contorções faciais ou balanço excessivo do corpo. Se ocorrerem quaisquer desses sintomas no caso de a execução do método estar correta, procure a orientação de um instrutor.

Relaxe durante todo o processo e descanse no final de cada ciclo. Nas primeiras cinco semanas, o bhastrika deve ser executado vagarosamente. A velocidade da respiração deve ser aumentada gradualmente e apenas quando os pulmões se tornarem mais fortes.

Restrições: Pessoas com pressão alta, vertigem ou qualquer deficiência coronária, bem como principiantes, não devem executar o bhastrika sem orientação de um especialista.

Benefícios: Micróbios e substâncias nocivas contidas nos pulmões são expelidas. Asma, tuberculose, pleurisia, assim como qualquer inflamação na garganta que envolva o fleuma apresentam melhora. Há estímulo da digestão e do apetite. Ocorre um estado de tranqüilidade da mente, o que é muito útil para o despertar da kundalini.

(3) *Pranayama Ujjayi* (Respiração psíquica)

O pranayama ujjayi é executado contraindo-se a glote na garganta e formando mudra khechari (em que a língua é dobrada para dentro a fim de o lado de baixo ser pressionado contra a parte de trás do palato duro ou, de preferência, do palato mole). Respire lenta e profundamente, como o ressonar suave de um bebê que dorme. Não deve haver sensação de se estar respirando pelas narinas, mas apenas pela boca.

O pranayama ujjayi pode ser praticado em quase todas as posturas — por exemplo, em muitas mudras e com técnicas de meditação, tal como ajapa japa (ver Capítulo IV, p. 116).

Duração: Pode ser executado durante várias horas.

Benefícios: Esse pranayama é muito simples de se fazer; possui, entretanto, influências penetrantes em todo o corpo. Produz um efeito de calmante no sistema nervoso e um estado de serenidade e complacência mental.

As pessoas que sofrem de insônia devem praticar o pranayama ujjayi em shavasana, porém sem mudra khechari. É benéfico também para casos de pressão alta, pois reduz o ritmo cardíaco, além de ser um excelente complemento para diversas práticas meditativas, devido a seus efeitos sutis no plano psíquico.

(4) *Pranayama Surya Bhedana* (Técnica para estimular a vitalidade)

Sente-se em padmasana ou siddhasana com as mãos sobre os joelhos e com a espinha e a cabeça eretas. Feche os olhos e relaxe todo o corpo. Levante a mão direita, colocando o dedo médio e o indicador entre as sobrancelhas e o polegar e o dedo anular levemente sobre cada lado do nariz.

Feche a narina esquerda com o dedo anular e inspire profundamente pela direita. Feche ambas as narinas, prenda a respiração e execute as bandhas jalandhara e mula. Permaneça durante o máximo de tempo que lhe for confortável. Então desfaça as bandhas jalandhara e mula. Abra a narina direita e expire através dela, conservando a esquerda fechada com o dedo anular. Isso é um ciclo.

Duração: Pratique dez ciclos e experimente aumentar gradualmente o período de retenção depois de algumas semanas.

Precauções: Não pratique imediatamente antes ou após as refeições, visto que as energias são necessárias à digestão. Diz-se que se o nadi ida (relacionado com a narina esquerda) for bloqueado durante ou depois de uma refeição, provavelmente ocorrerá uma indigestão. Esse pranayama deve ser executado com muito cuidado e sob a orientação de um especialista.

Benefícios: Assim que o nadi pingala (relacionado com a narina direita) é ativado, o praticante torna-se mais dinâmico e capaz de executar qualquer atividade física com mais eficiência.

Nota: Existem outros pranayamas que ativam o nadi ida através da respiração pela narina esquerda. Entretanto, de acordo com antigos textos iogues, eles não devem ser ensinados nem praticados devido a seus poderosos e imprevisíveis efeitos.

(5) *Pranayama Murcha* (Pranayama do desfalecimento)

Esse pranayama requer uma postura sentada estável, assim como padmasana ou siddhasana.

Inspire profunda e lentamente por ambas as narinas enquanto inclina a cabeça para trás e executa o mudra akashi (ver Cap. IV, p. 92). Prenda a respiração por tanto tempo quanto puder fazê-lo com conforto e execute o mudra shambhavi (no qual os olhos são fixados em qualquer ponto em nível acima ou entre as sobrancelhas) (ver Capítulo IV, p. 92). Mantenha os braços esticados travando os cotovelos e pressionando as mãos sobre os joelhos. Então expire, dobrando os braços, fechando os olhos e retornando lentamente a cabeça para a posição ereta. Relaxe todo o corpo por alguns segundos com os olhos fechados e sinta um resplendor, um sentimento calmo que se espalha por todo seu corpo e sua mente.

Isso é um ciclo; repita vários ciclos.

Nota: Respire apenas pelas narinas durante todo o processo.

Duração: Execute cada ciclo antes da meditação durante o máximo de tempo que puder, sem esforço, aumentando vagarosamente a duração. Continue por muitos ciclos até ter uma sensação de desfalecimento.

Restrições: Esse pranayama não deve ser executado por pessoas que tenham pressão alta, vertigem ou pressão intracraniana elevada. Deve ser praticado com muito cuidado e sob orientação de um instrutor.

Benefícios: Trata-se de uma excelente prática pré-meditativa, porque capacita a pessoa a introverter sua mente e a atingir um estado espiritual em que as sensações externas, como a audição e as emoções, desaparecem. Produz tranqüilidade por todo o corpo e mente, além de remover a tensão, a ansiedade e a cólera de maneira eficiente. É benéfico também para pessoas que sofrem de pressões sangüíneas anormais, de neurose ou de problemas mentais.

Isso conclui a descrição das práticas de pranayama. A próxima parte tratará dos bandhas, práticas que ajudam a concentrar o prana absorvido e a dirigi-lo para os chakras.

BANDHAS

A palavra *bandha* significa deter ou comprimir. Trata-se de uma definição exata para a ação requerida nesta prática: diversas partes do corpo são contraídas e comprimidas de forma delicada porém firme. As bandhas ajudam a melhorar a saúde física através da massagem dos órgãos internos, da estimulação e da regularização dos nervos e da renovação do sangue estagnado.

Apesar de essas bandhas serem executadas no plano físico, elas influenciam sutilmente os chakras; a contração do corpo nos pontos dos chakras induz a concentração mental sobre os próprios chakras. Além do mais, a retenção da respiração que geralmente acompanha as bandhas faz com que o prana se acumule nas áreas de concentração mental.

As bandhas auxiliam na liberação dos *granthis* (vínculos da energia espiritual — ver Capítulo IX), os quais impedem o fluxo de prana no sushumna, gerando dessa forma um aumento na circulação da energia espiritual. Quando os granthis são liberados até certo ponto, a pessoa experimenta uma compressão do sushumna, sinal de que a energia psíquica começou a fluir. Essa compressão ocorre com praticantes adiantados, quando a kundalini começa a despertar e os chakras estão prestes a se abrir.

As bandhas podem ser praticadas isoladamente até que sejam dominadas; depois, devem ser executadas em conjunção com o pranayama e o mudra. Isso impede que o prana absorvido através do pranayama se disperse. Quando essas três práticas são combinadas, a habilidade psíquica do indivíduo começa a se desenvolver, iniciando-se então a ioga avançada. (Isto será detalhado na seção sobre a ativação dos chakras.)

Conforme exposto anteriormente, as bandhas são sempre acompanhadas pela retenção da respiração; a duração dessa retenção deve ser aumentada gradualmente com o tempo, sem esforço indevido. A suspensão da respiração pode ser feita na inspiração ou na expiração.

Apresentaremos três bandhas fundamentais: a jalandhara, a mula e a uddiyana. O antigo *Yoga-chudamani Upanishad* afirma que se um iogue dominar o mudra nabho, e as bandhas uddiyana jalandhara e mula, ele automaticamente se libertará; e, de acordo com o *Yoga-shikka Upanishad*, a prática constante dessas três bandhas desenvolve um controle sobre o prana.

Embora existam descrições dessas bandhas no *Yoga-shikka Upanishad* e no *Yoga-kundalini Upanishad*, as explicações seguintes são baseadas nas descrições mais detalhadas e recentes do Swami Satyananda Saraswati.

(1) *Bandha Jalandhara* (Chave-de-queixo)

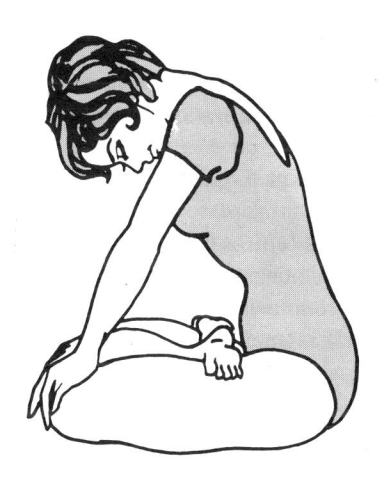

Sente-se numa postura de meditação que permita que seus joelhos descansem firmemente sobre o solo, tais como padmasana ou siddhasana. Relaxe todo o corpo com as palmas sobre os joelhos e os olhos fechados. Inspire profundamente e prenda o ar.

Curve a cabeça para a frente e pressione o queixo contra o alto do esterno. Estique os braços, firmando bem os cotovelos. Simultaneamente, arqueie os ombros para cima e para a frente (isso ajuda a garantir a firmeza dos braços), conservando as palmas das mãos sobre os joelhos. Esta é a postura final.

A bandha jalandhara deve ser mantida até que a retenção de ar se torne difícil ou desconfortável. Então relaxe os ombros, dobre os braços liberando lentamente a tensão, levante a cabeça e expire devagar. Recomece o processo quando a respiração voltar ao normal. A prática pode também ser executada expirando e suspendendo a respiração.

Esta bandha fecha a traquéia e comprime os órgãos na garganta.

Duração: Por quanto tempo a respiração puder ser retida de forma confortável. Pode-se praticá-la até dez vezes.

Concentração: No chakra vishuddhi.

Seqüência: O ideal seria praticá-la conjuntamente com pranayama e mudras, porém se for executada sozinha, deve-se deixá-la para depois da prática de asana e pranayama, e precedida da meditação.

Precauções: Não inale ou exale até que a chave-de-queixo tenha sido relaxada e que a cabeça esteja na vertical.

Restrições: Pessoas com pressão alta, pressão intracraniana anormal ou distúrbios cardíacos não devem praticá-la sem orientação de um instrutor.

Benefícios: Relaxa o corpo e a mente. O ritmo cardíaco é diminuído quando a pressão do queixo no esterno comprime a cavidade carótida (os nervos autônomos situados ao redor dos seios e ligados com a medula espinhal e com outros centros do cérebro que controlam o batimento cardíaco). As glândulas tireóide e paratireóide, as quais influenciam o crescimento dos sistemas reprodutivos do corpo, também são estimuladas pela pressão do queixo e pela retenção da respiração, melhorando assim o seu funcionamento. Esta bandha é benéfica para curar ou reduzir o estresse, a ansiedade e a cólera, além de ser excelente prática pré-meditativa.

(2) *Bandha Mula* (Contração anal)

Sente-se numa posição meditativa com os joelhos encostados no chão. As asanas siddhasana ou siddha yoni são melhores, pois elas pressionam o calcanhar no períneo e, desse modo, complementam diretamente a execução da bandha.

Relaxe todo o corpo, com as palmas sobre os joelhos e os olhos fechados. Inspire profundamente, prenda a respiração e execute a bandha jalandhara. Então contraia os músculos do períneo (a região entre os órgãos genitais externos e o ânus) e mantenha esta contração. Essa é a postura final. Deve ser mantida por quanto tempo a respiração puder ser retida com conforto. Libere a contração do períneo, levante a cabeça devagar e expire lentamente. Repita o processo.

Essa bandha também pode ser executada expirando-se, no início, e retendo-se a respiração, enquanto se executam as chaves, ou mantendo-se a contração por longos períodos com a respiração normal mas sem a bandha jalandhara.

Duração: Por tanto tempo quanto a respiração puder ser retida sem esforço.

Concentração: No chakra muladhara.

Seqüência: Pratique depois da asana e do pranayama, mas antes da meditação; o ideal é fazê-lo conjuntamente com mudras e pranayama.

Precauções: Esta bandha deve ser praticada cuidadosamente e sob a orientação de um especialista.

Restrições: As mesmas que na bandha jalandhara.

Técnica preparatória: Os principiantes devem achar difícil contrair os músculos do períneo com força e mantê-los contraídos durante a retenção de ar. Eles devem, portanto, praticar regularmente o mudra ashvini (ver Capítulo IV), para fortalecer os músculos do períneo e desenvolver o controle sobre eles.

Benefícios: O períneo (a região do chakra muladhara) é contraído e puxado para cima; isso força o apana vayu (a energia vital que age na parte do corpo logo abaixo do umbigo) a elevar-se e, assim, a unir-se com o prana vayu (energia vital que atua na região do corpo entre a laringe e a base do coração). Isso produz uma energia de dimensão mais elevada. Ela facilita o despertar da kundalini e ajuda a manter o celibato através da sublimação da energia sexual, elevando-a aos chakras superiores.

Os nervos pélvicos são estimulados e os órgãos urogenitais correspondentes tonificados. A prisão de ventre e as hemorróidas demonstram melhoras devido ao fortalecimento dos músculos do esfíncter anal e à estimulação da peristalse intestinal. Os benefícios da bandha jalandhara são duplicados.

(3) *Bandha Uddiyana*

Sente-se numa postura de meditação, descansando os joelhos no chão. Relaxe todo o corpo, com as palmas sobre os joelhos e os olhos fechados. Expire profundamente e prenda. Execute a bandha jalandhara e contraia os músculos abdominais, puxando-os para cima. Essa é a postura final e deve ser mantida pelo tempo que lhe for confortável. Lentamente libere os músculos do estômago e então a bandha jalandhara, e inspire. Quando a respiração tiver voltado ao normal, repita o processo.

Duração: Por quanto tempo a respiração puder ser retida sem esforço. Repita dez vezes.

Concentração: No chakra manipura.

Seqüência: Pratique depois da asana e dos pranayamas, mas antes da meditação. O ideal seria fazê-lo conjuntamente com mudras e pranayama.

Precauções: Pratique esta bandha sempre com o estômago e os intestinos vazios. Libere a chave-de-queixo antes de inspirar.

Restrições: Pessoas que sofrem de problemas cardíacos, úlceras péptica ou duodenal e mulheres grávidas não devem praticar essa asana.

Alternativa preparatória: O agnisara kriya (ver Capítulo IV) pode ser praticado como uma técnica preparatória ou alternativa.

Benefícios: O diafragma é puxado para dentro da cavidade torácica e os órgãos abdominais são levados para perto da espinha. Portanto, essa bandha beneficia todos os males abdominais, produzindo o alívio da prisão de ventre, da indigestão, dos vermes e de diabetes. O "fogo digestivo" do chakra manipura é estimulado, melhorando as funções dos órgãos abdominais. O fígado, o pâncreas, os rins e a bexiga são todos massageados, melhorando seu funcionamento, e a prática regular desta bandha pode eliminar distúrbios relacionados com eles. As glândulas ad-renais são normalizadas; dessa forma, uma pessoa letárgica ganha vitalidade e pessoas ansiosas ou estafadas ficam tranqüilas. Os nervos simpáticos do plexo solar são estimulados e os órgãos abdominais que eles controlam também.

Como mencionamos anteriormente, o chakra manipura, localizado na região do umbigo, é estimulado. Como o manipura é o centro do prana no corpo, essa bandha intensifica a distribuição e o fluxo de prana por todo o corpo, especialmente o prana que se eleva pelo nadi sushumna.

Agora que já debatemos sobre as três bandhas básicas, passemos para o próximo tópico, os mudras.

IV
Os Mudras e o Despertar dos Chakras

Os mudras não são meras posturas físicas, são práticas que geram um poderoso efeito psíquico sobre o ser interior do discípulo, contribuindo para o crescimento espiritual. Seus principais objetivos são auxiliar o despertar da kundalini, produzir uma percepção e controle do prana na dimensão astral e produzir siddhis (habilidades paranormais). Quando esses objetivos são alcançados, o praticante torna-se apto a transferir o prana que flui pelos nadis e chakras sutis com a finalidade de curar uma região doente de seu próprio corpo, ou o corpo de outra pessoa. Esse tipo de habilidade paranormal é inevitável e aparece quando se atinge um grau avançado de conhecimento.

Num sentido mais amplo, o termo "mudra" abrange todos os métodos para ativar os chakras, inclusive o pratyahara (introversão da mente). É óbvio que completando seus benefícios espirituais, os mudras melhoram efetivamente a saúde física. É importante que eles sejam estudados com a orientação de um professor experiente. Aqui descreveremos rapidamente alguns mudras básicos.

(1) *Mudras Jnana e Chin*

Sente-se na asana de meditação e dobre o dedo indicador de cada mão para que a ponta do dedo toque na base interna do polegar. Conserve os outros três dedos de cada mão esticados, coloque as mãos sobre os joelhos com as palmas viradas para baixo e os dedos apontados para o chão, em frente aos pés. Isso é o mudra jnana.

O mudra chin é executado do mesmo modo que o mudra jnana, exceto que as palmas das mãos são viradas para cima.

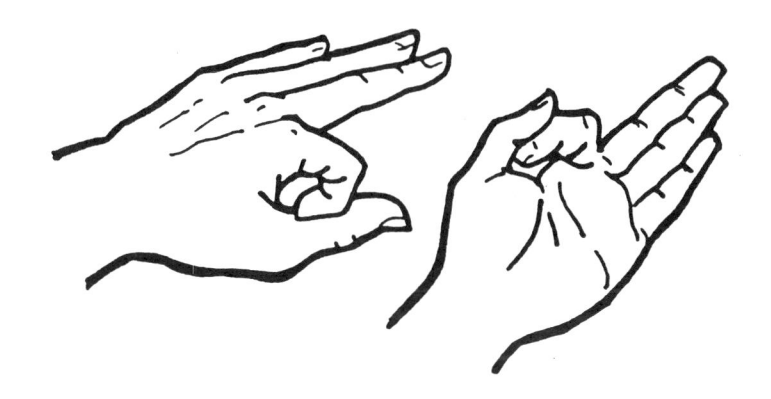

Duração: Qualquer desses mudras pode ser executado em qualquer postura de meditação e durante o tempo apropriado à posição.

Benefícios: Os mudras jnana e chin são chaves-de-dedos psiconeurais — simples, porém muito importantes, pois completam as asanas meditativas tais como padmasana e siddhasana, tornando-as mais poderosas.

Minha grande experiência em ioga e em acupuntura sugere o seguinte: o prana ou a energia ki absorvida através do chakra manipura chega até os pulmões, alimenta-os e, então, flui através dos meridianos dos pulmões até os polegares. Parte desse prana é emitido a partir do ponto sei (fonte) do meridiano pulmonar na ponta do polegar. Quando o dedo indicador e o polegar se tocam em mudra jnana e chin, a energia, que de outra forma seria descarregada, é transferida para o meridiano do intestino grosso, o qual começa na ponta do dedo indicador. Portanto, como esses mudras conservam a energia vital do corpo, o praticante pode meditar durante longos períodos.

Segundo a tradicional interpretação indiana, atribui-se um significado simbólico para cada dedo. O mínimo representa o tamas (inércia, apatia); o anular corresponde ao rajas (atividade, ação, emoção intensa); o médio corresponde ao sattva (pureza, sabedoria, paz);* o indicador

---

* De acordo com a teoria iogue, em sua condição não-manifesta, prakriti (a energia primordial do Universo, a substância fundamental) compõe-se de três gunas, ou qualidades: tamas, rajas e sattva. Quando acatadas pelo purusha (o Espírito Puro), essas gunas começam a agir, influenciando-se e associando-se entre si, de forma a criar um aspecto material do Universo.

representa o jivatma (a alma individual de cada pessoa) e o polegar, o paramatma (a Consciência Superior inerente a tudo o que existe). A posição do indicador e do polegar simbolizam o principal objetivo da ioga — a unificação da alma individual com a Consciência Superior.

(2) *Mudra Shambhavi*
    (Olhar fixo num ponto entre as sobrancelhas)

Sente-se numa asana meditativa com a espinha ereta e as mãos sobre os joelhos em mudra chin ou jnana. Olhe para a frente, para um ponto fixo, e então eleve os olhos o mais que puder, sem mover a cabeça. Agora, focalize o olhar num ponto exatamente entre as sobrancelhas e concentre-se ali. Livre-se de qualquer pensamento e medite sobre o ser (Atman) ou a Consciência Superior (Paramatma).

Duração: Tanto tempo quanto for possível. De início, apenas alguns minutos, mas com a prática o tempo pode ser aumentado progressivamente.

Benefícios: Trata-se de uma das práticas mais aconselhadas na ioga. O indivíduo que dominar a técnica de mudra shambhavi pode transcender a mente, o intelecto e o ego para os reinos psíquico e espiritual da consciência. Essa técnica é poderosa para o despertar do chakra ajna, o ponto de união entre a consciência inferior e a superior. Esse mudra traz serenidade mental e remove a tensão e a ira, além de também fortalecer os músculos dos olhos.

(3) *Mudra Akashi* (Consciência do espaço interior)

Sente-se numa postura meditativa e dobre a língua para trás, contra o céu da boca, como no mudra khechari (ver Capítulo IV, p. 95). Pratique o pranayama ujjayi e o mudra shambhavi. Com a cabeça ligeiramente inclinada para trás, respire lenta e profundamente. No princípio, o pranayama ujjayi pode irritar a garganta, porém com a prática tornar-se-á mais confortável.

Duração: Mantenha a posição final por tanto tempo quanto for possível. Se tiver dificuldade em mantê-la por pouco mais do que um curto período de tempo, interrompa a prática de pranayama ujjayi, mudra khechari e mudra shambhavi; descanse por alguns minutos e então repita.

Concentração: Sobre o chakra ajna.

Precauções: Como todos os mudras, ele deve ser assimilado gradualmente e sob a orientação de um instrutor.

Benefícios: Quando esse mudra é executado com perfeição, o praticante entra numa espécie de êxtase. Não se trata do êxtase no sentido ocidental, mas do êxtase no sentido iogue, no qual o estudante atinge um estado elevado de consciência. O resultado é um sentimento de calma e tranqüilidade mental, e duplicam-se os benefícios do pranayama ujjayi, do mudra shambhavi e do mudra khechari.

(4) *Mudra Bhujangani* (Respiração de cobra)

Sentado numa posição meditativa, relaxe todo o corpo. Neste mudra, o estudante deve tentar "beber" o ar pela boca e para dentro do estômago (não dos pulmões), como se estivesse engolindo água. Dilate o estômago o mais que puder, prenda o ar por um breve período, então solte-o por meio de um arroto. Repita o processo.

Duração: Execute-o quantas vezes quiser, embora três a cinco vezes sejam suficientes. Pode ser repetido com mais freqüência para atenuar distúrbios específicos. Esse mudra pode ser praticado a qualquer hora, porém é mais eficaz quando executado depois da prática de hatha ioga de shankha prakhalana.*

Benefícios: As paredes do esôfago e as glândulas secretoras digestivas são rejuvenescidas. Todo o estômago é tonificado, gases presos são eliminados e qualquer distúrbio gástrico apresenta melhoras. Enquanto o ar está preso no estômago, o estudante pode flutuar na água por quanto tempo quiser, sem afundar.

(5) *Mudra Ashvini* (Mudra do cavalo)

Estágio 1: Sente-se numa asana meditativa, relaxe todo o corpo, feche os olhos e respire normalmente. Contraia os esfíncteres do ânus por alguns segundos, então relaxe-os também por alguns segundos. Repita esse processo quantas vezes lhe for possível.

Estágio 2: Sentado como no estágio 1, contraia o ânus durante a inspiração. Retenha o ar, mantenha a contração e então expire descontraindo-se. Repita tantas vezes quantas puder.

Duração: Por quanto tempo puder fazê-lo sem esforço. Pode ser praticado a qualquer hora do dia e em qualquer estágio da prática da ioga.

Concentração: No chakra muladhara.

Benefícios: Adquire-se um controle sobre os esfíncteres do ânus (como o cavalo). Quando praticado adequadamente, esse mudra impede que parte do prana escape do corpo. Dessa forma, o corpo conserva e dirige tal energia para propósitos mais elevados. É muito benéfico para pessoas que sofrem de hemorróidas ou de prolapso no reto ou no útero, embora nesses casos seja mais eficiente quando praticado conjuntamente com uma postura de cabeça para baixo. Esse mudra estimula a peristalse

---

* Um método sistemático e delicado de completar a lavagem de todo o canal digestivo, desde a boca até o ânus.

intestinal e elimina a prisão de ventre. É um excelente exercício preparatório para a bandha mula.

(6) *Mudra Kaki* (Bico de corvo)

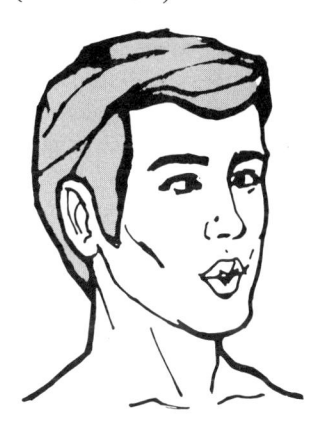

Sente-se numa postura de meditação e faça um tubo estreito com a boca, franzindo os lábios. Concentre o olhar na ponta do nariz. Inspire lenta e profundamente pela boca e então expire, também devagar, pelo nariz. Mais uma vez inspire pela boca e repita o processo.

Duração: Por tanto tempo quanto for possível.

Benefícios: A entrada do ar na cavidade bucal estimula as secreções digestivas. Esse mudra é eficaz no despertar do chakra muladhara e na refrigeração de todo o corpo.

(7) *Mudra Khechari* (Travar a língua)

Feche a boca e enrole a língua para trás de modo que sua parte interna toque o céu da boca. Leve a ponta da língua o mais para trás possível, sem forçar (nesta posição pode-se executar o pranayama ujjayi) e deixe-a nessa posição durante o maior tempo possível. No caso de os principiantes sentirem desconforto após um pequeno período de tempo eles podem relaxar a língua por alguns segundos e então voltar à posição. (Com a prática, a língua pode ser bastante fortalecida de modo a enrolar-se cada vez mais para trás, estimulando, assim, a laringe e a faringe. Esse estímulo é então conduzido até diversos centros nervosos do cérebro.)

Respiração: Os principiantes podem respirar normalmente durante a prática, porém, depois de alguns meses, devem tentar reduzir gradualmente a velocidade da respiração até que depois de dois meses ou mais, ela seja de apenas cinco a oito exalações por minuto (a respiração normal é de aproximadamente dezesseis por minuto). Com uma prática cuidadosa, de preferência sob a orientação de um especialista, a respiração pode ser reduzida ainda mais.

Duração: Por tanto tempo quanto puder ou desejar, de preferência nas horas tranqüilas e de relaxamento. O mudra khechari pode ser executado juntamente com outras práticas iogues.

Precauções: Se esse mudra for praticado durante algum exercício físico e você sentir um gosto amargo na garganta, interrompa a prática para evitar qualquer efeito prejudicial.

Benefícios: Esse mudra exerce uma influência sutil sobre o corpo humano. Existem diversos pontos de pressão ou glândulas na cavidade localizada atrás do céu da boca, os quais controlam amplamente as atividades do corpo; além disso, as secreções que partem deles são estimuladas pela língua dobrada. A produção de saliva também é intensificada, o que elimina a sensação de sede e fome. Os iogues que permanecem enterrados por longos períodos executam o mudra khechari durante todo o tempo. Isso lhes permite reter o ar por quanto tempo desejarem sem nenhum prejuízo. Esse mudra auxilia no despertar da shakti kundalini, e também conserva a energia vital do corpo.

A forma do mudra kechari descrita aqui é, por assim dizer, uma prática de raja ioga. Na forma perfeita da hatha ioga, o tendão debaixo da língua é gradualmente distendido durante meses, até que a passagem posterior seja completamente bloqueada pela língua dobrada. Quando perfeita, essa prática pode fazer com que o corpo astral se desprenda do físico. Desse modo, a consciência passa a residir no akasha, o "espaço" entre as dimensões astral e física. Esse mudra é considerado muito importante nos antigos textos iogues.

(8) *Mudra Prana*

Sente-se numa postura meditativa com a espinha ereta. Feche os olhos e coloque as mãos no colo.

Estágio 1: Expire o mais profundamente possível, contraindo os músculos abdominais para expelir a maior quantidade possível de ar

Posição
Inicial

Estágio 2

dos pulmões. Execute a bandha mula enquanto retém a respiração e se concentre no chakra muladhara. Retenha o ar por quanto tempo puder fazê-lo de forma confortável.

Estágio 2: Libere a bandha mula e lentamente comece a inspirar de forma profunda, expandindo o abdômen ao máximo e recebendo a maior quantidade possível de ar dentro dos pulmões. Simultaneamente, erga as mãos para a frente do umbigo. Elas devem estar abertas com os dedos apontando uns para os outros mas sem se tocarem, e com as palmas viradas para o corpo.

Durante esse estágio, tente sentir o prana sendo transferido do chakra muladhara para o chakra manipura enquanto inspira.

O movimento das mãos deve ser coordenado com a inspiração abdominal.

Estágio 3: Continue a inspirar expandindo o tórax e, simultaneamente, prossiga na elevação das mãos. No final da expansão do tórax, as mãos devem estar na altura do coração (diretamente à sua frente). Durante esse estágio, procure sentir o prana sendo transferido do chakra manipura para o anahata.

Estágio 4: Tente inspirar um pouco mais de ar, erguendo os ombros. Enquanto isso, procure sentir o prana sendo atraído pelo chakra vishuddhi e então levado como uma onda para o chakra ajna e, finalmente, para o sahasrara. Coordene o movimento das mãos com a respiração elevando-as até que atinjam a altura da garganta.

Estágio 4

Estágio 5: Prenda a inspiração enquanto abre os braços no sentido lateral. Na posição final, as mãos devem estar na altura das orelhas, os braços abertos mas não totalmente esticados. Concentre-se sobre o chakra sahasrara. Procure visualizar uma aura de luz pura irradiando-se de sua cabeça. Sinta que todo seu ser irradia vibrações de paz para todas as criaturas. Mantenha essa posição por tanto tempo quanto puder, porém sem forçar os pulmões. Então retorne à posição inicial enquanto expira, e repita o processo, porém na ordem inversa. Durante a expiração, procure sentir o prana descendo do chakra sahasrara para o muladhara, passando por todos os outros. Relaxe o corpo por alguns minutos, respirando lenta e profundamente.

Estágio 5

Concentração: A percepção deve acompanhar a respiração e o movimento das mãos, do muladhara para o sahasrara e vice-versa. Quando esse mudra é executado com perfeição, o praticante pode ver a respiração extra-sensorialmente, como uma corrente de luz branca subindo e descendo pelo nadi sushumna. O mudra prana deve ser executado antes da meditação.

Precauções: Não force os pulmões. Aumente de forma lenta e gradual a duração da inspiração, da retenção e da expiração, por meio de prática regular.

Benefícios: Esse mudra é compacto, combina pranayama com o gesto simbólico de um mudra. Trata-se de uma prática excelente para o despertar da energia vital adormecida (o prana shakti). Ele distribui essa energia por todo o corpo, aumentando assim o vigor físico, o magnetismo pessoal e a saúde.

(9) *Mudra Navamukhi* (O mudra das nove portas - Mudra yoni)

Sente-se numa asana de meditação, relaxe todo o corpo e inspire lenta e profundamente. Ao mesmo tempo, concentre-se alguns segundos em cada chakra, sentindo a ascensão do ar (prana) partindo do muladhara para o sahasrara. Prenda a inspiração e erga as mãos até a face. Tampe os ouvidos com os polegares, os olhos com os indicadores, as narinas com os dedos médios e a boca colocando os dedos anulares e os dedinhos acima e abaixo dos lábios. Execute a bandha mula e o mudra vajroli (ver pp. 86 e 108). Concentre-se no sahasrara enquanto retém a inspiração. Mantenha-se assim durante o máximo de tempo possível sem forçar, então retire a pressão dos dedos sobre as narinas e expire lentamente. Durante a expiração, desfaça a bandha mula e o mudra vajroli, mas conserve os dedos em suas devidas posições. Mantenha a percepção sobre o sahasrara. No final da expiração, relaxe por alguns segundos e então repita todo o processo.

Duração: Por tanto tempo quanto puder, sem fazer esforço excessivo.

Notas: No corpo humano existem nove aberturas pelas quais as experiências sensoriais do mundo externo entram e o material não aproveitável pelo organismo é expelido: os dois ouvidos, os dois olhos, as duas narinas, a boca, o ânus e o canal urinário. Essas aberturas são denominadas "portas" do "templo" do corpo. Fechando essas portas e recolhendo a mente, o indivíduo é capaz de atravessar a décima porta — a do despertar espiritual — transcendendo assim a consciência mundana.

Esta décima porta mística localiza-se no alto do chakra sahasrara e é conhecida como o Portão de Brahman (a Consciência Superior).

Benefícios: Como a mente está protegida do mundo externo, a percepção se desenvolve a partir do nada, sons psíquicos que se originam no chakra sahasrara e que se exalam de um importante centro no cérebro, denominado bindu-visargha.

(10) *Agnisar Kriya* (Vahnisar Dhauti: "Purificação pela respiração do fogo")

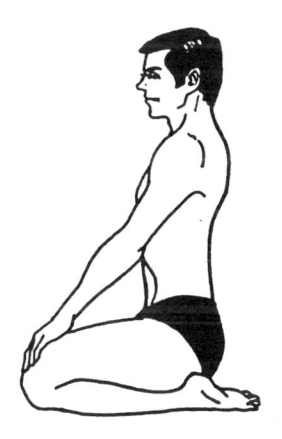

Vajrasana

Sente-se em vajrasana (ver figura acima), mantendo os dedos dos pés unidos e separando os joelhos o mais que puder. Coloque as mãos sobre os joelhos e dobre a parte superior do corpo ligeiramente para a frente, mantendo os braços esticados. Abra a boca e coloque a língua para fora. Respire rapidamente, contraindo e expandindo o abdômen; essa respiração deve assemelhar-se ao ofegar de um cão. Repita vinte e cinco vezes.

Método avançado: Posicione-se como na forma anterior. Expire o mais profundamente possível e execute a bandha jalandhara. Retendo a expiração, contraia e expanda os músculos abdominais rapidamente.

Precauções: Espere ao menos quatro horas depois de se alimentar para realizar esse mudra.

Restrições: Pessoas com pressão alta, distúrbios cardíacos ou úlceras péptica ou duodenal não devem praticar esse mudra.

Benefícios: Condições abdominais tais como acúmulo de gases no tubo digestivo (flatulência), constipação, mau funcionamento do fígado, etc., são aliviados; os órgãos abdominais são tonificados e o apetite é estimulado. Tudo isso requer um bom preparo para a bandha uddiyana (ver Capítulo III, p. 88) e kriya nauli (massagem abdominal, ver Capítulo IV, p. 113).

Embora tenha sido descrito juntamente com os mudras básicos, o kriya aginsara, que pode ser usado como um substituto ou como preparo para a bandha uddiyana, não é propriamente um mudra, mas sim uma parte da prática da hatha ioga. Assim encerramos esta seção e podemos passar aos métodos usados para despertar os chakras.

MÉTODOS PARA O DESPERTAR DOS CHAKRAS

Uma tradicional abordagem ao despertar dos chakras está descrita no *Gorakshashatakam*, um pequeno trabalho redigido no século X pelo guru Goraknath. Esse texto será analisado detalhadamente no Capítulo VI-B. A principal técnica nele descrita é a da concentração sobre cada chakra enquanto se fixa o olhar na ponta do nariz. Por exemplo, Goraknath escreve: "O primeiro chakra, chamado adhara (o muladhara), é como ouro polido. Meditando-se sobre ele, com o olhar fixo na ponta do nariz, a pessoa liberta-se do pecado. O segundo chakra é o svadhishthana, tão belo como um rubi genuíno. Meditando sobre ele e com o olhar fixo na ponta do nariz, a pessoa liberta-se do pecado."

A eficiência dessa prática pode ser explicada pela localização dos nadis ida e pingala, os quais originam-se no chakra muladhara — a sede da kundalini — e terminam nas narinas esquerda e direita, respectivamente. Fitar a ponta do nariz, portanto, estimula esses nadis e o chakra muladhara, bem como a própria kundalini. Se o praticante usar esse método enquanto se concentrar em outro chakra, ele pode fazer com que a kundalini se eleve, além de introduzir mais energia nesse chakra já ativado pela concentração mental. A técnica de fitar o nariz é, portanto, um método poderoso, capaz de dobrar potencialmente os efeitos da concentração.

Todavia, por se tratar de uma prática muito simples e monótona, o principiante pode facilmente distrair-se com pensamentos e desejos

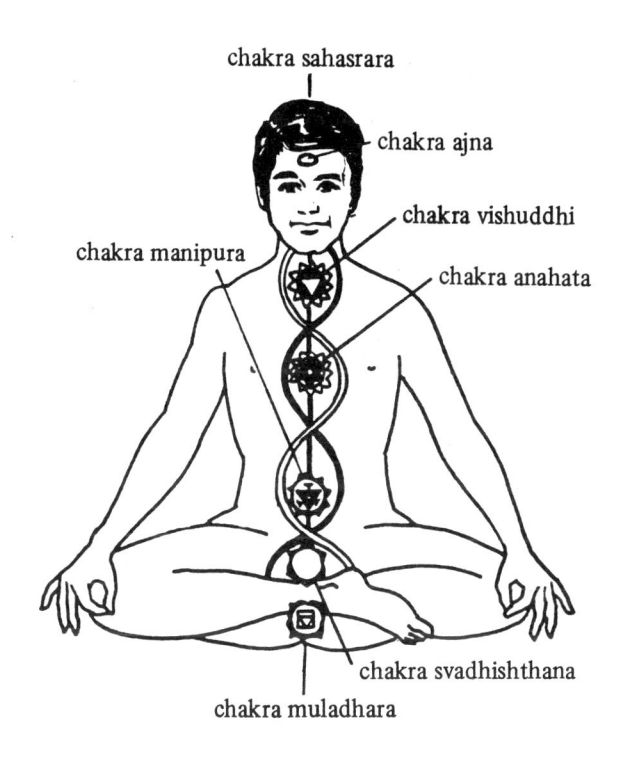

chakra sahasrara
chakra ajna
chakra vishuddhi
chakra manipura
chakra anahata
chakra svadhishthana
chakra muladhara

vindos do subconsciente. Sua mente tornar-se-á inquieta e sua concentração será facilmente interrompida. Por essa razão, as práticas que recomendamos são de natureza mais complexa e variada. A ioga indiana tem idealizado e divulgado outros métodos eficazes para a ativação dos chakras que combinam a concentração no chakra com as asanas, o pranayama e os mudras. O mecanismo dessas práticas adota o seguinte padrão: primeiro, o prana é absorvido através do pranayama; depois, o chakra é estimulado física e psiquicamente por meio de asanas e mudras específicos; finalmente, ativa-se o chakra pela infusão do prana canalizado e pela concentração mental direta.

As seguintes descrições de práticas para o despertar dos chakras são amplamente baseadas no *Tantra of Kundalini Yoga*, de Swami Satyananda Saraswati. É favor notar que as práticas classificadas aqui, segundo a tradição, têm sido doutrinadas apenas para discípulos proeminentes e sob cuidadosa orientação de um guru.

A prática solitária orientada pelos ensinamentos de um livro pode facilmente levá-lo a um mal-entendido e, por conseguinte, a um grande perigo. É fundamental que as instruções aqui descritas sejam seguidas apenas sob a orientação de um mestre.

(1) *O Despertar do Chakra Ajna*

Sente-se em siddhasana (as mulheres em siddha yoni asana), com os olhos ligeiramente fechados. Se esta postura lhe for impossível, sente-se em meio-siddhasana, com um calcanhar — aquele que lhe for mais confortável — pressionando o períneo. Coloque as mãos sobre os joelhos em mudra chin e certifique-se de que sua espinha está ereta. É importante manter as pálpebras ligeiramente fechadas; o esforço inconsciente despendido quando os olhos são completamente fechados impede sua entrada num estado de meditação profunda. Concentre-se num ponto entre as sobrancelhas ou na ponta do nariz, fixando o olhar mesmo sem estar "vendo" o ponto. Ao mesmo tempo, contraia e relaxe o períneo com suavidade e alternadamente. Continue por cinco ou dez minutos.

A seguir, preste atenção na respiração e coordene o ritmo para que o períneo seja contraído durante a inspiração e relaxado na expiração. Respire em velocidade normal e nesse compasso por cinqüenta vezes, permanecendo atento tanto na respiração como nas contrações do períneo. Esta é a primeira metade do método.

Na mesma posição, concentre-se em seguida sobre o chakra ajna, entre as sobrancelhas. Inspire lenta e profundamente, e imagine a assimilação ou o próprio prana entre as sobrancelhas à medida que você pronuncia OM* em sua mente. Então expire devagar, e imagine que está irradiando prana do centro das sobrancelhas fazendo-o voltar para o Universo, enquanto pronuncia OM ininterruptamente. Continue durante o maior tempo possível (de trinta minutos a duas horas).

Existem duas razões que justificam a estimulação do períneo: a localização do chakra muladhara no corpo físico é útil para o despertar do chakra ajna. Primeiro, essa prática ajuda a despertar a kundalini, localizada no interior do muladhara. Nenhum chakra pode ser ativado

---

* Pronuncia-se *omm*.

se não lhe for infundida energia por uma kundalini ativada. Em segundo lugar, o ajna está ligado diretamente ao muladhara pelos nadis ida, pingala e sushumna. A estimulação direta de um desses chakras produz um efeito incerto sobre o outro. Portanto, a ativação do muladhara, na primeira parte da prática aqui descrita, é um excelente preparo para a concentração a seguir, sobre o ajna.

A concentração sobre o chakra ajna é extremamente recomendada antes da tentativa de despertar os outros chakras, pelo seguinte: acredita-se que cada chakra possui seu próprio carma latente, o qual é trazido à tona e ativado até certo limite quando estimulado através da prática ascética; o despertar do chakra ajna capacita ao praticante purificar o carma dos chakras inferiores, além do seu próprio. Por essa razão, se o ajna for ativado primeiro, as forças cármicas superpoderosas e potencialmente perigosas, latentes nos chakras inferiores, podem ser tranqüilamente controladas.

Além do mais, ativando em primeiro lugar o ajna, o praticante estimula intensamente a kundalini dormente no muladhara, por causa da ligação direta existente entre estes dois chakras.

A única maneira de descobrirmos a localização precisa do ajna é através da experiência, porém muitas vezes a sensação é descrita da seguinte maneira: quando o períneo é contraído e relaxado repetidas vezes e em concordância com a respiração, aquela região torna-se quente e sente-se nela uma suave vibração. Ao mesmo tempo, percebe-se uma sensação semelhante no ponto entre as sobrancelhas, a localização do chakra ajna. Como o praticante mantém a concentração sobre esse ponto, visualizando a absorção e a difusão do prana enquanto pronuncia OM, o ajna é ativado gradativamente. Depois de meses ou anos de prática contínua, pode-se obter um despertar.

(2) *O Despertar do Chakra Muladhara* (Manduki Kriya)

Sente-se em vajrasana (postura típica japonesa: sentado sobre os calcanhares, com os joelhos para a frente) e mantenha os joelhos ligeiramente separados. Entrelace as mãos e coloque-as logo abaixo do umbigo, com os pulsos sobre as coxas. Feche os olhos e concentre o olhar para a ponta do nariz. Então abra-os ligeiramente e continue a se concentrar. Mesmo que não veja a ponta do nariz, ela deve estar sensível. Quando seus olhos se cansarem, feche-os por um momento, conservando a concentração mental. Após descansarem, reassuma a concentração visual.

Repita esse processo por dez a vinte minutos. A seguir, transfira sua atenção para o períneo; contraia-o e relaxe-o alternadamente durante um período de trinta a sessenta minutos. Essas duas técnicas, praticadas conjuntamente, compreendem o método para o despertar do chakra muladhara.

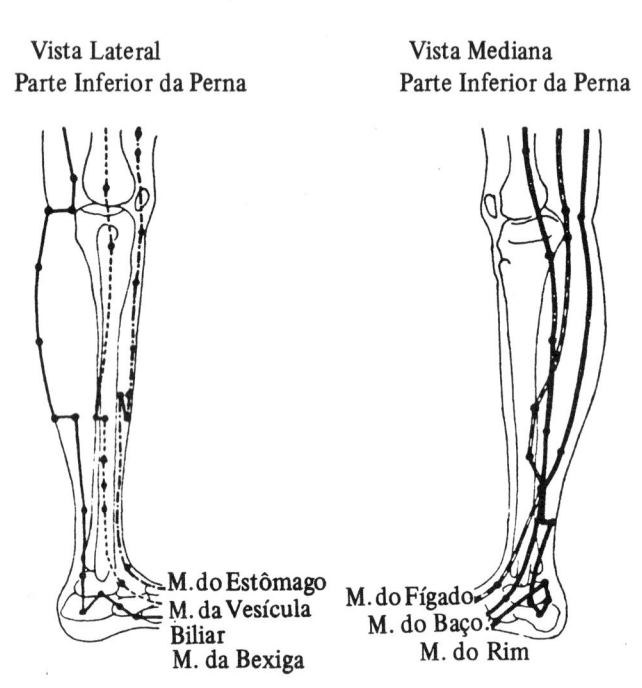

Vista Lateral
Parte Inferior da Perna

Vista Mediana
Parte Inferior da Perna

M. do Estômago
M. da Vesícula Biliar
M. da Bexiga

M. do Fígado
M. do Baço
M. do Rim

A importância da postura vajrasana para estimular o chakra muladhara pode ser explicada em termos da teoria da acupuntura. O muladhara controla as funções dos órgãos urogenitais, os quais, segundo a medicina chinesa, são governados pelos meridianos da bexiga e dos rins.

O meridiano da bexiga desce pela barriga da perna, com o meridiano dos rins um pouco mais para dentro. Esses meridianos são estimulados pelo peso da metade superior do corpo em vajrasana, e tal estimulação chega até o chakra muladhara, o que auxilia em sua ativação.

Já vimos que a concentração sobre a ponta do nariz estimula o muladhara, devido aos nadis ida e pingala que interligam essas duas regiões (ver Capítulo IV, p. 102). De fato, quando uma agulha de acupuntura é introduzida no períneo (localização do muladhara no corpo físico), a uma profundidade de 1 centímetro, sente-se muitas vezes um formigamento na ponta do nariz e qualquer bloqueio nasal é eliminado. Depois de cinco ou dez minutos, a energia principal estancada na cabeça flui livremente; então restabelece-se o equilíbrio do fluxo dessa energia por todo o corpo.

A informação acima sugere que, antes de experimentar o despertamento de um determinado chakra, é importante concentrar-se primeiro no chakra complementar localizado na extremidade oposta dos nadis que os conectam. Isso se assemelha a um padrão comum no tratamento de acupuntura: para tratar o problema numa certa região, um ponto localizado na extremidade oposta do corpo — porém diretamente relacionado com ela através da rede de meridianos — é intensamente estimulado. Por exemplo, deve-se introduzir uma agulha no ponto *hyakue* (paihui, VG20) no alto da cabeça para o tratamento de hemorróidas. Técnicas baseadas neste princípio — tanto no tratamento de acupuntura como na prática da ioga — produzem um melhor funcionamento dos órgãos internos e um aumento no fluxo do prana. No caso da ioga, o despertar de um chakra é facilitado pelo fortalecimento da interação mútua de cada chakra.

(3) O Despertar do Chakra Svadhishthana

Sente-se em siddhasana, colocando o calcanhar que estiver por cima no ponto mais baixo do abdômen, bem no centro. Este ponto é a localização do chakra svadhishthana. Com as duas mãos sobre os joelhos, execute o mudra chin. Feche os olhos e mantenha o corpo completamente imóvel. Então concentre-se sobre o svadhishthana. Pratique o mudra khechari (ver Capítulo IV, p. 95), desfazendo-o assim que se sentir cansado. Enquanto se concentra, contraia e relaxe vagarosamente a região muscular que circunda o ponto de concentração. A contração começa a partir do próprio ponto svadhishthana, contudo no final poderá cobrir uma grande área, inclusive os órgãos genitais. Entretanto, certifique-se de que a região do muladhara fique relaxada, sem que seja atingida pelo processo de contrações. No princípio, pode ser difícil separar os diversos grupos musculares, porém a prática contínua tornará isso possível. Tanto a contração como o relaxamento devem ser lentos e premeditados, praticados com muita atenção. Bandha uddiyana (Capítulo III, p. 88), shalabhasana

(Capítulo IV, p. 109) e dhanurasana (Capítulo II, p. 58) são recomendados para ajudá-lo a desenvolver um controle consciente do processo de contração e relaxamento.

Outra técnica freqüentemente aconselhada para facilitar a concentração sobre o svadhishthana é a seguinte: pressione os joelhos com as palmas das mãos, elevando um pouco os ombros porém mantendo os cotovelos retos. Curve o pescoço para a frente como em jalandhara (Capítulo III, p. 85), e execute a mesma contração e relaxamento acima descritos. (A retenção da respiração como na bandha jalandhara é desnecessária.) Depois de praticar essa postura por alguns minutos, retorne à postura ereta inicial e continue.

Esse processo de contração e relaxamento, executado com uma profunda atitude meditativa e em completa imobilidade, denomina-se vajroli. Depois de praticar vajroli por trinta a sessenta minutos, libere o mudra khechari e pronuncie OM três vezes.

Os efeitos benéficos do mudra khechari e da bandha jalandhara — ambos estimulando a região da garganta — sobre o chakra svadhishthana podem ser explicados da seguinte maneira: como o muladhara, o svadhishthana se relaciona com os órgãos urogenitais e, portanto, com os meridianos dos rins e da bexiga, na acupuntura. O meridiano dos rins flui através da laringe e da faringe, que são estimuladas quando se dobra o pescoço para a frente em bandha jalandhara, e pela pressão que parte da ponta da língua na forma completa de mudra khechari. Esse estímulo é transmitido pelo meridiano dos rins até os órgãos urogenitais, melhorando seu funcionamento e auxiliando na ativação do chakra svadhishthana. Além disso, o meridiano do coração passa pela língua e, portanto, é estimulado pelo mudra khechari. Esse meridiano relaciona-se diretamente com o meridiano dos rins; juntos, formam o meridiano "yin menor" (o coração na parte superior do corpo, os rins na inferior). Por esse motivo, o estímulo no meridiano do coração afeta indiretamente o meridiano dos rins e, por conseguinte, o chakra svadhishthana.

Recomenda-se shalabhasana (a postura do "gafanhoto"), mencionada acima, para o despertar do svadhisthana.

Método: Deitado sobre o estômago, com as mãos ao lado das coxas, as palmas viradas para baixo. Estique e levante as pernas, juntamente com o abdômen, o mais alto que puder, pressionando os braços contra o solo. Certifique-se de que os joelhos não estão dobrados. Mantenha essa posição por alguns segundos, então abaixe as pernas cuidadosamente.

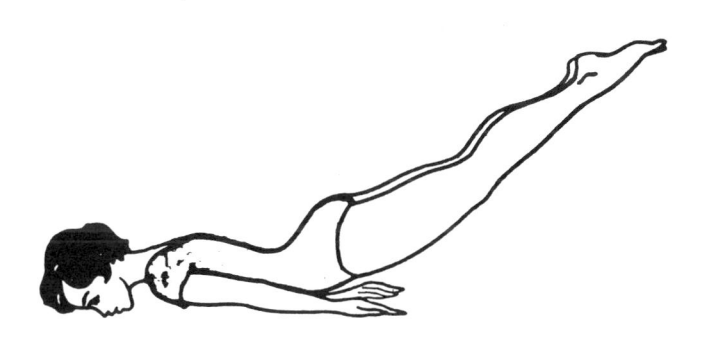

Respiração: Inspire profundamente quando estiver deitado de bruços. Prenda a respiração enquanto eleva as pernas e o abdômen. Expire quando estiver voltando para a posição inicial. Execute conjuntamente com bhujangasana (ver Capítulo II, p. 57) e dhanurasana (ver Capítulo II, p. 58).

Duração: Mais de cinco vezes.

Concentração: Sobre o chakra vishuddhi.

Restrições: Pessoas que sofrem de úlcera péptica, hérnia, tuberculose intestinal ou que tenham o coração fraco, não devem praticar esta asana.

Benefícios: Essa asana tonifica e regula o fígado, os intestinos, o pâncreas e os rins; também estimula o apetite. É especialmente benéfica no tratamento de doenças do estômago e dos intestinos. Além disso, fortalece a parte inferior das costas e tonifica os nervos ciáticos.

(4) *O Despertar do Chakra Manipura*

A prática seguinte, constituída de quatro estágios, é recomendada por Swami Satyananda como um método eficaz para o despertar do chakra manipura. A técnica principal é uma variação da bandha mula e as outras três são incluídas para aumentar sua eficácia. São elas:

1) execute o mesmo que a primeira parte do método para despertar o chakra ajna;
2) mudra vajroli (para despertar o svadhishthana);
3) é a técnica principal, na qual o prana e o apana* são unificados na região do umbigo, produzindo uma força shakti que ativa o chakra manipura na espinha;
4) manduki kriya, também utilizado para ativar o muladhara.

Parte 1: Sente-se em siddhasana e assuma o mudra chin com os olhos fechados e a espinha ereta. Concentrando-se no períneo, contraia-o e relaxe-o alternadamente num ritmo confortável, durante cinco minutos.

Parte 2: Contraia e relaxe a parte inferior do abdômen, inclusive a região genital, durante cinco minutos, prestando muita atenção e concentrando-se no chakra svadhishthana.

Parte 3: Inspire profundamente. Imagine o prana sendo absorvido pela garganta, descendo até o umbigo, e o apana subindo do chakra muladhara até o umbigo. Devagar assuma a bandha mula (ver Capítulo III, p. 86). Prenda a respiração, concentre-se no umbigo e visualize a unificação do apana e do prana nessa região. Continue com a respiração presa por tanto tempo quanto for possível, e então expire. Este ciclo deve ser repetido durante dez minutos.

Parte 4: Mude a posição, de siddhasana para vajrasana, e separe um pouco os joelhos. Junte as mãos entrelaçando os dedos, feche os olhos e permaneça imóvel. Concentre sua atenção na ponta do nariz por alguns instantes, direcionando os olhos para este ponto. Abra ligeiramente os olhos e fite atentamente a ponta do nariz. De novo, feche os olhos mantendo a concentração. Repita o processo por dez minutos.

A seguir, retorne ao siddhasana e repita a parte (3) por vinte ou trinta minutos. Esse é o estágio final dessa prática.

---

* Existem duas variedades de prana dentro do corpo que controlam a respiração e a excreção, respectivamente. Ver Capítulo V.

As práticas das partes (1) e (2) são úteis porque estimulam os dois chakras inferiores, facilitando a elevação da kundalini até o manipura. Conforme exposto, a parte (3) é a prática principal, visto ser a unificação do prana e apana — que podem ser considerados como a energia vital da parte superior e inferior do tronco —, a chave para o despertar do chakra manipura.

A eficácia do manduki e de vajrasana na parte (4) ao estimular o manipura é um fenômeno interessante. Swami Satyananda explica isso afirmando que o manipura está diretamente interligado com os olhos e com os pés, porém não nos dá mais detalhes. Contudo, a conexão é facilmente explicada em termos de acupuntura, como segue.

Acredita-se que o chakra manipura controla os órgãos digestivos; os meridianos importantes são os do estômago, do intestino grosso, do fígado, da vesícula biliar e do baço. O meridiano do intestino grosso passa ao lado da asa do nariz, onde se conecta com o meridiano do estômago. Esse último começa na cavidade orbitária, logo abaixo da pupila, descendo pela face, pela frente do tronco e pela parte lateral da perna, terminando no segundo dedo do pé. O meridiano da vesícula biliar flui ao lado do canto lateral do olho, contorna até atrás da orelha, volta para a região temporal, então desce pela parte lateral do pescoço, do tronco e da perna (ao lado do meridiano do estômago) e termina no quarto dedo do pé. Existe uma relação yin-yang entre o baço e o estômago, assim como entre os meridianos do fígado e da vesícula biliar; conseqüentemente, esses meridianos complementares exercem grande influência um sobre o outro. Além disso, os meridianos do baço e do fígado sobem pelo meio da perna. Tudo indica que os meridianos que controlam os órgãos digestivos estão intimamente ligados com os olhos, o nariz e as pernas; e esses meridianos, conforme exposto anteriormente, possuem estreita relação com o chakra manipura.

Por este motivo, quando os olhos e o nariz são estimulados através da concentração mental ou visual sobre a ponta do nariz em kriya manduki, ativa-se o chakra manipura através da estrutura de meridianos do aparelho digestivo. Do mesmo modo, através de pressão direta sobre as pernas, vajrasana estimula os meridianos localizados nas pernas e que estão relacionados com o manipura.

As práticas seguintes de trataka, de bandha uddiyana e de kriya nauli também são recomendadas como técnicas que auxiliam na ativação do chakra manipura.

(4a) *Trataka*

A prática seguinte é a mais fácil e mais comum da grande variedade de formas de trataka — a prática de fitar um objeto.

Numa sala total ou parcialmente escura, sente-se em siddhasana ou em alguma outra posição confortável. Coloque uma vela acesa na altura dos olhos a uma distância de quarenta a sessenta centímetros. Relaxe todo o corpo, com os olhos fechados e a coluna ereta. Uma vez encontrada uma posição confortável, mantenha-se imóvel; não se mova de forma alguma durante toda a prática. Abra os olhos e fixe o olhar na reluzente chama da vela.

Com a prática, será possível fitar a chama da vela por alguns minutos sem desviar as pupilas ou piscar. Fite a chama tão atentamente a ponto de perder a consciência do seu corpo. Seu olhar deve estar completamente fixo num único ponto. Depois de alguns minutos, seus olhos provavelmente se tornarão cansados e se encherão de lágrimas; então pode fechá-los e relaxá-los. Continue imóvel e concentrado na imagem da chama à frente de seus olhos, mesmo sem vê-la. Quando essa imagem começar a desaparecer, abra os olhos e concentre-se novamente na chama real.

Trataka pode ser executado fixando-se uma variedade de objetos: um pequeno ponto, a lua cheia, uma sombra, uma bola de cristal, a ponta do nariz, a água, o escuro ou um espaço vazio, um objeto brilhante que não reluza exageradamente, e muitas outras coisas. Se preferir, você pode concentrar-se na imagem de uma divindade pessoal ou na fotografia de seu guru, enquanto experimenta sentir sua graça e presença espiritual. O nascer do sol, sua própria imagem no espelho, ou os olhos de outra pessoa também podem ser utilizados como objeto de concentração. Contudo, essas práticas devem ser feitas sob a orientação de um instrutor, pois envolvem certos riscos.

A prática trataka pode ser dividida em duas categorias: bahiranga (exterior) e antaranga (interior). Os métodos acima mencionados são todos práticas "exteriores". O trataka interior é a prática de visualização interior (por exemplo, de um chakra ou de um deus pessoal), geralmente executada com os olhos fechados. Mesmo se os olhos forem mantidos abertos, a concentração é dirigida diretamente para o interior, de forma a não se perceber nenhum objeto externo.

Duração: Muitas vezes, bastam de quinze a vinte minutos. Esse período pode ser bastante prolongado para propósitos espirituais, ou para corrigir deficiências oculares. Para pessoas que sofrem de insônia ou de tensão mental é aconselhável praticar trataka por quinze minutos antes de dormir. A melhor hora para trataka é das quatro às seis da manhã, depois de praticar asana e pranayama, porém ele é benéfico a qualquer hora do dia. De preferência, o estômago deve estar vazio, visto que isto facilita a concentração.

Precauções: Não há perigo na prática simples de trataka (com a chama da vela), porém os principiantes devem evitar um esforço excessivo. A capacidade de manter os olhos abertos sem piscar desenvolver-se-á gradualmente com a prática.

Benefícios: Os benefícios de trataka são muitos — físico, mental, psíquico e espiritual. Fisicamente, auxilia vistas fracas e certos defeitos visuais, inclusive a miopia. Ele acalma e estabiliza a mente, e também alivia a insônia. Além disso, desenvolve um poder de concentração necessário para a prática da verdadeira meditação. Os olhos são as portas da mente; quando os olhos estão firmes, a própria mente se torna firme, e o processo do pensamento cessa automaticamente à medida que a concentração se aprofunda. Trataka é um dos métodos mais eficazes para controlar uma mente agitada, absorta em ondas de pensamentos desconexos. Este controle é um pré-requisito para a efetiva prática espiritual.

Satyananda não explica por que trataka é eficaz no despertar do chakra manipura. Entretanto, conforme exposto anteriormente, os meridianos do estômago e da bexiga fluem ao redor dos olhos, portanto podemos deduzir que a estimulação dos olhos através do trataka é transmitida por esses meridianos até o chakra manipura.

(4b) *Bandha Uddiyana*

Satyananda aconselha a bandha uddiyana (ver Capítulo III, p. 88) conjuntamente com o kriya agnisar (ver Capítulo IV, p. 101) e a bandha jalandhara (ver Capítulo III, p. 85), como um método para despertar o manipura. O estímulo produzido no manipura está evidente nas descrições dessas práticas em suas respectivas seções.

(4c) *Kriya Nauli*

De pé, com os pés separados pouco menos de um metro.

Estágio 1: Contraia apenas os músculos retos abdominais (as duas colunas de músculos em cada lado do umbigo), sem contrair os outros músculos abdominais (madhyama nauli). Quando atingir esse objetivo, passe para o Estágio 2.

Estágio 2: Execute a contração isolada apenas do músculo reto abdominal esquerdo. Isso é vama nauli.

Estágio 3: Como no anterior contraia apenas o músculo reto abdominal direito (dakshina nauli).

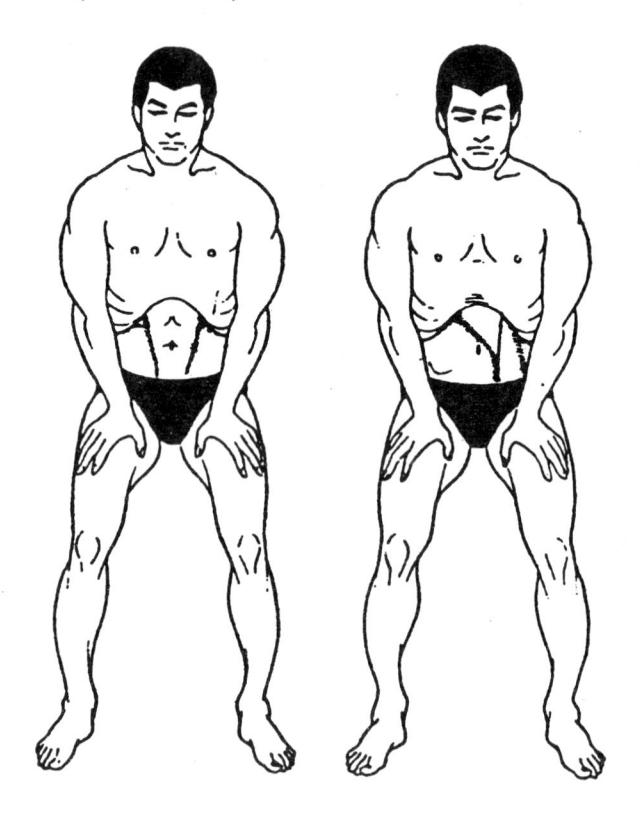

Estágio 4: Para este estágio, o praticante deve estar apto a realizar a prática dos Estágios 1, 2 e 3, sem dificuldade. Ainda de pé, execute a bandha uddiyana. Então comece a bater ou revolver os músculos retos abdominais até que eles movam da esquerda para a direita suavemente. Repita este movimento em seqüência quantas vezes puder, prendendo a expiração. Então relaxe os músculos abdominais e inspire. Quando a respiração tiver voltado ao normal, repita o processo, agora da direita para a esquerda.

Práticas preliminares: Antes de experimentar o Estágio 1 do nauli, o estudante deve executar perfeitamente o kriya agnisar e a bandha uddiyana.

Duração: Pratique o Estágio 4 durante o tempo que puder manter presa a respiração. Este é um ciclo; faça seis ciclos ao todo, três da esquerda para a direita e três da direita para a esquerda.

Período de prática: Esta técnica leva tempo para ser aperfeiçoada, e é muito importante a prática diária regular. Se o Estágio 4 for dominado no prazo de três meses, o progresso é satisfatório.

Precauções: É melhor praticá-lo sob orientação de um instrutor de ioga e, ao menos, quatro horas após alimentar-se.

Restrições: Pessoas que sofrem de pressão alta, úlceras pépticas ou duodenais, hérnia ou outros sérios distúrbios digestivos não devem praticar nauli.

Benefícios: Este é o método mais eficaz para aliviar males abdominais devido à massagem em todos os órgãos do abdômen, mantendo-os saudáveis e livres de disfunções. É muito útil em casos de constipação porque estimula o movimento peristáltico dos intestinos. Também é eficaz no tratamento de distúrbios sexuais, conservando os órgãos sexuais em boas condições.

A eficiente massagem produzida pelo kriya nauli nos órgãos digestivos — os quais são controlados pelo chakra manipura — estimula os meridianos correspondentes, e essa estimulação parece ser transmitida até o chakra manipura, impulsionando a ativação deste chakra numa dimensão superior.

(5) *O Despertar do Chakra Anahata*

Nesta prática, é mais importante prestar muita atenção na respiração do que manter uma asana durante um longo período de tempo. Por isso, se a postura for desconfortável, ela pode ser trocada; se sentir alguma coceira, não há razão para não se coçar.

Sente-se numa asana de meditação com os olhos fechados, concentre-se na garganta e preste atenção na inspiração. Sinta o ar descendo para a cavidade torácica. Durante a expiração, não é necessário prestar uma atenção especial.

A seguir, dirija sua atenção para o akasha, o espaço logo acima do diafragma; então, torne-se consciente desse espaço preenchendo-o com a inspiração e do próprio processo de ingestão de ar. Gradualmente, você passará a sentir o próprio espaço ao redor do coração. Uma vez desenvolvida a percepção desse "espaço do coração", você começará a senti-lo expandindo-se e contraindo-se no ato da respiração. A respiração deve ser normal, sem forçar a retenção ou fazer respirações inusitadamente longas.

Se a percepção desse espaço do coração e de sua contração e expansão for constante, depois de algum tempo você verá algo nesta região. O indivíduo não deve tentar produzir essa visão através da imaginação; ela tem de aparecer por si mesma. O praticante precisa apenas esperar e preparar-se para ela com percepção constante. Trata-se da visão de um lótus vermelho-escuro e azul. Seria bom que você pudesse ver o espaço do coração se contraindo e se expandindo, porém se isso for impossível, tente apenas sentir a inspiração preenchendo o espaço — o primeiro estágio. Então passe para o segundo e terceiro estágios, lembrando-se de que a visão surgirá por si mesma e em seu devido tempo.

(5 a) *A Prática de Ajapa-Japa*

Trata-se de outro método útil para o despertar do chakra anahata. Consiste em prestar-se muita atenção no mantra SO durante a inspiração e no mantra HAM durante a expiração.* Fique à vontade durante essa prática. Satyananda afirma que os mantras SO e HAM, inerentes na respiração natural, podem ser sentidos nas narinas, subindo e descendo entre o umbigo e a garganta, na própria garganta, ou no espaço do coração, ou em todos os lugares ao mesmo tempo, ou um de cada vez alternadamente.

Durante essa prática de ajapa-japa, algumas vezes pode-se ouvir um som psíquico (nada), o qual comumente é inaudível. Trata-se de um sinal de que o chakra anahata está despertando. Tal experiência confere um sentido literal de "anahata": "(som) invicto".

(6) *O Despertar do Chakra Vishuddhi*

Para despertar o vishuddhi, Satyananda aconselha a repetição por etapas dos métodos descritos acima para despertar os outros chakras, e por último, a concentração em cada chakra, a começar do muladhara para o ajna, e de volta para o muladhara. A seguir, apresentamos um sumário desses métodos.

---

* Pronuncia-se *son* e *ham* (com o *h* aspirado).

Para o chakra ajna: Sente-se em siddhasana ou siddha yoni asana, as mãos em mudra chin, os olhos fechados e a espinha ereta. Contraia e relaxe o períneo num ritmo natural, nem muito lento nem muito rápido. Em poucos dias, você poderá sentir o ajna entre as sobrancelhas; quando isso ocorrer, concentre-se neste ponto. Pratique esse estágio durante quatro minutos.

Para o chakra muladhara: Sente-se em vajrasana e coloque as mãos, com os dedos entrelaçados, abaixo do umbigo. Concentre o olhar e a mente na ponta do nariz, porém com os olhos fechados. Continue a executar o kriya manduki por três minutos.

Para o chakra svadhishthana: Pratique o mudra vajroli por três minutos.

Para o chakra manipura: Pratique apenas a parte 3 do primeiro método de despertar esse chakra. Durante a inspiração, procure sentir o prana descendo da garganta para o umbigo e, ao mesmo tempo, o apana subindo do muladhara para o umbigo. Prenda a respiração e sinta a união do prana com o apana nesse local. Então expire. Pratique por quatro minutos.

Para despertar o chakra anahata: Primeiramente, concentre-se na garganta e procure sentir o ar que inspira preencher toda a cavidade torácica. Tome consciência do espaço do coração e de suas contrações e expansões, que acompanham a respiração normal. Aguarde o aparecimento espontâneo da visão. Pratique por quatro minutos.

A seguir, concentre-se alternadamente sobre os chakras muladhara, svadhishthana, manipura, anahata, vishuddhi e ajna; então repita em ordem inversa. A duração da prática é de três minutos.

Todo esse processo faz parte da doutrina Satyananda para despertar o chakra vishuddhi. O praticante deve estimular os chakras inferiores em ordem ascendente antes de concentrar-se no próprio vishuddhi, porque os chakras superiores, na verdade, não podem ser ativados sem que os inferiores tenham sido efetivamente despertos.

Entretanto, o ajna é um caso especial. Conforme exposto em sua respectiva seção, ele deve ser ativado em primeiro lugar, por causa de seu poder de reduzir os diversos perigos que surgem quando se ativa o carma de um chakra inferior. Outro motivo é o fato de o ajna estar diretamente ligado ao muladhara (e à kundalini), portanto, o despertar de cada um deles se inter-relacionam, como já mencionamos antes.

Após executar a seqüência exposta acima, pratique o mudra

khechari e concentre-se na glândula tireóide, por trinta minutos (a língua deve ser relaxada de vez em quando). Isso intensificará potencialmente o efeito do vishuddhi.

(6a) *Mudra Viparita Karani*

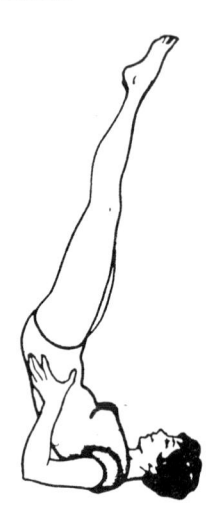

Este mudra é bastante eficaz no despertar do chakra vishuddhi.

Deite-se de costas, com os pés juntos e os braços ao lado do corpo, com as palmas rentes ao chão. Levante as pernas e o tronco, utilizando-se dos braços como suporte. Em seguida, dobre os cotovelos apoiando o tronco com as mãos. Na posição final, as pernas devem estar completamente na vertical e o tronco em ângulo de 45° em relação ao solo. Relaxe todo o corpo e feche os olhos. Execute o pranayama ujjayi com o mudra khechari.

Inspire lentamente, procurando sentir o ar; sua percepção se transfere do chakra manipura para o vishuddhi; mantenha a atenção no vishuddhi enquanto expira. Repita quantas vezes desejar.

Duração: No primeiro dia, pratique apenas poucos segundos. Aumente esse período gradualmente, até que possa ser facilmente praticado por quinze minutos ou mais.

Seqüência: Pratique depois das asanas, porém antes da meditação.

Precauções: Não deve ser executado após a prática de exercícios físicos violentos ou antes de três horas após as refeições.

Restrições: Essa técnica não deve ser praticada por pessoas que sofram de dilatação da glândula tireóide, de pressão alta ou de distúrbios cardíacos.

Benefícios: Esse mudra produz mudanças sutis no fluxo do prana por todo o corpo. Facilita especificamente o fluxo, desde o chakra manipura (centro do prana sutil), até o vishuddhi (centro da purificação). Isso ajuda a purificar o corpo astral e a evitar doenças no corpo físico causadas por deficiência na circulação do prana. Trata-se também de uma prática importante para a sublimação da energia sexual, de dimensões inferiores para as mais elevadas.

(7) *O Despertar do Bindu-Visargha*

Pela seqüência, deveríamos apresentar agora uma descrição de como despertar o chakra sahasrara, porém descreveremos antes uma técnica de Satyananda relacionada com o bindu-visargha (ver p. 226), um centro psíquico localizado entre o ajna e o sahasrara.

Sente-se numa postura de meditação com os olhos fechados. Preste atenção em sua respiração natural durante dois minutos (uma espécie de ajapa-japa). Visto que sua percepção sobre a respiração tende a aumentar, o som SO-HAM tornar-se-á audível. Você deve sentir a respiração e o mantra SO-HAM por toda parte, isto é, tanto na garganta e no nariz, como na região entre o umbigo e a garganta. Se, depois de algum tempo, o mantra mudar para um som como OM, não tem importância, porém você não pode dispersar a atenção na respiração e no mantra durante quatro minutos; mantenha-se atento, independentemente do mantra que ouvir. Procure sentir por quatro minutos a íntima relação que há entre a respiração e o mantra.

A seguir, procure perceber a respiração e o mantra como uma linha reta que sobe e desce entre o chakra vishuddhi e o bindu-visargha (localizado na parte de trás da cabeça, próximo ao topo) por três minutos.

Como as práticas para despertar o chakra vishuddhi e o bindu-visarga são prolongadas, ao despertar esses centros ouve-se um som psíquico (nada) ao redor do bindu-visarga, indicando mais precisamente sua localização.

(8) *O Despertar do Chakra Sahasrara*

O método seguinte é o utilizado pelo autor há muitos anos para despertar o chakra sahasrara e abrir o Portão de Brahman.

Como preparativo, você deve praticar (i) pawanmuktasana (as asanas de "liberação de ar"), os exercícios para regular o sushumna e pranayama bhastrika (este estimula diretamente a kundalini – ver Capítulo III). A técnica principal pode ser praticada da seguinte maneira:

Sente-se em siddhasana e mudra chin, com os olhos fechados. Contraindo suavemente o períneo durante a inspiração, eleve a kundalini até o sushumna e deixe-a escoar-se para o Universo através do Portão de Brahman, no alto da cabeça, pronunciando SO. Prenda a respiração por aproximadamente dois ou três segundos, visualizando a unificação da kundalini com o Criador, nos céus. Durante a expiração, absorva o prana do Criador, também através do Portão de Brahman, conduzindo-o pelo sushumna até o muladhara, enquanto pronuncia HAM. Visualize a unificação do prana com a kundalini enquanto retém a expiração por dois ou três segundos. Continue esta prática durante dez a vinte minutos.

A seguir, concentre-se no alto da cabeça (no chakra sahasrara) por trinta minutos ou mais, pronunciando OM.

Satyananda não descreveu nenhum método para despertar o sahasrara, aparentemente porque acreditava estar além dos limites da psique humana, e portanto não ser, na realidade, um chakra. Gorakhnath, todavia, prega o seguinte método no *Gorakshashatakam*:

Enquanto fixar o olhar na ponta do nariz, concentre-se e medite no deus Shiva nos Céus, ou na pequena cavidade do sahasrara, no alto da cabeça (local onde reside o deus Shiva).

A prática diária e perseverante dos métodos descritos acima produzirá uma série de mudanças no corpo, na mente e no espírito do praticante. Os efeitos característicos do despertar de cada chakra serão detalhados em capítulos posteriores. Contudo, você observará os seguintes efeitos gerais:

• Nos primeiros estágios da ativação do chakra e de seu despertar, é comum experimentar um estado de sensibilidade física e mental. Entretanto, isso é temporário, não causa nenhuma ansiedade.

• O corpo físico torna-se mais saudável e sua constituição apresenta melhoras.

• O praticante adquire controle sobre os sentimentos e, ao mesmo tempo, experimenta emoções mais virtuosas, e profunda afinidade para com os outros.

● Devido ao aumento do poder de concentração, o raciocínio, o julgamento e o discernimento tornam-se mais profundos, constantes, rápidos e seguros.

● A mente torna-se mais livre.

● Adquire-se uma imparcialidade e uma compreensão além das aparências.

● A capacidade de tomar atitudes efetivas visando a realização do próximo é fortalecida.

● Surgem habilidades psíquicas.

● Pode ser estabelecida uma relação direta com a dimensão celestial, no nível correspondente ao do estado espiritual do praticante.

● A liberdade mental obtida torna possível a existência de um reino de esclarecimentos espirituais enquanto ainda se vive neste mundo.

Nota: *Asana, Pranayama, Mudra Bandha* e *Tantra of Kundalini Yoga*, de Swami Satyananda Saraswati, foram utilizados como fonte para a elaboração dos Capítulos II, III e IV.

V
Os Chakras e Nadis Conforme Descritos nos *Upanishads*

A apresentação clássica das oito disciplinas para a prática da ioga descritas no Capítulo I pode ser encontrada no conhecido *Yoga Sutras* de Patanjali, composto provavelmente no século II. Entretanto, esse texto menciona apenas o corpo sutil e seus chakras e nadis componentes. Citamos esses dois pequenos versos do Capítulo III que tratam da consecução dos siddhis (poderes espirituais):

> Através de samyama (concentração e meditação) no círculo do umbigo, o indivíduo obtém conhecimentos sobre a constituição do corpo. (v. 30)

> Através de samyama no nadi kurma, o indivíduo desenvolve uma paciência inabalável. (v. 32)

O "círculo do umbigo" se refere ao chakra manipura (*chakra* pode ser traduzido como "roda" ou "círculo"); o nadi kurma localiza-se na garganta e associa-se ao chakra vishuddhi.

Contudo, maiores detalhes sobre os chakras, os nadis e o corpo sutil podem ser encontrados num grupo de Upanishads, conhecido como *Yoga Upanishads*. Com muita propriedade, os *Upanishads* são considerados uma parte dos *Vedas*, a mais antiga literatura canônica do Hinduísmo, que tem sua origem no começo do primeiro milênio a. C. Entretanto, os *Upanishads* aos quais nos referimos foram compostos muito mais tarde, provavelmente no século VI d. C. Neste capítulo, enfocaremos descrições encontradas em quatro textos: *Shri Jabala Darshana Upanishad*, *Chudamini*

Upanishad, Yoga-shikka Upanishad e *Shandilya Upanishad*. Para efeito de comparação, faremos referência também a passagens de textos apresentados no Capítulo VI: *Shat-chakra-nirupana* e *Gorakshashatakam*. Em seções posteriores, traçaremos comparações também com o sistema de meridianos da medicina chinesa, no intuito de esclarecer a natureza dos nadis e dos outros aspectos do corpo sutil descritos nesses *Upanishads*.

O *Yoga Chudamani Upanishad* explica o significado dos três corpos do homem. Registra que na criação primordial, foi criado um espaço vazio (ou éter) de Brahman, o Único, o mais sublime princípio do Universo. A partir disso, foram criados seqüencialmente o ar, o fogo, a água e a terra. Desses cinco "elementos" difundem-se todas as coisas e os elementos sustentam a sua forma manifesta. As divindades que imperam nesses cinco reinos são Shiva, Ishvara, Rudra, Vishnu e Brahma, respectivamente. Brahma, o Senhor da Terra, é tido como o criador dos deuses, dos anjos, dos humanos, dos planetas e assim por diante.

O deus Brahma criou o homem com um corpo composto de cinco elementos e o dividiu em três partes. A parte composta de elementos físicos é chamada "corpo material" (sthulasharira); a parte formada por elementos sutis é chamada corpo astral (ou sutil) (sukshmasharira); a parte que contém todas as causas que fazem do ser humano um ser individual é conhecida como corpo causal (karanasharira). Dizem que todas as coisas do mundo possuem esses três corpos. No interior do corpo causal, as três gunas (qualidades) – *sattva* (pureza, sabedoria e paz), *rajas* (atividade, paixão) e *tamas* (inércia, apatia) – existem numa condição harmoniosa de perfeito equilíbrio. Entretanto, nos corpos astral e físico, esse equilíbrio entre as gunas não existe, resultando numa interação dinâmica entre os três. Os sete chakras são os centros do sistema de energia no corpo astral, e os nadis são os canais que distribuem essa energia.

Esses *Upanishads* insinuam que as pessoas que desejam obter libertação precisam aprender a localização dos chakras através da experiência pessoal, indagando "como pode aquele que não reconhece os chakras em seu próprio corpo alcançar libertação?". No geral, os quatro *Upanishads* em questão parecem partilhar dessa mesma atitude, visto que as descrições da localização, da estrutura e das funções dos chakras são extremamente resumidas.

O *Yoga-shikka Upanishad* apresenta as informações mais detalhadas a respeito dos chakras. Por exemplo:

O corpo humano é a morada do deus Shiva. Acredita-se que todo ser humano dotado de sua presença consegue realizar todos os seus anseios. O chakra muladhara, localizado entre o ânus e os órgãos genitais, possui um formato triangular.

Capítulo 1, verso 168

A área a que se refere o verso acima é o períneo. A kundalini shakti, a principal força material do Universo, muitas vezes representada pelo símbolo de um triângulo invertido, localiza-se exatamente nesse local. Na postura de meditação conhecida como siddhasana (ver Capítulo II, p. 69), pressiona-se o calcanhar contra o períneo para ajudar a ativar esse poder.

Outros chakras estão descritos nesse texto:

O chakra svadhishthana, de formato hexagonal, localiza-se na base dos órgãos genitais. O círculo que se encontra ao redor do umbigo possui dez partes e é denominado manipuraka (o chakra manipura).

Capítulo 1, verso 172

O grande círculo com doze partes radiadas, localizado no coração, é chamado Anahata (o chakra anahata).

Capítulo 1, verso 173

No interior da cavidade da garganta, existe um círculo de dezesseis partes radiadas chamado vishuddhi (pureza). O ponto chamado Jalandhara fica exatamente nesse local.

Capítulo 1, verso 174

Ajna (ordem), que se localiza entre as sobrancelhas e possui duas pétalas, é o mais eminente de todos os círculos. Nesse ponto localiza-se, de cabeça para baixo, o ponto chamado Uddayana.

Capítulo 1, verso 175

O *Yoga Chudamani Upanishad* também cita que o chakra ajna se localiza entre as sobrancelhas, condizendo com muitas doutrinas posteriores. O *Yoga Kundalini Upanishad*, entretanto, afirma que o ajna localiza-se no alto da cabeça, ponto normalmente associado ao sahasrara.

O texto mais detalhado, *Yoga-shikka Upanishad*, não menciona o sahasrara, porém existe uma pequena referência a respeito no *Yoga Chudamani Upanishad*:

> No alto da cabeça (o Portão de Brahman), ou no Mahabatin, existem cem pétalas.
>
> verso 6

Nos *Upanishads* não se encontra mais nenhum detalhe, apenas uma descrição sistemática das verdadeiras sensações associadas ao despertar do chakra. Contudo, o *Yoga Chudamani Upanishad* registra:

> Aquele que descobrir um disco de luz, como uma pedra preciosa no umbigo, é um conhecedor de ioga. Esse disco brilha com uma luz dourada, semelhante ao relâmpago.
>
> verso 9

Tal descrição de um disco brilhante percebido no umbigo corresponde à verdadeira aparência da aura que surge ao se ativar o chakra manipura. Isso tem sido observado através da percepção extra-sensorial, por inúmeros iogues, tanto no Oriente como no Ocidente, e no decorrer das eras.

O *Yoga-shikka Upanishad* descreve os sons psíquicos associados com os chakras muladhara, anahata e vishuddhi da seguinte maneira.

> Surge nela um som (kundalini shakti no chakra muladhara), como se um broto rebentasse de uma minúscula semente. O iogue sabe que o chakra está testemunhando tudo. Desse modo surge o verdadeiro iogue.
>
> verso 3

> Sons graves (ghosa) e agudos (garja), como trovões num temporal, manifestam-se no coração, onde reside a shakti.
>
> verso 4

> Então, através da respiração e daquilo que se conhece como a escala musical, surge vaikhari (o mais puro som universal), pelo ritmo dos lábios e da língua em sua dança entre os dentes e o céu da boca.
>
> verso 5

Sons das mais variadas qualidades manifestam-se, desde o A inicial até o limite de Ksha.
Desses sons nascem as sílabas, dessas sílabas nasce a palavra.

verso 6

Interpretando, o shakti kundalini possui o poder de manifestar qualquer som inaudível, como o brotar de uma semente. Primeiro, o som surge no chakra muladhara. Quando o shakti atinge o anahata, ele é notado por pessoas dotadas de clariaudiência como uma voz ecoada através de um véu de seda, ou mesmo como um eco num vale profundo. Trata-se de uma experiência psíquica comum, que foi registrada em muitas tradições desde os tempos remotos. Quanto o shakti atinge o chakra vishuddhi na garganta, esse som pode se manifestar através das cordas vocais, na forma convencional.

Não iremos nos alongar mais a respeito dos chakras na descrição dos *Upanishads* porque faltam textos detalhados sobre o assunto. Em capítulos posteriores, apresentaremos trabalhos minuciosos a respeito dos chakras, retirados de fontes tradicionais e modernas, com as quais faremos comparações. Os chakras têm sido experimentados diretamente por pessoas que atingiram a perfeição nos siddhis (poderes paranormais) ao longo do tempo. Como podemos notar, há concordância universal a respeito da maioria dos aspectos de tais experiências.

Agora, voltemos às passagens dos *Upanishads* sobre os nadis. Não existe concordância geral no que diz respeito ao número de nadis existentes no corpo humano: mencionam-se estimativas de 1.000 a 350.000. Entretanto, o número que aparece com mais freqüência é 72.000. Destes, 10, 14 ou 15 — dependendo do texto — são considerados os mais importantes.

A Tabela I mostra os nadis descritos em sete textos diferentes de ioga: os quatro *Upanishads* discutidos neste capítulo, o *Shat-chakra-nirupana* e o *Gorakshashatakam* apresentados no Capítulo VI, e um outro texto ainda não abordado.

Como você poderá observar, as descrições variam consideravelmente, tanto em particularidades como no grau de detalhes. Além disso, apenas os pontos terminais e as direções gerais do fluxo estão numeradas. Determinar a verdadeira trilha dos nadis a partir somente dessas descrições é uma tarefa um tanto difícil, e em conseqüência poderão surgir interpretações muito diferentes.

Alguns professores de ioga e pesquisadores sustentam que os nadis são elementos intrínsecos do corpo astral, por eles serem compostos de matéria sutil. Outros pesquisadores afirmam que os nadis são idênticos aos sistemas cardiovascular e nervoso. Conforme exposto na Introdução, essa última teoria pode parecer mais plausível à primeira vista, uma vez que o nadi sushumna corresponde superficialmente ao canal central da espinha e os nadis ida e pingala, ao nervo simpático do tronco. Todavia, essa teoria não condiz com as descrições tradicionais dos nadis. Por exemplo, o *Jabala Darshana Upanishad* afirma que o ida começa no muladhara, sobe pelo lado esquerdo do sushumna e termina na narina esquerda. Na realidade, porém, as extremidades superiores do nervo simpático que ficam de cada lado da espinha não terminam perto das narinas.

Da mesma maneira, o sushumna, embora possivelmente localizado no canal central da coluna, não pode ser considerado como o próprio nervo. Diz-se que todos os nadis se originam no kandasthana, uma região esférica localizada ao redor do umbigo. A partir daí, os outros nadis seguem trilhas em todos os lados do sushumna — direito, esquerdo, frontal e posterior. Alguns terminam nos olhos ou ouvidos, outros nos órgãos genitais ou na região do períneo, e outros ainda na boca ou na língua. Essas idéias são contrárias à ciência médica ocidental, que considera o cérebro e a coluna vertebral como sendo o sistema nervoso.

Do ponto de vista embriológico, também está claro que o umbigo e a formação do sistema nervoso não têm qualquer relação entre si. O umbigo e os órgãos que o circundam desenvolvem-se a partir do endoderma e do mesoderma. Por exemplo, os tecidos conjuntivos das seguintes estruturas anatômicas desenvolvem-se a partir do mesoderma: rins, glândulas ad-renais, glândulas sexuais, tubos uterinos, útero, vagina, notocórdio, estruturas de suporte (ossos, cartilagens e tecido conjuntivo em geral), dentina, coração, vasos sangüíneos, canais linfáticos, gânglios linfáticos, gânglios hemolinfáticos, baço, músculos estriados, músculos lisos etc. Por outro lado, o sistema nervoso central desenvolve-se do ectoderma. Portanto, mesmo no estágio embrionário, o umbigo e o sistema nervoso não estão intimamente ligados. Essa evidência leva-me a crer que os nadis não são idênticos ao sistema nervoso.

Alguns pesquisadores tentaram solucionar essas contradições postulando dois tipos de nadis, material e sutil. O primeiro corresponde aos sistemas nervoso e vascular do corpo físico, enquanto o segundo, composto de matéria sutil, pertence ao corpo astral. A meu ver, trata-se de uma visão plausível.

TABELA I — Interpretação do Fluxo dos Nadis

	Jabala Darshana Upanishad	Ioga Chudamani Upanishad	Ioga-shikka Upanishad	Gorakshashatakam
1. Sushumna	Sobe pela espinha, até o alto da cabeça	No meio	No meio, Brahmanadi	No meio
2. Ida	A esquerda do sushumna, sua abertura é acima do Brahmarandhra; termina na narina esquerda	À esquerda	À esquerda do sushumna, desde o "círculo do umbigo", contornando a base do mesmo até se juntar ao vilamba	À esquerda
3. Pingala	À direita do sushumna, sua abertura é acima do Brahmandra	À direita	À direita do sushumna, desde o "círculo do umbigo", contornando a base do mesmo até se juntar ao vilamba	À direita
4. Gandhari	Atrás do ida, passa por um dos lados e termina no canto do olho esquerdo	O olho esquerdo	Desde o "círculo do umbigo" até o olho	Termina no olho esquerdo
5. Hastijihva	Atrás do ida, passa por um dos lados e termina na ponta do dedão esquerdo	O olho direito	Desde o "círculo do umbigo" até o olho	Termina no olho direito
6. Pusha	Passa atrás do pingala, sobe por um de seus lados até o olho direito	A orelha direita	Desde o "círculo do umbigo" até a orelha	Na orelha direita
7. Yashasvini	Ao lado do pingala, entre o pusha e o sarasvati, terminando na ponta do dedão esquerdo	A orelha esquerda	–	Na orelha esquerda
8. Alambusha	Em kandasthana e ao redor do ânus	A boca	Desde o "círculo do umbigo" até a orelha	Termina na boca
9. Kuhu	Desce ao lado do sushumna, faz uma curva de 90° antes do término do sushumna e do raka, sobe até terminar no canto direito do nariz.	Os órgãos genitais	Desce a partir do umbigo para descarregar impurezas	Termina no pênis
10. Shankhini	Entre o gandhari e o sarasvati, terminando na orelha esquerda	Muladhara	Na garganta, conduz energia para a cabeça	No ânus, ou seja, no muladhara
11. Sarasvati	Sobe ao lado do sushumna	–	Termina na ponta da língua	–
12. Varuni	Entre o yashasvini e o kuhu	–	Desce a partir do umbigo para levar excrementos	–
13. Payasvini	Termina no canto da orelha direita	–	–	–
14. Shura	–	–	Parte do "círculo do umbigo" até o ponto entre as sobrancelhas	–
15. Visvodari	Entre o kuhu e o hastijihva, localizado dentro do kandasthana	–	Sai do umbigo; conduz quatro tipos de energia	–
16. Saumya	–	–	–	–
17. Vajra	–	–	–	–
18. Chitrini	–	–	–	–
19. Outros	O jihva também circula para cima	–	O raka absorve água instantaneamente, produzindo espirros, e recolhe fleuma para a garganta; citra desce a partir do umbigo para descarregar sêmen	–

Observações: O kandasthana é a base de todos os nadis e se localiza nove dedos acima do chakra muladhara, centralizado no umbigo. Os nadis partem do kandasthana tanto no sentido horizontal como vertical.

Existe um nadi muito bonito, localizado ao redor do umbigo; todos os nadis partem deste, em sentido horizontal e vertical. Ele é conhecido como o "círculo do umbigo" e possui o formato de um ovo.

Siddhasiddhanta-paddhati	Shandilya Upanishad	Shat-ckakra-Nirupana	Meridianos (hipotéticos)
...obe pelo palato até brahmarandhra	Sobe por trás do ânus até a cabeça e termina no brahmarandhra	Desde o centro do kanda subindo para a cabeça	Meridiano do vaso governador, vai desde o lábio superior até o períneo
...ermina nas narinas	Do lado esquerdo do sushumna	Do lado esquerdo do sushumna	A segunda linha do meridiano da bexiga (veja explicação no texto)
...ermina nas narinas	Do lado direito do sushumna, sobe até a narina direita	Do lado direito do sushumna	A segunda linha do meridiano da bexiga
...ermina nas duas ...elhas	Parte desde atrás do ida e termina no olho esquerdo	–	A terceira linha do meridiano da bexiga
...ermina nas duas ...elhas	–	–	A primeira linha do meridiano da bexiga (esquerda)
...ermina nos dois ...os	Passa atrás do pingala	–	A terceira linha do meridiano da bexiga (direita)
–	Entre o gandhari e sarasvati, terminando na orelha direita e nas pontas dos dedos dos pés	–	A primeira linha do meridiano da bexiga (direita)
–	Sobe e desce pelas tonsilas, a partir da base do ânus	–	Meridiano do vaso de concepção (desde o períneo até a boca)
...ânus	Ao lado do sushumna, descendo até o final do pênis	–	O meridiano do fígado (desde a ponta do dedão até o olho, passando pelo pênis e pelo nariz) (?)
...final do pênis	Sobe até a ponta da orelha direita	Abaixo do sahasrara, apóia o sushumna em seu pecíolo, acima do pescoço	O meridiano dos rins
...canto da boca	Atrás do sushumna, até a ponta da língua	–	O meridiano do baço (?)
–	Entre o yashasvini e o kuhu, atingindo todas as partes da kundalini, acima e abaixo dela	–	–
–	Entre o pusha e o sarasvati	–	O meridiano da vesícula biliar (veja explicações no texto)
–	–	–	–
–	–	–	O meridiano do estômago
–	Atinge diversas pontas dos dedos dos pés	–	–
–	–	No interior do sushumna	–
–	–	No interior do vajra	–

Diagrama Estatístico da Sensibilidade às Doenças

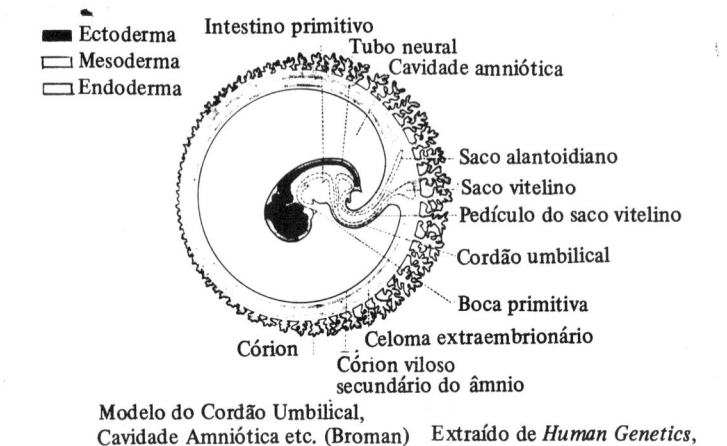

- ■ Ectoderma
- ▭ Mesoderma
- ▭ Endoderma

Intestino primitivo
Tubo neural
Cavidade amniótica
Saco alantoidiano
Saco vitelino
Pedículo do saco vitelino
Cordão umbilical
Boca primitiva
Celoma extraembrionário
Córion
Córion viloso secundário do âmnio

Modelo do Cordão Umbilical,
Cavidade Amniótica etc. (Broman)   Extraído de *Human Genetics*, do dr. Takamichi Tsuzaki

Entretanto, outra possibilidade seria pressupor uma íntima correlação entre os nadis e os meridianos da medicina chinesa. Na seção seguinte, investigaremos essa hipótese, comparando a descrição tradicional a respeito dos nadis com a dos meridianos da acupuntura.

Conforme observado anteriormente, os *Upanishads* concordam que os nadis tenham origem no umbigo. Por exemplo, no *Shri Jabala Darshana Upanishad* está registrado que o kandasthana se localiza nove dedos (18 a 20 cm.) acima do chakra muladhara, com o umbigo em seu centro. A partir daí, os nadis se ramificam em todas as direções (ver Tabela I). O *Yoga-shikka Upanishad* confirma isso, estabelecendo que "lá (no umbigo) iniciam-se os nadis, alguns fluindo na vertical, outros na horizontal. Denomina-se 'círculo do umbigo' (chakra manipura) e possui a forma de um ovo".

De fato, a teoria dos meridianos chineses concorda perfeitamente com essa concepção. Acredita-se que a rede de meridianos se origina no ponto chukan (chung-wan, VC 12), que está situado bem no meio do caminho, entre o umbigo e a base do esterno. A palavra "kan" significa "estômago", e existem realmente três pontos "kan" na acupuntura: superior, médio e inferior. Existem o *jokan* (shang-wan, VC 13, 3 a 4 cm abaixo da base do esterno na linha mediana); *chukan*, mencionado acima, e *gekan* (hsia-wan VC 10, 3 a 4 cm acima do umbigo). Desses três, o chukan e o gekan encontram-se no interior da circunferência do chakra manipura e do kandasthana.

Assim como os nadis, os meridianos da acupuntura também são considerados canais para a circulação da energia vital. Experiências eletrofisiológicas têm sido elaboradas para verificar a existência dos meridianos e para estabelecer o direcionamento do fluxo de energia. Os resultados dessas experiências sugerem que os meridianos são canais de energia completamente diferentes do sistema nervoso; eles formam uma rede que se espalha por todo o tecido conjuntivo do corpo; e são preenchidos com o fluido do corpo. Além disso, nesse último item, os meridianos parecem corresponder aos nadis descritos nos *Upanishads*. Por exemplo, o *Chandogya Upanishad* afirma que os nadis grosseiros (aqueles do corpo físico) são preenchidos com um fluido que corresponde ao dos raios solares.

O número de nadis e de meridianos pode ser semelhante. Embora existam doze meridianos ordinários e oito extraordinários, acredita-se existir ainda uma grande quantidade de meridianos menores. É muito provável que, se uma estimativa fosse feita, o número total de meridianos atingiria 72.000, número comumente associado aos nadis.

Os nadis e os meridianos são também semelhantes quanto às suas funções fisiológicas e psicológicas. O emprego japonês da palavra *ki*, utilizada para indicar a energia que flui através dos meridianos, também pode referir-se a outros tipos de energia, física, emocional e mental. Além disso, a energia ki não só pode ser direcionada mentalmente para o interior do próprio corpo como também fisicamente pela estimulação com agulha. Afirma-se que peritos em acupuntura percebem intuitivamente o movimento da energia ki quando estão num estado de concentração mental. Do mesmo modo, o prana que flui pelos nadis pode ser dirigido mentalmente através de diversas técnicas de meditação, tais como a prática de asanas e de pranayamas que estimulam diretamente o sistema fisiológico. A distinção feita freqüentemente entre nadis grosseiro e sutil também conduz a uma confirmação da dupla natureza — fisiológica e psicológica — desse fluxo de energia.

Passaremos agora a correlacionar, através de estudo comparativo, os principais nadis com os principais meridianos. Examinaremos primeiramente o relacionamento entre os três "grandes nadis" — o sushumna, ida e pingala — e alguns meridianos principais.

O NADI SUSHUMNA

Conforme exposto na tabela I, o sushumna, ou nadi Brahman, é um canal que flui através da espinha. As descrições sobre seu ponto exato de origem não são muito convincentes. O *Shandilya Upanishad* afirma que ele começa no chakra muladhara, ao passo que o *Shatchakra-nirupana* diz que sua origem está no kandasthana. Segundo o *Chandogya Upanishad*, o nadi sushumna começa no coração. Entretanto, a maioria das escrituras sobre a ioga e os outros *Upanishads* parecem concordar que muladhara é seu ponto de partida. O ponto terminal é sempre descrito como o Portão de Brahman no alto da cabeça, através da qual acredita-se que o prana e a shakti kundalini entram e saem.

Meridiano do Vaso Governador (VG)

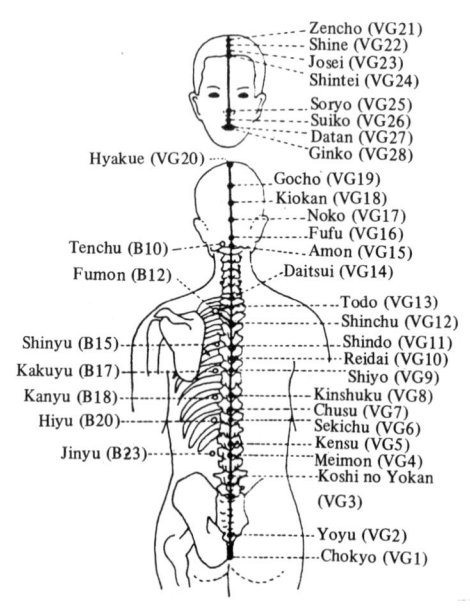

- Zencho (VG21)
- Shine (VG22)
- Josei (VG23)
- Shintei (VG24)
- Soryo (VG25)
- Suiko (VG26)
- Datan (VG27)
- Ginko (VG28)
- Hyakue (VG20)
- Gocho (VG19)
- Kiokan (VG18)
- Noko (VG17)
- Fufu (VG16)
- Tenchu (B10)
- Amon (VG15)
- Fumon (B12)
- Daitsui (VG14)
- Todo (VG13)
- Shinchu (VG12)
- Shinyu (B15)
- Shindo (VG11)
- Kakuyu (B17)
- Reidai (VG10)
- Shiyo (VG9)
- Kanyu (B18)
- Kinshuku (VG8)
- Chusu (VG7)
- Hiyu (B20)
- Sekichu (VG6)
- Kensu (VG5)
- Jinyu (B23)
- Meimon (VG4)
- Koshi no Yokan (VG3)
- Yoyu (VG2)
- Chokyo (VG1)

Na teoria chinesa, existe um meridiano "extraordinário" principal, conhecido como o meridiano do vaso governador, que parece corresponder completamente ao sushumna. Diz-se que sua função é o controle total de seis meridianos yang. Ele começa no alto do cóccix (localização aproximada à do chakra muladhara), sobe pelo meio das costas até o alto da cabeça, e termina no lábio superior. Afirma-se que a energia ki está depositada nesse meridiano como a água de um lago: flui através de doze meridianos comuns, como a água flui pelos rios, os quais distribuem a energia vital para os diversos órgãos e tecidos do corpo humano. No caso de ocorrer um desequilíbrio ou insuficiência de energia ki num determinado órgão ou parte do corpo (decorrente de uma doença ou qualquer disfunção), a energia depositada no meridiano do vaso governador é mobilizada para complementar o fluxo dos meridianos correspondentes a esse órgão ou região. Nesses casos, geralmente, a energia depositada flui em sentido descendente. Do mesmo modo, a energia normal que flui pelo sushumna parece escoar sempre nessa direção. Esses são alguns dos aspectos desses dois principais canais de energia que me fazem acreditar nessa perfeita correspondência.

Existem também práticas espirituais semelhantes dentro de duas tradições de tantra ioga e meditação taoísta que sugerem essa correlação. Em muitas das práticas de tantra ioga, utilizando-se diversas técnicas de respiração e de visualização, a shakti Kundalini é direcionada ascensionalmente do chakra muladhara para o chakra ajna ou Portão de Brahman. Na prática taoísta conhecida como shoshuten (algumas vezes chamada de "Circulação da Luz"), a energia ki é levada da extremidade do cóccix para o alto da cabeça através do meridiano do vaso governador. Em ambos os casos, essa energia fisiológica sublima-se em energia superior psicológica ou espiritual (conhecida como ojas na tradição iogue). Portanto, as funções do sushumna e do meridiano do vaso governador nas práticas espirituais de suas respectivas doutrinas apresentam um alto grau de paridade.

OS NADIS IDA E PINGALA

Muitos iogues, gurus e pesquisadores ocidentais pregam que o ida e o pingala começam no muladhara e sobem em espiral pelo sushumna até o ajna, atravessando cada um dos chakras que estão neste percurso. Afirmam que o ida começa do lado esquerdo do muladhara, passando através da narina esquerda e sempre à esquerda até chegar no ajna; o pingala começa do lado direito e passa através da narina direita (em algumas passagens, consta que esses dois nadis terminam nas narinas). Foi sugerido que esses dois nadis podem corresponder a um par de nervos simpáticos que revestem a coluna vertebral, devido à semelhança estrutural destes nadis entrelaçados. Entretanto, nenhuma das sete fontes tradicionais relacionadas na Tabela I descreve o ida e o pingala como nadis entrelaçados. O *Shri Jabala Darshana Upanishad* registra que esses dois nadis cobrem o chakra muladhara e o próprio Portão de Brahman, com suas aberturas. Considera-se que o ida está à esquerda do sushumna, e o pingala à direita. O *Yoga-shikka Upanishad* afirma que a origem deles está no círculo do umbigo (Kandasthana), em vez de no muladhara, porém concorda que o posicionamento seja dos dois lados do sushumna. No geral, muitas fontes de consulta, antigas e modernas, concordam que os nadis ida e pingala iniciam-se no chakra muladhara e ficam à esquerda e à direita do sushumna, respectivamente. Apenas o *Shandilya*

Meridiano da Bexiga (B)

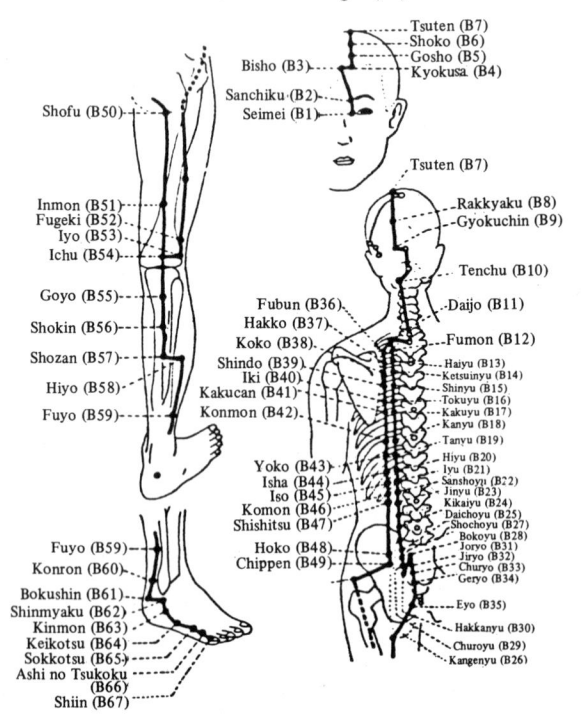

Upanishad e o *Shri Jabala Darshana Upanishad* atestam que eles terminam nas narinas; não está especificado se seguem em linhas retas ou interseccionais.

Cheguei à conclusão de que os nadis ida e pingala fluem em linha reta ao lado do sushumna, e que correspondem à segunda linha do meridiano da bexiga, pelas seguintes razões: de cada lado do corpo, esse meridiano começa próximo do canal do nariz, sobe até o alto da cabeça, onde penetra nela para emergir na parte de trás; então divide-se em duas partes: uma linha, muitas vezes chamada de terceira, desce pelas costas aproximadamente a 9 cm da espinha, passa pela barriga da perna e termina no quinto dedo do pé; a segunda linha desce pelas costas a aproximadamente 4,5 cm da espinha, passando pela região lombar até a bexiga. Situados ao longo desta segunda linha, encontram-se os pontos yu ("associados"); acredita-se que cada um desses pontos reflete a condição de um determinado órgão. O ponto yu de um certo órgão é o ponto de encontro entre os meridianos e os nervos autônomos que controlam esse órgão na parte correspondente da espinha. Por esta razão, os pontos yu refletem simultaneamente o estado dos nervos autônomos e o dos meridianos em questão. Por exemplo, o tratamento com acupuntura no ponto yu do estômago (iyu ou wei-shu, B21, o ponto relacionado com o estômago no meridiano da bexiga), influencia simultaneamente a condição do estômago, do meridiano do estômago e dos nervos vertebrais que controlam o funcionamento do estômago. Assim como os nadis ida e pingala — segundos em importância, depois do sushumna — essas linhas secundárias do meridiano da bexiga são extremamente importantes e utilizadas com muita freqüência em tratamentos com acupuntura. Assim, concluí que eles correspondem a esses dois nadis.

É interessante observar que, em nossos registros, os nadis localizados nos membros dificilmente são mencionados. Por certo, se eles são canais que levam energia vital do corpo, devem se estender até as extremidades. Os meridianos da acupuntura nestes lugares definem-se com clareza. Todavia, teremos de nos contentar com a análise de nadis subseqüentes do interior do tronco e da cabeça, conforme descritos nos textos sobre ioga.

NADI GANDHARI

O nadi gandhari flui ao lado e atrás do nadi ida e termina no olho esquerdo, de acordo com seis das nossas sete fontes de informações. (Apenas o *Siddhasiddhantapaddhati* afirma que ele termina nas orelhas.) Portanto, é possível que corresponda à terceira linha do meridiano da bexiga do lado esquerdo do corpo. O fundamento desta afirmação será abordado nas duas seções seguintes. A primeira linha desse meridiano (ver o diagrama) está a aproximadamente 1,5 cm de cada lado da coluna vertebral; a segunda e a terceira linhas ficam a uma distância de 4,5 cm e 9 cm, respectivamente. Essas três linhas acompanham paralelamente toda a espinha dorsal, até as nádegas.

NADI HASTIJIHVA

Segundo o *Shri Jabala Darshana Upanishad*, o nadi hastijihva também se localiza do lado e atrás do nadi ida, e termina na ponta do dedão esquerdo. Outros textos afirmam que ele termina no olho direito ou nas orelhas. Na teoria da acupuntura, sabe-se que apenas os meridianos do fígado e do baço terminam no dedão, porém fluem pela frente do corpo e, conseqüentemente, não poderiam corresponder a este nadi. Na realidade, apenas o meridiano da bexiga possui ramificações que seguem paralelas à espinha. Se, de fato, o nadi hastijihva termina nos olhos (onde começa o meridiano da bexiga), como se atesta em alguns textos, ele pode corresponder a uma dessas linhas; mas a qual delas? Em minha opinião, ele corresponde à primeira linha por motivos que serão expostos no próximo item.

É importante observar que o *Shri Jabala Darshana Upanishad* coloca o gandhari e o hastijihva ao lado do ida, provavelmente à esquerda, com os nadis pusha e yashasvini (descritos a seguir) situados simultaneamente à direita em relação ao pingala. Além do mais, está descrito que o hastijihva e o yashasvini terminam no dedão esquerdo; porém, nada se menciona sobre os pontos terminais do pusha e do gandhari. Portanto, pode-se deduzir que esses dois últimos grupos formam pares — direito e esquerdo.

O NADI YASHASVINI

O nadi yashasvini localiza-se ao lado do pingala, entre o pusha (o qual segue atrás do pingala, subindo para o olho direito) e o nadi sarasvati. Sabe-se que o sarasvati encontra-se num dos lados do sushumna, porém não há especificação sobre qual deles. Todavia, desde que nos dizem que o nadi shankhini está entre o sarasvati e o gandhari (à esquerda do sushumna), é provável que o sarasvati também fique à esquerda. Percebe-se então que o yashasvini, que está situado entre o pusha (do lado direito do sushumna) e o sarasvati (à esquerda) deve estar bem próximo de uma linha mediana posterior, o local do sushumna.

Por esse motivo, concluímos que o yashasvini corresponde à primeira linha do meridiano da bexiga, e o pusha à terceira, ambas do lado direito. À esquerda, o hastijihva, que forma par com o yashasvini, corresponde à primeira linha, e o gandhari, que forma par com o pusha, é a terceira.

Conforme mencionamos anteriormente, apenas os meridianos do fígado e do baço possuem ligação com o dedão – ponto terminal dos nadis hastijihva e yashasvini, segundo o *Shri Jabala Darshana Upanishad* – porém não circulam pelas costas. Entretanto, o meridiano da bexiga, que se corresponde com esses nadis em outros aspectos, termina no dedo mínimo do pé. Ao levar em conta a completa falta de detalhes a respeito do curso dos nadis pelos membros, sinto não ser absurdo irmanar esses nadis com as diversas ramificações do meridiano da bexiga. Nesse caso, talvez eles terminem no dedo mínimo do pé e não no dedão.

NADI ALAMBUSA

Segundo o *Shri Jabala Darshana Upanishad*, o nadi alambusa parte do ânus para o Kandasthana (o qual circunda o chakra manipura); o *Shandilya Upanishad* completa dizendo que seu curso sobe através das amígdalas. O *Yoga Cudamani Upanishad* e o *Gorakshashatakam* atestam que ele termina na boca, enquanto o *Yoga-shikka Upanishad* sustenta que ele continua até as orelhas.

Meridiano do Vaso da Concepção (VC)

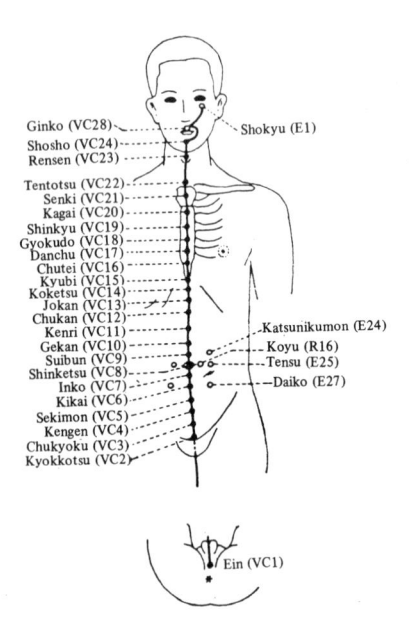

```
Ginko (VC28)          Shokyu (E1)
Shosho (VC24)
Rensen (VC23)
Tentotsu (VC22)
Senki (VC21)
Kagai (VC20)
Shinkyu (VC19)
Gyokudo (VC18)
Danchu (VC17)
Chutei (VC16)
Kyubi (VC15)
Koketsu (VC14)
Jokan (VC13)
Chukan (VC12)
Kenri (VC11)                Katsunikumon (E24)
Gekan (VC10)                Koyu (R16)
Suibun (VC9)                Tensu (E25)
Shinketsu (VC8)
Inko (VC7)                  Daiko (E27)
Kikai (VC6)
Sekimon (VC5)
Kengen (VC4)
Chukyoku (VC3)
Kyokkotsu (VC2)

                Ein (VC1)
```

Na teoria da acupuntura, dos catorze meridianos principais, apenas o meridiano do vaso da concepção começa na região anal e segue pela linha mediana anterior até a boca. O cognato yin do meridiano do vaso governador yang (expus anteriormente que ele corresponde ao sushumna) é este meridiano do vaso da concepção, que exerce um papel extremamente importante como canal central que liga todos os meridianos yin. Embora o nadi alambusa esteja entre os três nadis mais importantes (sushumna, ida e pingala) na teoria da ioga, sua posição demonstra definitivamente uma forte correspondência com o meridiano do vaso da concepção.

NADI KUHU

Novamente, de acordo com o *Shri Jabala Upanishad* e o *Shandilya Upanishad*, supõe-se que o nadi kuhu esteja localizado ao lado do sushumna.

O primeiro também afirma que ele começa na parte curva entre o sushumna e o raka (provavelmente perto da faringe; veja a seguir), segue em sentido descendente para então subir, terminando na ponta do nariz. Essa teoria parece insinuar que o nadi se localiza à frente do sushumna, em vez de ser paralelo a ele ao longo das costas.

Meridiano do Fígado (F)

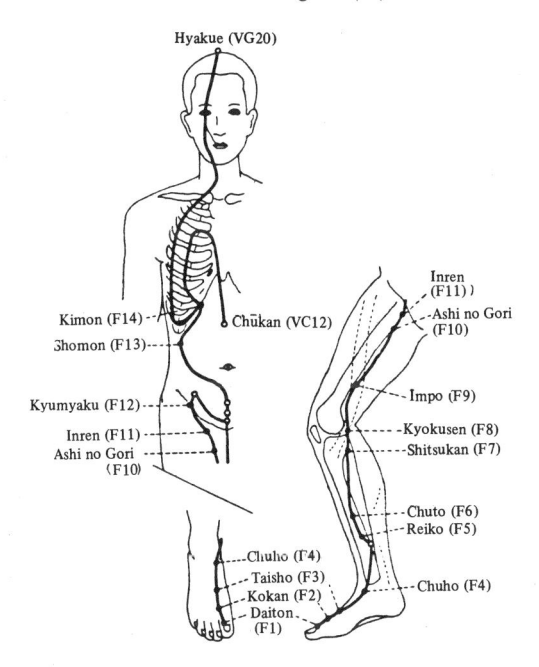

Hyakue (VG20)

Kimon (F14)
Shomon (F13)
Chūkan (VC12)
Inren (F11)
Ashi no Gori (F10)
Kyumyaku (F12)
Inren (F11)
Ashi no Gori (F10)
Impo (F9)
Kyokusen (F8)
Shitsukan (F7)
Chuto (F6)
Reiko (F5)
Chuho (F4)
Taisho (F3)
Kokan (F2)
Daiton (F1)
Chuho (F4)

Por outro lado, outros *Upanishads*, o *Shandilya*, por exemplo, afirma que o nadi kuhu termina nos órgãos genitais. O meridiano de acupuntura que passa pela frente do corpo e pelos órgãos genitais é o meridiano do fígado: começa na ponta do dedão, sobe pelo lado medial da perna para dentro da região genital, segue uma linha curva ao lado de uma linha mediana anterior e então chega até o alto da cabeça, passando através da garganta e dos olhos. Se seguirmos as descrições desses *Upanishads*, o nadi kuhu pode tranqüilamente ser considerado como correspondente ao meridiano do fígado. Conforme observado, geralmente as descrições a respeito dos nadis não citam seu trajeto pelos membros do corpo, portanto não sabemos detalhes a respeito do percurso deste nadi ao longo da perna.

NADI SHANKHINI

As descrições do nadi shankhini, registradas na Tabela I, sugerem que seu ponto principal é na garganta, que ele está relacionado com o chakra muladhara, o ânus e o pênis e que seu término seja nas orelhas. Esse trajeto parece corresponder ao do meridiano dos rins, o qual começa na ponta do dedo mínimo do pé, sobe pelo lado medial da perna, através da região púbica, então segue ligeiramente ao lado da linha mediana até a garganta e termina na base da língua. (A segunda ramificação liga o próprio rim à linha do meridiano principal, na região púbica.) Além disso, a anormalidade no meridiano dos rins está, muitas vezes, associada

Meridiano dos Rins (R)

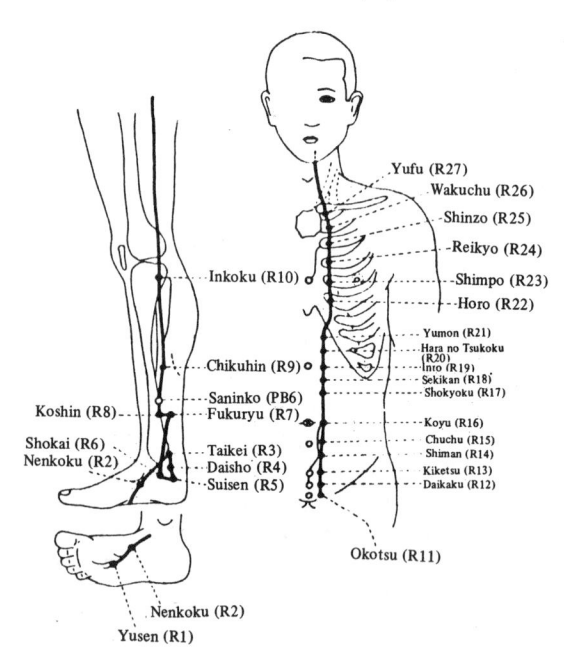

Yufu (R27)
Wakuchu (R26)
Shinzo (R25)
Reikyo (R24)
Inkoku (R10)
Shimpo (R23)
Horo (R22)
Yumon (R21)
Hara no Tsukoku (R20)
Chikuhin (R9)
Inro (R19)
Sekikan (R18)
Saninko (PB6)
Shokyoku (R17)
Koshin (R8)
Fukuryu (R7)
Koyu (R16)
Shokai (R6)
Chuchu (R15)
Nenkoku (R2)
Taikei (R3)
Shiman (R14)
Daisho (R4)
Kiketsu (R13)
Suisen (R5)
Daikaku (R12)
Okotsu (R11)
Nenkoku (R2)
Yusen (R1)

a distúrbios no ouvido, fato que pode explicar a suposta conexão do nadi shankhini com os ouvidos.

Contudo, devemos observar que o *Shri Jabala Darshana Upanishad* afirma que o shankhini está localizado entre o gandhari (atrás do ida de um lado) e o sarasvati (provavelmente à esquerda do sushumna). Se o shankhini se situar de fato do lado esquerdo das costas, ele não pode corresponder ao meridiano dos rins, pois lá está localizado apenas o meridiano da bexiga.

Conforme mostra a Tabela I, nossas duas fontes de maiores detalhes, o *Shri Jabala Darshana Upanishad* e o *Shandilya Upanishad*, descrevem, para nossa surpresa, um número muito grande de nadis localizados ao longo das costas, paralelos ao sushumna, ao ida e ao pingala. Se essas descrições forem interpretadas literalmente, deve-se concluir que todos esses nadis correspondem às diversas ramificações do meridiano da bexiga (ele possui três, de cada lado das costas). Depararemos, então, com as maiores dificuldades no esforço de irmanar os nadis aos meridianos, dificuldades estas provenientes da escassez e da ambigüidade nas descrições dos nadis. Talvez muitos desses nadis estejam descritos em relação ao sushumna, ida e pingala, simplesmente por serem estes os pontos de referência mais conhecidos e identificáveis. Não obstante, eis ainda outro motivo: os nadis foram originalmente identificados através da percepção extra-sensorial, que, nos humanos, é muito difícil de se desenvolver a ponto de propiciar uma visualização perfeita. Quando observados dessa maneira, os nadis aparecem normalmente em forma de linhas ou faixas de luz. Portanto, além de reconhecer em qual dos lados do sushumna, ida ou pingala o nadi observado está, deve ter sido muito difícil, mesmo para os antigos, identificar sua localização precisa.

NADI SARASVATI

Dizem que o nadi sarasvati sobe por um lado do sushumna e termina na língua ou na boca. Apenas o *Shandilya Upanishad* afirma que ele está localizado atrás do sushumna. Se, na verdade, este nadi estiver localizado na frente do sushumna, ele provavelmente corresponderá ao meridiano do baço, que começa na ponta do dedão, sobe pelo lado medial da perna

Meridiano do Baço e do Pâncreas (BP)

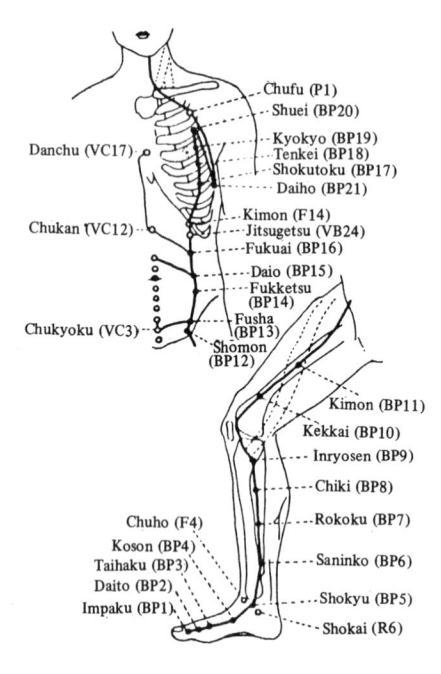

e entra no abdômen, onde circula pelo baço através do estômago; penetra então no diafragma, sobe através do tórax e da garganta e, finalmente, termina na base da língua.

NADI VARUNI

Existem diversas descrições a respeito deste nadi. Um texto diz que ele flui em sentido descendente entre os nadis yashasvini e kuhu, abrangendo todas as regiões acima e abaixo da kundalini. Outro afirma que ele desce a partir do umbigo para estimular o processo de excreção. Em todo caso, esse nadi parece relacionar-se com as funções da parte inferior do abdômen.

Segundo o *Yoga-shikka Upanishad*, o próprio nadi varuni transporta o excremento, afirmativa que sugere que ele abrange o intestino grosso, o cólon, o reto e o ânus. Se isso for verdade, o nadi teria uma estrutura física bem grosseira, porém, não confunda com o nadi grosseiro no sentido convencional de nervos e vasos sangüíneos que transportam energia física. Esta é apenas uma possibilidade. Na realidade, o *Ayur Veda*, uma importante escritura hindu sobre medicina, utiliza o termo nadi para se referir às artérias deferentes nos machos e aos tubos uterinos nas fêmeas. Além disso, o *Yoga-shikka Upanishad* afirma que as artérias deferentes e uretras são nadis, e que o nadi citra é o canal que transporta e descarrega o sêmen. Com base nessas descrições, é possível que o intestino grosso seja conhecido como um nadi. Se for este o caso, não acredito que possa haver qualquer correspondência significativa entre os nadis varuni e citra e os meridianos da acupuntura.

NADI PAYASVINI

Meridiano da Vesícula Biliar (VB)

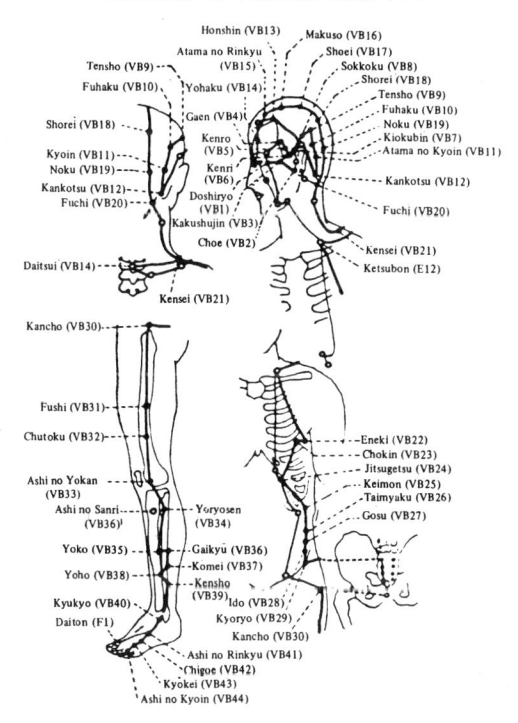

O *Shandilya Upanishad* afirma que o nadi payasvini circula entre os nadis pusha e sarasvati. Se o pusha corresponde à terceira linha do meridiano da bexiga do lado direito, conforme exposto anteriormente, e se o sarasvati corresponde ao meridiano do baço na frente do corpo, o nadi localizado entre esses dois deve corresponder à ramificação direita do meridiano da vesícula biliar. Segundo o *Shri Jabala Darshana Upanishad*, o nadi payasvini termina no canto da orelha direita. Nesse caso, ele se assemelha intimamente ao meridiano da vesícula biliar que também atravessa a orelha. Por esse motivo, acredito que os dois canais se correspondem. O meridiano da vesícula biliar começa no canto externo do olho, atravessa um lado do crânio — primeiro acima da orelha, depois em volta dela — então passa pelo pescoço, desce numa trilha em ziguezague ao longo de um dos lados do tronco, a região lombar, e finalmente a lateral externa da perna, terminando na ponta do quarto dedo do pé.

NADI SHURA

Este nadi é mencionado apenas no *Yoga-shikka Upanishad*. Trata-se de uma breve descrição e afirma somente que ele circula a partir do círculo do umbigo até um ponto entre as sobrancelhas. Exatamente neste ponto encontra-se o meridiano do vaso governador; porém, como já pudemos observar, esse meridiano corresponde mais precisamente ao nadi sushumna. Por isso, fica difícil irmanar o nadi shura com um determinado meridiano, apesar de ele poder corresponder a essa parte específica do meridiano do vaso governador.

NADI VISVODARI

O nadi visvodari, segundo informações, circula entre o kuhu (o qual corresponde supostamente ao meridiano do fígado) e o hastijihva (a primeira linha do meridiano da bexiga, à esquerda). Entre os meridianos da acupuntura que atravessam o corpo horizontalmente na altura dos

Meridiano do Estômago (E)

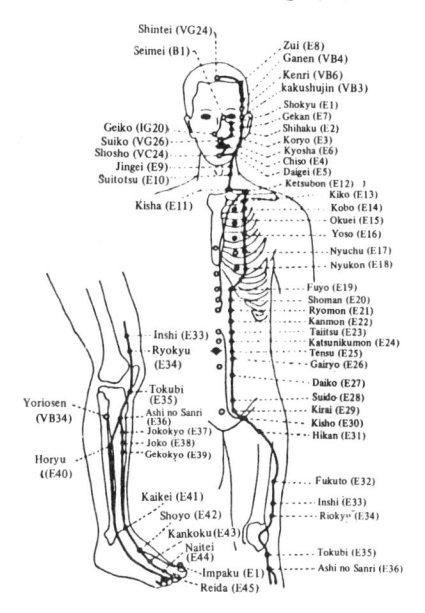

(figura com pontos de acupuntura: Shintei (VG24), Seimei (B1), Zui (E8), Ganen (VB4), Kenri (VB6), kakushujin (VB3), Shokyu (E1), Gekan (E7), Geiko (IG20), Shihaku (I2), Suiko (VG26), Koryo (E3), Shosho (VC24), Kyosha (E6), Jingei (E9), Chiso (E4), Suitotsu (E10), Daigei (E5), Ketsubon (E12), Kiko (E13), Kisha (E11), Kobo (E14), Okuei (E15), Yoso (E16), Nyuchu (E17), Nyukon (E18), Fuyo (E19), Shoman (E20), Ryomon (E21), Kanmon (E22), Inshi (E33), Taiitsu (E23), Ryokyu (E34), Katsunikumon (E24), Tensu (E25), Gairyo (E26), Yoriosen (VB34), Daiko (E27), Tokubi (E35), Suido (E28), Ashi no Sanri (E36), Kirai (E29), Jokokyo (E37), Kisho (E30), Joko (E38), Hikan (E31), Horyu (F40), Gekokyo (E39), Fukuto (E32), Kaikei (E41), Inshi (E33), Shoyo (E42), Riokyu (E34), Kankoku (E43), Naitei (E44), Tokubi (E35), Impaku (E1), Ashi no Sanri (E36), Reida (E45))

quadris, estão a segunda e a terceira linhas do meridiano da bexiga, assim como o meridiano da vesícula biliar, do baço, do estômago e dos rins, e sabemos apenas que o correspondente deste nadi deve estar localizado entre os dois meridianos mencionados acima.

Segundo o *Shri Jabala Darshana Upanishad*, o nadi visvodari localiza-se dentro do kandasthana, e o *Yoga-shikka Upanishad* observa que ele recebe "quatro tipos de nutrição". Visto que o kandasthana é a região que circunda o manipura, o chakra que controla o aparelho digestivo, essas teorias insinuam que este nadi está relacionado com o estômago e com outros órgãos digestivos. Dos meridianos possíveis, parece que é o do estômago que corresponde melhor ao nadi visvodari.

OS DEMAIS NADIS

De acordo com o *Shat-chakra-nirupana*, os nadis vajra e citrini são canais muito finos contidos dentro do nadi sushumna.

Conforme mencionamos, o *Yoga-shikka Upanishad* descreve o nadi citra como que o identificando com as artérias deferentes ou com a uretra.

O nadi raka, como descrito no *Yoga-shikka Upanishad*, "absorve água instantaneamente, produz o espirro e recolhe o fleuma". Portanto, é provável que ele corresponda ao esôfago ou à faringe.

Outro nadi, denominado jihva, é mencionado no *Shri Jabala Darshana Upanishad*. É impossível descrever precisamente sua localização, pois temos a mera afirmação de que ele "flui em sentido ascendente".

Assim se completa nosso estudo sobre os nadis e os meridianos. Como vimos, a falta de descrições detalhadas nas fontes de consulta iogue torna difícil a elaboração de correspondências exatas. Tenho a intenção de reunir outras fontes de informações para apresentar, de forma mais precisa, essas tentativas de correlacionar os dois sistemas de circulação de energia. Pretendo também elaborar experimentos científicos para consolidar as idéias expostas neste livro.

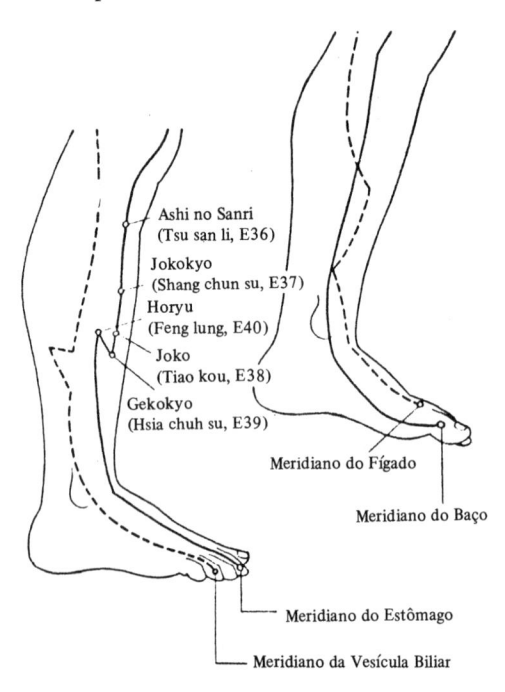

Os Meridianos nas Pernas e nos Pés

Embora as descrições tradicionais sobre os nadis nos textos iogues sejam extremamente resumidas, acredito que conhecimentos muito mais detalhados tenham sido transmitidos oralmente através do tempo, e que os iogues modernos têm conhecimentos práticos sobre os nadis e suas funções. Na verdade, como pudemos ver nos capítulos anteriores, muitas asanas e mudras da ioga reorganizam, com muita eficácia, a circulação da energia vital, fortalecendo assim as funções dos meridianos correspondentes. Acredito que os peritos em ioga estejam plenamente cientes desses efeitos.

Por exemplo, ensina-se amplamente que o vajrasana (postura "seiza" em japonês, ver Capítulo IV. p. 101) favorece a boa digestão. Conforme observei no Capítulo IV, apesar de as autoridades em ioga não apresentarem nenhum fundamento para este efeito, ele pode ser facilmente explicado em termos de teoria dos meridianos. Quando uma pessoa se sentar em vajrasana, as partes medianas e laterais das pernas, logo abaixo do joelho, encostam no chão e são assim estimuladas. Os meridianos que percorrem essas regiões são na maioria os que controlam as funções digestivas: meridianos do estômago e da vesícula biliar na parte lateral, e os do baço e do fígado na área mediana. A parte da perna que é pressionada firmemente contra o solo possui pontos do meridiano do estômago conhecidos por serem eficazes no aperfeiçoamento da função do estômago. São eles: ashi no sanri (tsu san li, E36), jokokyo (shang chun su, E37), joko (tiao kou, E38), gekokyo (hsia chuh su, E39), e horyu (feng lung, E40). Foi demonstrado a nível experimental, através de radiografia e de outros métodos, que a estimulação do ponto ashi no sanri com agulha de acupuntura produz movimento peristáltico e secreção gástrica no estômago. Em minha opinião, os gurus da ioga estão cientes, pelo menos a nível experimental, desta conexão entre os nadis situados ao longo da perna e suas ligações com os órgãos digestivos.

Voltemos nossa atenção agora para a grande variedade de prana que opera em nosso corpo, segundo nossas fontes de consulta.

OS CINCO PRANAS MAIORES

De acordo com a teoria da ioga, o prana ou energia vital penetra no corpo através da respiração ou, de forma mais direta, através das funções dos chakras. Então ele é distribuído pelos nadis para todas as partes do corpo e convertido em diferentes formas de energia "prânica" adequada aos diversos órgãos e tecidos. Geralmente, são formadas cinco variedades de prana (ou vayu, "corrente"): prana (ou seja, um tipo inferior de prana associado à respiração), apana, vyana, samana e udana. A seguir, estão especificadas as funções da cada um:

prana: serve a região entre a garganta e o diafragma. Controla as funções da respiração e da fala e, na minha opinião, também a do coração.

apana: controla a região abaixo do umbigo, ou seja, as funções do intestino grosso, dos rins, da bexiga, dos órgãos genitais e do ânus; em especial, produz a evacuação.

vyana: abrange todo o corpo. Espalha vitalidade por todo o sistema, mantendo o equilíbrio do fluxo de energia.

samana: controla a região do umbigo, cuidando dos processos de assimilação e digestão.

udana: compreende a região acima da garganta e os quatro membros. Diz-se que controla os cinco sentidos e as funções do cérebro. Domina também o fluxo de energia vital na parte superior do corpo. A atividade descontrolada do udana produz distúrbios como vertigem e superaquecimento da cabeça.

As tabelas II e III relacionam as localizações e funções destas cinco formas de prana, com base nas fontes de informação. Também estão incluídas descrições fornecidas por Swami Satyananda, cujas teorias sobre os chakras aparecem expostas com detalhes no Capítulo IX. Existem também breves explanações a respeito dessas subdivisões do prana no *Brhadaranyaka Upanishad*, no *Taittiriya Upanishad* e no *Chandogya Upanishad*, porém eles simplesmente confirmam o material das fontes até então citadas.

OS CINCO PRANAS MENORES

Como você pode ver nas tabelas citadas acima, outras cinco subcategorias de prana são agrupadas com os cinco tipos descritos acima, para formar os "dez pranas". Estes cinco, denominados de "upa pranas", completam as funções dos pranas maiores. A localização deles não está especificada; o *Shri Jabala Darshana Upanishad* simplesmente menciona que estão distribuídos através da pele e dos ossos. Suas funções são as seguintes:

naga: controla a salivação e o soluço.

kurma: abre os olhos e controla o ato de piscar.

krkara: produz o espirro e cria a sensação de fome.

devadatta: controla o bocejo e o sono.

dhanamjaya: permeia todo o corpo e permanece mesmo depois da morte. O crescimento dos cabelos, observado às vezes alguns meses após a morte, pode ser atribuído ao prolongamento da função do dhanamjaya.

Como vimos, esses pranas são absorvidos pelo corpo através da respiração e diretamente pelos chakras, e distribuídos pelos nadis para as cinco partes do corpo. Todavia, os textos de ioga não identificam quais são os nadis que se relacionam com cada parte do corpo. Esse fato contrasta completamente com a teoria médica chinesa, na qual as relações entre os meridianos e os órgãos internos, bem como o fundamental inter-relacionamento entre os diversos meridianos, estão definidos com muita precisão. Talvez novas pesquisas pudessem nos proporcionar maior clareza no entendimento das conexões entre os nadis e os órgãos do corpo.

Será que existe alguma coisa na teoria da acupuntura que corresponda aos cinco pranas da ioga? Entendo que o "triplo aquecedor", um conceito que postula os sistemas superior, médio e inferior de energia vital no corpo, seja o princípio da correspondência.

O aquecedor superior trabalha na região do diafragma – tórax

TABELA II – Localização dos Dez Pranas Conforme os Upanishads e Outras Fontes

Fonte/Nome do prana	Ioga Chudamani Upanishad	Shri Jabala Darshana Upanishad	Shat-chakra-Nirupana Pandukapunchaka	Satyananda
Prana	Coração	Em movimento constante entre a boca e o nariz, no centro do umbigo e no coração	No coração	Na região entre a laringe e o alto do diafragma
Apana	Muladhara	Ativo no intestino grosso, nos órgãos genitais, coxas e estômago; também no umbigo e nas nádegas	No ânus	Na região abaixo do umbigo
Vyana	Abrange todo o corpo	Ativo desde a região entre as orelhas e os olhos até os calcanhares; emerge na faringe no lugar do prana	Abrange todo o corpo	Abrange todo o corpo
Samana	Umbigo	Abrange todas as partes do corpo	No umbigo	Na região entre o coração e o umbigo
Udana	Faringe	Membros superiores e inferiores	Na garganta	Nas partes do corpo acima da faringe
Naga	0	Compreende a pele e os ossos	0	0
Kurma	0	Na pele e nos ossos	0	0
Krkara	0	Na pele e nos ossos	0	0
Devadatta	0	Na pele e nos ossos	0	0
Dhananmjaya	Abrange todo o corpo	Na pele e nos ossos	0	0

Funções dos Dez Pranas Conforme os Upanishads e outras fontes

Fonte/Nome do prana	Ioga Chudamani Upanishad	Shri Jabala Darshana Upanishad	Shat-chakra-Nirupana Pandukapunchaka	Satyananda
Prana	0	Inspiração e expiração de ar; tosse	Respiração	Ligado com os órgãos da fala, juntamente com os órgãos respiratórios, os nervos que ativam estes órgãos; a força com a qual o ar é inspirado.
Apana	0	Excreção das fezes e urina	Funções excretoras	Fornece energia para o intestino grosso, rins, ânus e órgãos genitais; primariamente relacionado com a expulsão de prana através do reto
Vyana	0	Atividades de decomposição	Está presente em todo o corpo, afetando a divisão e a difusão; impede a desintegração; e mantém o corpo como um todo	Controla todos os movimentos do corpo e coordena outras energias vitais; harmoniza e ativa todos os membros, músculos, ligamentos, nervos e juntas; é responsável também pela postura ereta do corpo
Samana	0	Mantém as partes do corpo integradas	Controla o processo de digestão e assimilação	Ativa e controla o sistema digestivo: fígado, intestinos, pâncreas e estômago, assim como as secreções que eles produzem; também ativa o coração e todo o sistema circulatório.
Udana	0	Controla a atividade motora ascendente	Sobe o vayu	Controla os olhos, nariz, ouvidos e todos os outros órgãos do sentido, inclusive o cérebro. Sem ele, seria impossível pensar e ter percepção do mundo exterior
Naga	Salivar	Soluçar	0	• espirrar • bocejar
Kurma	Abrir os olhos	Piscar	0	• arranhar, coçar • arrotar
Krkara	Espirrar	Sentir fome	0	• soluçar • sentir fome
Devadatta	Bocejar	Sentir sono	0	—
Dhanamjaya	Abrange todo o corpo; nunca sai do corpo	Fitar atentamente	0	—

e região acima. Acredita-se que controle os pulmões e o funcionamento da respiração, o coração e a circulação sangüínea. Ele se assemelha, portanto, ao prana da respiração, tanto na localização como na função.

O aquecedor médio situa-se na parte entre o diafragma e o umbigo. Controla as funções secretora, digestiva e assimiladora do estômago, baço, pâncreas, fígado e vesícula biliar. Portanto, parece corresponder ao samana.

O aquecedor inferior funciona na região que fica abaixo do umbigo e controla as funções dos intestinos grosso e delgado, os rins, a bexiga e os órgãos genitais. Cuida da excreção das fezes e da urina, e parece corresponder ao apana.

Não há correlativo na teoria da acupuntura para udana, o qual, como já vimos, relaciona-se com a percepção sensorial e com o processo do pensamento. Acredita-se também que ele afete diretamente o avanço na evolução espiritual através de sua capacidade de dirigir a energia em sentido ascendente. Isso auxilia a força produzida na fusão do prana com a kundalini através da prática da ioga, ao elevá-los pelo nadi sushumna para atravessar o Portão de Brahman no alto da cabeça. Essa falta do correspondente chinês para o udana é compreensível, considerando-se o fato de que o objetivo primordial da medicina oriental é manter a saúde no sistema fisiológico, em vez de manipular os estados mental e espiritual. (É verdade que certas enfermidades emocionais, como a depressão ou o temor excessivo, podem ser tratados através da acupuntura, porém elas são consideradas como sintomas causados por um desequilíbrio no fluxo de energia ki.) Ao contrário do sistema indiano dos chakras, nadis e pranas, o qual é descrito preliminarmente em termos de desenvolvimento espiritual do indivíduo, a teoria dos meridianos oferece poucos indícios a respeito da possibilidade de uma relação entre a energia ki e a evolução espiritual do homem.

O vyana, que distribui a energia vital até a mais minúscula parte do corpo, conserva todo o corpo num estado de unidade orgânica. Essa função é executada pelo conjunto do triplo aquecedor, o qual, obviamente, está representado por um único meridiano na teoria da acupuntura. Não existe comprovação para a afirmação da doutrina iogue sobre o fato de vyana controlar todos os movimentos voluntários; entretanto, essa também é uma função mental que está fora dos padrões da medicina oriental.

Espero que a presente explanação sobre os chakras, os nadis e os pranas, como foram apresentados nos *Upanishads*, e a possível ligação deles com os princípios básicos da medicina chinesa, lhe tenha proporcionado algum entendimento a respeito dos dois sistemas. No próximo capítulo, apresentaremos com detalhes as descrições dos chakras contidas nos dois maiores textos tântricos.

VI
A. Os Chakras e Nadis
Conforme Descritos no *Shat-Chakra-Nirupana*

Muitos eruditos e entendidos em ioga consideram o *Shat-chakra-nirupana* (Descrições dos seis centros) como uma das melhores descrições a respeito dos chakras e dos nadis. Foi compilado em 1577 pelo hindu Purnananda, um guru de Bengala. Seu nome de batismo era Jagadananda; assumiu o nome de Purnananda quando foi iniciado pelo seu guru Brahmananda. Mais tarde, ele foi para Kamarupa em Assam. Acredita-se que obteve seu siddhi (estado de perfeição espiritual) num ashram, o Vashishthashrama, que existe até hoje. Nunca voltou para casa, viveu sempre como um homem santo e compilou diversos tratados sobre tantra. Na verdade, o *Shat-chakra-nirupana* é apenas uma seção (da Parte 6) de um trabalho bastante longo intitulado *Shri-tattva-cintamini*.

Primeiramente, o *Shat-chakra-nirupana* foi traduzido para o inglês por Arthur Avalon (*Sir* John Woodroffe) em 1918, e publicado em seu primeiro trabalho, *The Serpent Power*. Nesse mesmo volume estava também incluído outro importante texto tântrico, o *Paduka-panchaka* (O escabelo quíntuplo), e também seu comentário sobre os dois.

As citações seguintes representam a maior parte do texto, adaptadas da tradução feita por Avalon; agrupei as citações em versos por tópicos, adicionando notas explicativas entre parênteses.

Com relação aos nadis Ida, Pingala e Sushumna, Purnananda escreve:

Verso 1

- No espaço externo da coluna vertebral, à esquerda e à direita, estão os dois nadis, Ida (lua, feminina) e

Pingala (Sol, masculino). O Nadi Sushumna, cuja substância é de três Gunas (qualidades), encontra-se no centro (sua parte extrema é o Nadi Sushumna; sua parte mais central é o Nadi Vajra; sua parte mais profunda é o Nadi Chitrini). O Sushumna se estende desde o meio do Kanda (a raiz de todos os Nadis) até a cabeça; o Vajra em seu interior alonga-se desde o pênis até a cabeça.*

Verso 2

● No interior do Vajra está o Chitrini, brilhando com o esplendor de Om. Ele é tão sutil como a teia de aranha e atravessa todos os lótus (chakras) que estão localizados na coluna vertebral. Ele é a inteligência pura. Dentro do Chitrini encontra-se o nadi Brahma,** que se estende desde o orifício do alto do Linga (o símbolo do pênis, que também representa o corpo astral) no chakra Muladhara até o Bindu (ponto ou nó) no pericarpo do Sahasrara.

Verso 3

● O Chitrini é tão bonito como um reflexo de luz e tão fino como um filamento de lótus, e brilha nas mentes dos sábios. É extremamente sutil; ativador do conhecimento absoluto e concretizador de todas as glórias, sua verdadeira natureza é a consciência pura. O Portão

---

* Na tradução primária, Avalon manteve o pronome feminino para se referir ao nadi sushumna e aos demais nadis, por serem personificados como divindades femininas. Porém, para maior compreensão do texto, conservaremos o pronome masculino conforme utilizado desde o início do livro.

** O nadi Brahma parece ser um canal encovado dentro do chitrini, não um nadi à parte.

de Brahman brilha em sua abertura. Esse lugar é a entrada para a região espargida por ambrosia sendo conhecido como Ponto essencial; trata-se da abertura do Sushumna.

O texto continua, agora descrevendo os chakras:

O CHAKRA ADHARA (MULADHARA)

Verso 4

- Este Lótus liga-se à abertura do Sushumna, e localiza-se abaixo dos órgãos genitais e acima do ânus. Possui quatro pétalas de cor vermelha. Sua cabeça inclina-se para baixo. Em suas pétalas existem quatro letras, de Va até Sa, na cor dourada brilhante.

Verso 5

- Neste Lótus, a parte quadrada no Prithivi (o elemento terra) é circundada por oito hastes brilhantes; possui a cor amarela resplandecente e é bonita como a luz; assim também o é Bija (a mística palavra "semente" do chakra, aqui, "Lam") do Prithivi interior.

Verso 6

- Este Bija está ornamentado com quatro braços e montado no rei dos elefantes. Ele carrega em seu colo o menino Criador, resplandece como o sol da manhã e possui quatro braços e cabeças brilhantes.

Verso 7

- Aqui reside uma Devi (deusa), de nome Dakini; seus quatro braços brilham cheios de beleza e seus olhos são vermelhos, cintilantes. Ela reluz como o brilho de muitos sóis que se erguem ao mesmo tempo. É a portadora da revelação de uma Inteligência eternamente pura.

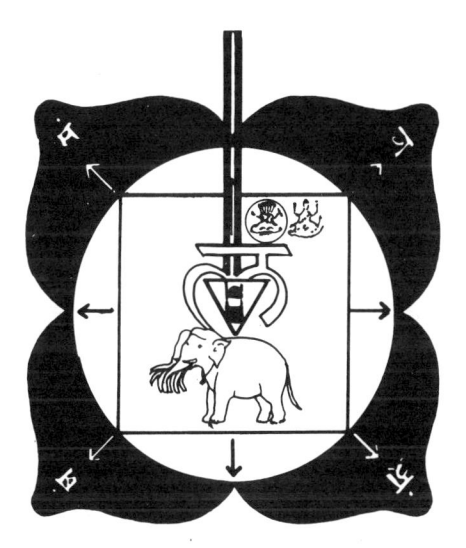

Muladhara

Verso 8

- Próximo à entrada do Nadi chamado Vajra, e no pericarpo, existem constantemente luzes de suave beleza e luminosidade, no formato triangular, que é o Kamarupa, também conhecido como Traipura. Sempre e em todo lugar existe o Vayu (força vital) denominado o Kandarpa (o deus do amor); possui a cor vermelho-escura e é o Senhor dos Seres, resplandecente como dez milhões de sóis.

Verso 9

- Dentro do triângulo está Svayambhu ("o auto-originado")

em sua forma Linga (Shiva Linga), bonito como ouro moldado, e com a cabeça para baixo. Ele é revelado através do conhecimento (jnana) e da meditação (dhyana) e possui o formato e a cor de uma folha nova. É tão belo como os primeiros raios de luz e com o encanto da lua cheia. O Deva (deus) que vive aqui alegremente possui a forma de um redemoinho.

Versos 10 e 11

- A adormecida Kundalini brilha acima de Shiva Linga, fina como a fibra do caule de um lótus. Ela é Maya (a desorientadora) neste mundo, cobrindo gentilmente a cavidade na cabeça de Shiva Linga. Como a espiral de uma concha, sua brilhante forma, semelhante à cobra, dá três voltas e meia em torno do Shiva Linga, e seu brilho se parece com um forte raio de luz. Seu doce murmúrio é como o vago zumbir de enxames de abelhas loucas de amor. Ela cria poesias melodiosas e composições em prosa e verso em sânscrito e em outras línguas. É ela que sustenta todos os seres do mundo através da inspiração e da expiração, e reluz na cavidade da raiz do lótus como uma corrente de luzes brilhantes.

Verso 12

- No interior do Shiva Linga domina Para, que desperta o conhecimento eterno. Ela é a Kala onipotente [uma forma de Nada (som) Shakti] surpreendentemente habilidosa na criação; é mais sutil do que o ser mais sutil. Ela é o receptáculo da contínua torrente de ambrosia que flui da Glória Eterna. Através de sua irradiação, todo o Universo é iluminado.

Verso 13

- Meditando na Para (ou Kundalini) que brilha dentro do Chakra Mula com o brilho de dez milhões de sóis, o homem torna-se Senhor da palavra, Rei entre os homens e um Adepto de todos os tipos de ciência. Torna-se livre, para sempre, de todas as moléstias, e seu espírito interior enche-se de júbilo. Com perfeita disposição, ele serve ao primeiro dos Devas através de suas palavras profundas e melodiosas.

O CHAKRA SVADHISHTHANA

Svadhishthana

Verso 14

- Existe outro lótus localizado dentro do sushumna na base dos órgãos genitais, de bonita cor escarlate. Em suas seis pétalas estão as letras de Ba a La, com o Bindu (ponto) sobreposto sobre cada uma delas, com a cor brilhante de um raio.

Verso 15

- Dentro deste Lótus encontra-se a região branca, brilhante e aquosa de Varuna, na forma de um crescente; e, neste lugar, sentado sobre um Makara (animal legendário que lembra um crocodilo), está o Bija Vam (ligado ao princípio da água, assim como o Bija "Lam" do Muladhara se relaciona com o elemento terra). Ele é imaculado, branco como a lua outonal.

Verso 16

- Hari (Vishnu) está dentro do Bindu de Vam, e na arrogância do começo da juventude, seu corpo é de um lindo azul luminoso, digno de se contemplar; vestido com trajes amarelos, possui quatro braços, e usa o Shrivasta (um afortunado caracol no peito de Vishnu) e Kaustubha (uma grande pedra preciosa) -- resguardai-nos!

Verso 17

- É aqui que Rakini habita perpetuamente. Ela possui a cor de um lótus azul. A beleza de seu corpo é realçada por seus braços erguidos segurando diversas armas. Ela está vestida com trajes e ornamentos celestiais, e sua mente é exaltada pela absorção de ambrosia (que goteja de Sahasrara).

Verso 18

- Aquele que medita neste Lótus imaculado, denominado

Svadhishthana, torna-se imediatamente livre de todos os inimigos, tais como a luxúria, a ira, a cobiça e assim por diante. Ele se torna um Rei entre os Iogues, e é como o Sol iluminando a escuridão da ignorância. A riqueza de suas palavras flui como néctar em verso e prosa, num discurso bem racional.

O CHAKRA MANIPURA

Manipuraka

Verso 19

- Acima do Svadhishthana, na base do umbigo existe um Lótus brilhante de dez pétalas, da cor de nuvens carregadas de chuva. Dentro dele estão as letras de Da a Pha, na cor de um lótus azul, com o Nada e o Bindu acima delas. Deve-se meditar aí, na região do fogo, na forma triangular e brilhante como o sol nascente. Em suas laterais exteriores há três marcas Svastika (uma de cada lado do triângulo) e dentro do próprio Bija de Vahni (isto é, o mantra-semente do Fogo, "Ram").

Verso 20

- Medite sobre aquele que está sentado num carneiro, com quatro braços, radiante como o sol nascente. Em seu colo, reside por toda a eternidade Rudra, de cor puramente escarlate. Ele (Rudra) é branco com as cinzas que o cobrem; possui um aspecto venerável e três olhos. Suas mãos posicionam-se na atitude de conceder dádivas e de dissipar o temor. Ele é o destruidor da criação.

Verso 21

- Aqui habita Lakini, a benfeitora de tudo. Ela tem quatro braços, um corpo radiante, pele escura: veste trajes amarelos e está adornada com muitos ornamentos; é exaltada pelas gotas de ambrosia. Através da meditação neste Lótus do Umbigo, adquire-se o poder de criar e de destruir (o mundo). Vani (o Deus da Palavra, que é Sarasvati) com todas as riquezas do conhecimento, habita eternamente neste Lótus com seu símbolo (o do Fogo, representado pelo mantra-semente "Ram").

O CHAKRA ANAHATA

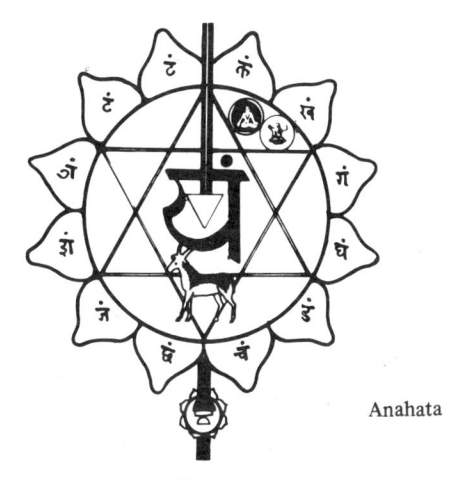

Anahata

Verso 22

- Acima do Manipura, no coração, está o encantador Lótus de cor brilhante (carmesim) da flor Bandhuka, com doze letras começando com Ka, de cor vermelha-escarlate. É conhecido pelo nome Anahata, e é como a árvore celestial do desejo, que dá sempre mais do que se pede. É aqui a Região do Vayu (vento), bonito e com seis cantos, da cor da fumaça.

Verso 23

- Medite dentro da Região do Vayu no encantador e eminente Pavana Bija (o princípio do Chakra Anahata, o Bija de Vayu, "Yam"), cinzento como uma nuvem de fumaça, com quatro braços e sentado sobre um antílope preto. E dentro dele, medite também sobre a morada de Mercy, o Senhor Imaculado que brilha como o sol e cujas duas mãos fazem o gesto de quem concede dádivas e dissipa os temores dos três mundos.

Verso 24

- Aqui reside Kakini, de cor amarela como a luz, alegre e esperançosa; ela possui três olhos e é a benfeitora de tudo. Usa todos os tipos de ornamentos, e em suas quatro mãos carrega o laço e o crânio, e faz o sinal da bênção e o que dissipa o temor. Seu coração se enternece com gotas de néctar.

Verso 25

- O Shakti (poder), cujo corpo delicado se parece com dez milhões de raios de luz, está no pericarpo deste Lótus em forma de um triângulo. Dentro do triângulo encontra-se o Shiva Linga (ver os versos sobre o Chakra Muladhara) conhecido pelo nome de Bana. Este Linga é como ouro brilhante, e em sua cabeça existe um minúsculo orifício como o da perfuração de uma jóia. É a morada resplandecente de Lakshmi (o Devi da prosperidade).

Verso 26

- Aquele que medita neste Lótus do Coração torna-se como o Senhor da Palavra, e (como) Ishvara ele é capaz de proteger e destruir os mundos. Este Lótus é como a árvore celestial do desejo, a morada e o trono de Shiva. É embelezado pelo Hamsa (aqui o Jivatma, a alma individual) que é constante como a chama de uma candeia num local sem vento. Os filamentos que circundam e enfeitam seu pericarpo, iluminados pela região solar, são encantadores.

Verso 27

- Em primeiro lugar entre os iogues, ele (aquele que medita no Lótus do Coração) é sempre o mais querido entre os queridos das mulheres. É sábio por excelência e repleto de atos nobres. Possui perfeito controle sobre seus sentidos. Sua mente, nesta concentração extrema, está absorta em pensamentos sobre Brahman. Suas palavras inspiradas fluem como uma corrente de água pura. Ele é como o Devata que é amado por Lakshmi, sendo capaz de entrar no corpo de outra pessoa quando desejar.

O CHAKRA VISHUDDHI

- Na garganta encontra-se o Lótus chamado Vishuddhi, puro e de cor roxa fosca. Todas as dezesseis sílabas brilhantes sobrepostas em suas dezesseis pétalas, de cor carmesim, são nitidamente visíveis para aquele cuja mente estiver iluminada. No pericarpo deste Lótus está a Região Celestial, de formato circular e branca como a lua cheia. Sobre um elefante branco como a neve encontra-se sentado o Bija de Ambara (a Região Celestial; seu bija é "Ham"), também de cor branca.

Versos 28 e 29

- Dos quatro braços do Bija, dois seguram o laço e o aguilhão, e os outros dois fazem os gestos de conceder dádivas e de dissipar o temor. Isso completa sua beleza. Em seu colo reside eternamente o grande Deva branco como a neve, com três olhos, cinco faces, dez belos braços; Bija veste uma pele de tigre. Seu corpo está unido ao de Girija (título do Devi concebido como filha do Rei da Montanha), e é conhecido pelo que seu nome Sada-shiva significa (Sada — sempre, Shiva — beneficência).

Vishuddha

Verso 30

- Mais puro do que o Oceano de Néctar, Shakti Sakini habita este Lótus. Suas vestes são amarelas, e em suas quatro mãos de lótus ela carrega o arco, a flecha, o laço e o aguilhão. Toda a região da lua sem a marca do hare (hare é o termo indiano equivalente a "homem da lua") localiza-se no pericarpo deste Lótus. Essa região é o limiar da grande libertação para aquele que desejar a felicidade da Ioga e cujos sentidos forem puros e controlados.

Verso 31

- Aquele que alcança o completo conhecimento de Atma

(Brahman) concentrando-se constantemente neste Lótus, torna-se um grande Sábio eloqüente. Ele vê os três estágios e torna-se o benfeitor de tudo; livre de doenças e de aflições, possui vida longa e como Hamsa (aqui, Antaratma, o eu verdadeiro, que habita o pericarpo do Chakra Sahasrara), é o destruidor dos perigos eternos.

Verso 31-A

- O Iogue, com sua mente constantemente concentrada neste Lótus e com sua respiração controlada por Kumbhaka (retenção da respiração), pode mover os três mundos se ficar zangado. Nem Brahma nem Vishnu, nem Hari-Hara (a forma combinada de Vishnu e Shiva), nem Surya (o Deus do Sol), nem Ganapa (o Deus da Sabedoria e protetor contra os obstáculos) é capaz de controlar esse poder.

O CHAKRA AJNA

Verso 32

- O Lótus chamado Ajna é como a Lua, lindamente branco. Em suas duas pétalas estão as letras Ha e Ksha, as quais também são brancas e de elevada beleza. Ele brilha com a glória de Dhyana (meditação). Dentro dele encontra-se Shakti Hakini, cujas seis faces são como muitas luas. Ela possui seis braços, num deles segura um livro (o gesto do esclarecimento); dois outros estão levantados, em gestos destinados a dissipar o temor e a conceder dádivas; com os outros, ela segura um crânio, um pequeno tambor e um rosário (com o qual é feita a recitação do mantra). Sua mente é pura.

Ajna

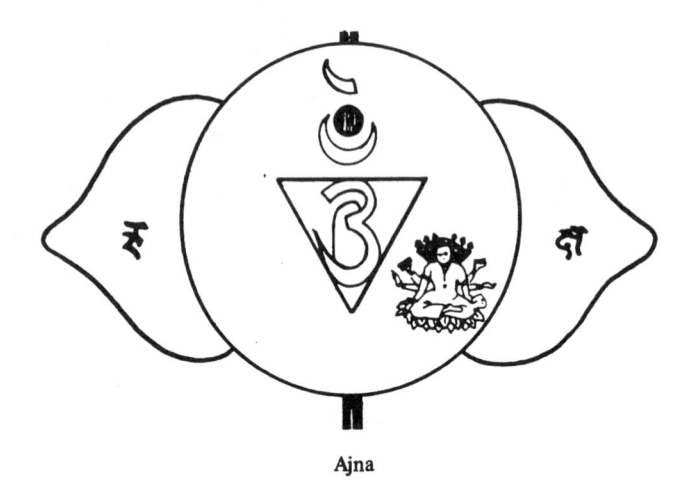

Verso 33

- Dentro deste Lótus habita a mente sutil (manas). Já é bem conhecido. Dentro do Yoni (que habitualmente significa os órgãos genitais femininos, e é simbolizado por um triângulo), no pericarpo, encontra-se Shiva denominado Itara em sua forma fálica. Aqui ele reluz como um feixe de raios de luz. O primeiro Bija do Veda (OM), que é a morada da mais sublime Shakti, e que por seu brilho torna visível o Nadi Chitrini, também se localiza ali. O Sadhaka (praticante de ioga a caminho da realização) com a mente bem firme, deveria meditar sobre esses elementos, de acordo com a seqüência prescrita.

Verso 34

- O eminente Sadhaka, cujo Atma (o Ser Verdadeiro) nada mais é que a meditação nesse Lótus, é capaz de entrar rapidamente no corpo de outra pessoa quando desejar; ele se torna o mais eminente entre os Munis (perfeitos praticantes de ioga dhyana); ele tudo sabe e tudo vê. Torna-se o benfeitor de tudo e é versado em todos os Shastras (textos e comentários sagrados). Torna mais real sua unidade com Brahman e adquire poderes eminentes e desconhecidos (Siddhi). Célebre e longevo, ele se torna para sempre o Criador, o Destruidor e o Preservador dos três mundos.

Verso 35

- Dentro do triângulo deste Chakra está a combinação das letras A e U que formam o Pranava (a sílaba sagrada OM; ver observação abaixo). O Atma interior é como uma mente pura (Buddhi) e lembra uma chama em seu esplendor. Acima dele está a lua crescente, e mais acima Ma-kara (a letra M), brilhando em sua forma de Bindu (este M, junto com A e U, forma AUM – OM, o Bija Mantra do Chakra Ajna). Acima encontra-se Nada, cuja brancura assemelha-se à da lua, propagando seus raios.

Verso 36

- Quando o Iogue fecha a casa que paira no ar sem apoio (isto é, rompe as conexões da mente com o mundo físico, executando o yoni mudra, em que a boca, os ouvidos, as narinas, os olhos e os orifícios genitais e anais são completamente fechados – ver Capítulo IV, p. 100), conhecimento este que obteve com um excelente guru, e quando o Cetas (consciência do mundo exterior), através desta prática constante, torna-se dissolvido nesse local que é a morada da glória ininterrupta, então ele vê, dentro do ponto logo acima (o triângulo), faíscas de fogo brilhando de forma inconfundível.

Verso 37

- Ele vê também a luz na forma de um clarão chamejante. Ela brilha com o resplandecente brilho do sol da manhã, que fulgura entre o Céu (o chakra Sahasrara) e a Terra (o chakra Muladhara). É aqui que o Shiva Parama manifesta sua plenitude de poder. Ele não conhece a decadência e testemunha tudo, e se apresenta aqui do mesmo modo como está na região do Fogo, da Lua e do Sol (ou seja, no chakra Sahasrara).

Verso 38

- Esta é a incomparável e encantadora morada de Vishnu. O Iogue eminente, por ocasião de sua morte, coloca jubilosamente seu último fôlego vital (Prana) neste ponto e entra (depois da morte) no Supremo, Eterno, Primevo Deva, o Purusha, que já existia antes dos três mundos, e que é conhecido por Vedanta (os textos sagrados referem-se à natureza de Brahman).

Verso 39

- Quando os atos do Iogue são bons em todo o sentido através do serviço dos pés de Lótus do seu Guru (isto é, quando o iogue é assistido por seu Guru na meditação sobre o Ajna) então ele verá, acima do chakra Ajna, a forma do Mahanada (o grande Nada) e terá para sempre, no Lótus de suas mãos, o Siddhi da Palavra (todos os domínios sobre a palavra). O Mahanada, local de desagregação do Vayu, compõe-se em parte por Shiva e tem o formato de um arado; é sereno, concede dádivas e dissipa o temor, e também manifesta uma inteligência pura (Buddhi).

O CHAKRA SAHASRARA

Verso 40

- Acima de todos esses, num espaço vago em que passa o Nadi Shankhini, e abaixo do Portão de Brahman, localiza-se o Lótus de mil pétalas. Este Lótus, brilhante e ainda mais branco do que a lua cheia, possui sua cabeça virada para baixo. Ele encanta as pessoas. Seus filamentos agrupados são da cor do sol nascente. Seu corpo é luminoso e possui letras a partir do A; ele é a glória absoluta.

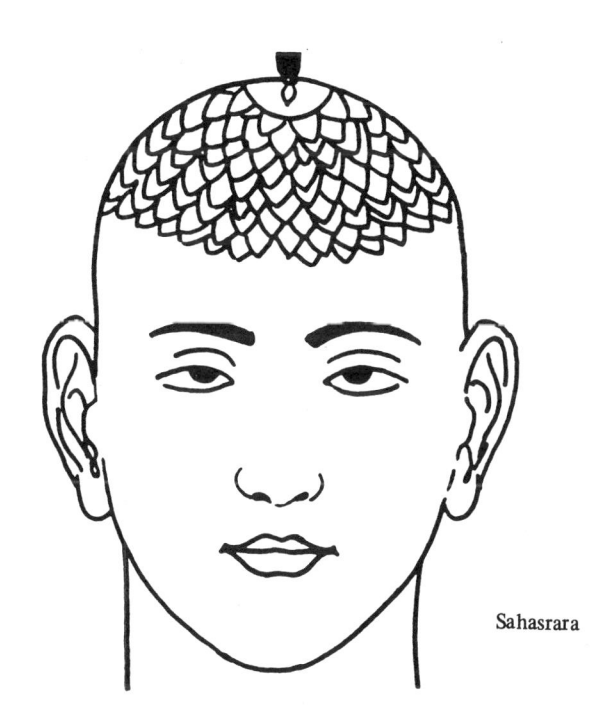

Sahasrara

Verso 41

- Dentro do Sahasrara está a lua cheia, sem a marca do hare, reluzindo como num céu aberto. Ele espalha seus raios abundantemente, e é úmido e frio como o néctar. Em seu interior, brilhando constantemente como a luz, está o Triângulo e dentro deste, também brilha o Grande Vazio (Bindu) que é servido secretamente por todos os Devas.

Verso 42

- Bem escondido e atingível apenas através de muito esforço, está o delicado Bindu (a "fase" da Lua que representa Nirvana) com Ama Kala (sua fase de "gotejar néctar"). Aqui encontra-se o Deva conhecido por todos como Shiva Parama. Ele é o Brahman e o Atma de todos os seres. Nele unificam-se Rasa (a experiência da glória suprema) e Virasa (a glória fruto da união de Shiva com Shakti). Ele é o Sol que destrói a escuridão da ignorância e da ilusão.

Verso 43

- Espalhando um constante e profuso jorro de uma essência semelhante ao néctar, o Senhor instrui o Yati (autocontrole) da mente pura no conhecimento pelo qual ele realiza a integridade de Jivatma (a alma individual) e Paramatma (a alma do Universo). Assim este impregna todas as coisas como seu Senhor, o qual está sempre difundindo e espalhando uma corrente de todas as formas de glória, conhecida pelo nome de Hamsah Parama.

Verso 44

- Os adoradores de Shiva chamam-no de a morada de Shiva; os adoradores de Vishnu chamam-no de local do Parama Purusha (Vishnu); os adoradores de ambos chamam-no de o lugar de Hari-Hara [as individualidades de Hari (Vishnu) e Hara (Shiva)]. Aqueles que possuem uma paixão pelo pé de Lótus de Devi (Deusa Shakti) chamam-no de ótima morada de Devi; e os adoradores de Hamsah Mantra [Hamsah é a união de Purusha (o Ego puro ou verdadeiro, "Ham") e Prakriti (a substância original, "Sah")] chamam-no de lugar imaculado de Prakriti-Purusha.

Verso 45

- O mais elevado dos homens que conseguiu controlar sua mente e conhecer esse lugar nunca mais nascerá no Wandering (este mundo cármico), pois não existe mais nada que o ligue a esses três mundos. Com sua mente controlada e seu objetivo alcançado, ele possui completo poder de fazer tudo o que desejar, e de prevenir tudo o que for contrário a seus desejos. Ele vai sempre na direção de Brahman (ou, "ele é capaz de vagar pelos céus"). Sua fala, seja em prosa ou em verso, é sempre pura e doce.

Verso 46

- Aqui está a eminente décima sexta Kala (fase) da lua (Ama-Kala). Ela é pura e assemelha-se (em cor) ao sol nascente. Ela é tão fina como a centésima parte de uma fibra no pedúnculo de um lótus. É reluzente e delicada como dez milhões de faíscas do raio, e está de cabeça para baixo. Dela, cuja origem é o Brahman, flui abundantemente uma interminável corrente de néctar (ou, "ela é o receptáculo do fluxo do excelente néctar que parte da bem-aventurada união de Shiva e Shakti").

Verso 47

- Dentro dela (Ama-kala) está Nirvana-kala, mais eminente do que a eminente (Ama-kala). Ela é tão fina como a milésima parte de um fio de cabelo, e tem o formato de uma lua crescente. Ela é a eterna Bhagavati, a Devata (divindade) que impregna todos os seres. Ela transmite o conhecimento divino e é tão reluzente como todos os sóis brilhando de uma só vez, ao mesmo tempo.

Verso 48

- Dentro deste meio espaço (isto é, a metade do Nirvana-kala) brilha a Suprema ou Primordial Nirvana Shakti. Ela brilha tão intensamente como dez milhões de sóis e é a Mãe dos três mundos. É muito sutil, como a décima milésima parte de um fio de cabelo. Possui em seu interior, jorrando constantemente, o fluxo da satisfação; é a vida de todos os seres. Ela leva graciosamente o conhecimento da Verdade para a mente dos sábios.

Verso 49

- No interior do Nirvana Shakti está o local denominado morada permanente de Shiva, onde não existem kàla (tempo) nem kalà (espaço). Está livre de Maya (o mundo restrito pelo espaço e tempo), alcançável apenas pelos Iogues e conhecido pelo nome de Nityananda. Está repleto de muitas formas de glória e do próprio conhecimento puro. Alguns o chamam de Brahman; outros de

Hamsa. Sábios descrevem-no como morada de Vishnu, e os homens virtuosos se referem a ele como a um lugar indescritível do conhecimento de Atma, ou o local da Libertação. (Aqui, torna-se possível a liberação do mundo do tempo e do espaço.)

Esses, portanto, são os chakras conforme descritos no *Shat-chakra-nirupana*, de Purnananda. Como você pôde observar, descreve-se nitidamente que cada chakra possui uma coloração específica, um certo número de pétalas inseridas com letras sânscritas, uma figura geométrica (yantra) dentro do pericarpo do lótus, um animal e uma divindade, ou várias divindades específicas, cuja iconografia representa os aspectos e poderes ligados ao chakra, além de um bija mantra.

Aparentemente, tais detalhes podem parecer meras representações simbólicas de certas funções dos chakras, ou talvez figuras passíveis de serem visualizadas para facilitar a meditação. Porém, segundo o testemunho de muitas pessoas que já passaram por esse treinamento espiritual, estas verificaram a existência de muitos dos detalhes descritos aqui. Por exemplo, pessoas que se concentraram nos chakras muladhara ou svadhishthana — mesmo aquelas sem prévio conhecimento dos simbolismos do chakra — muitas vezes contaram ter visto um brilho na forma de chama em volta do períneo ou abaixo do umbigo. Isso parece corresponder às pétalas vermelhas desses dois chakras. Creio ser possível que as cores distintas de cada chakra possam representar a coloração de sua aura na dimensão astral, e que os outros símbolos possam existir por alguma razão real.

Como particularidade, cito a experiência de minha mãe, uma personalidade religiosa respeitada e altamente evoluída. Em seus vinte ou trinta anos de idade, ela praticava ascetismo aquático com freqüência, nas profundezas das montanhas. Durante essa prática, ela muitas vezes via ao redor de seu coração um sinal como um veleiro emborcado, cercado por uma luz dourada brilhante. Quando me perguntou pela primeira vez o que era aquilo, eu não soube dizer, porém um ou dois anos mais tarde comecei a estudar sânscrito e li este *Shat-chakra-nirupana*. Percebi imediatamente que o "veleiro emborcado" que ela descrevia nada mais era do que " य " (YAM), o mantra bija do chakra anahata. Além disso, é provável que a luz dourada que ela distinguia estivesse relacionada com o triângulo dourado localizado no interior do bija (ver a ilustração do Anahata).

Em seu livro *The Chakras*, o rev. C. W. Leadbeater (ver Capítulo VII) também descreve o anahata como se ele difundisse uma cor dourada.

Por este motivo, em minha opinião, as descrições a respeito dos chakras contidas no *Shat-chakra-Nirupana* são mais do que meras representações simbólicas. Estou de pleno acordo com Swami Satyananda Saraswati, quando afirma em seu *Tantra of Kundalini Yoga*, que existem vários mundos além de nossa consciência diária, nas dimensões astral e causal, onde tais ilustrações geométricas, cores e sílabas podem realmente existir. De fato, muitos desses detalhes iconográficos, bem como as habilidades paranormais e mentais aqui citadas em relação com os chakras, correspondem intimamente às experiências de muitos ascetas das mais diversas religiões espalhadas pelo mundo.

B. Os Chakras
Conforme Descritos no *Gorakshashatakam*

Gorakshashatakam é um texto de ioga descrito pelo mestre Goraknath em benefício de seus discípulos, provavelmente durante o século X. Muito respeitado e querido por seus contemporâneos e considerado o melhor santo e guru da Índia, ele foi um homem com uma grande bagagem de conhecimentos; suas viagens o levaram até o Afeganistão e o Baluchistão.

As descrições dos chakras no *Gorakshashatakam* assemelham-se às dos *Upanishads* em muitos aspectos. Existem algumas informações adicionais, principalmente a respeito das habilidades paranormais que acompanham o despertar do chakra. Por esse motivo, no presente capítulo apresento algumas citações do texto, as quais adaptei a partir da tradução inglesa editada por Swami Kuvalayananda e pelo dr. S. A. Shikla. As observações entre parênteses são minhas, exceto as que indiquei nas notas.

Verso 78

- O primeiro chakra, chamado adhara (muladhara) é como ouro polido; meditando (sobre ele) com o olhar fixo na ponta do nariz, a pessoa liberta-se dos pecados.

Verso 79

- O segundo chakra é o svadhishthana, bonito como um

rubi genuíno; meditando (sobre ele) com o olhar fixo na ponta do nariz, a pessoa liberta-se dos pecados.

Verso 80

- O chakra Manipuraka (manipura) é como o sol nascente; meditando (sobre ele) com o olhar fixo na ponta do nariz, a pessoa pode tumultuar o mundo.

Verso 82

- Fixando o olhar na ponta do nariz e meditando (sobre o Anahata), no Lótus do coração que é resplandecente como um relâmpago, a pessoa torna-se unificada com Brahman.

Verso 83

- No centro da garganta encontra-se o chakra vishuddhi, a fonte do néctar; meditando (sobre ele) com o olhar fixo continuamente na ponta do nariz, a pessoa identifica-se com Brahman.

Verso 84

- Com o olhar fixo na ponta do nariz (e) meditando a respeito da divindade esplêndida como uma pérola que habita o ponto entre as sobrancelhas (o chakra ajna), a pessoa torna-se repleta de Glória.

Verso 85

- Com o olhar fixo na ponta do nariz e meditando a

respeito do céu (o sahasrara), do Shiva absoluto e pacífico, cuja face está virada para todas as direções, a pessoa liberta-se do sofrimento.

Assim são as descrições de Goraknath sobre os chakras e os efeitos associados com seu despertar. Para melhor esclarecimento a respeito das técnicas de fixar o olhar na ponta do nariz, ver Capítulo IV, pp. 95, 105. A seguir, ele também descreve as meditações.

Versos 86 e 87

- Um estudante de ioga obtém êxito depois de meditar a respeito do ânus (correspondente ao chakra muladhara), do pênis (o chakra svadhishthana), do umbigo (o chakra manipura), do coração (o chakra anahata), da garganta e da úvula (o chakra vishuddhi), do Senhor supremo do ponto entre as sobrancelhas (o chakra ajna), e do ponto vazio (o chakra sahasrara) como idênticos ao Atma que é totalmente difuso, puro, com a forma e o brilho de uma miragem.

Verso 88

- Os centros de meditação descritos acima, quando associados a outros complementos (letras, cores, etc. de cada chakra)* e ao princípio (isto é, Atma)* levam ao surgimento de oito poderes milagrosos.

Verso 89

- O complemento e o princípio, apenas esses dois foram descritos — o primeiro significa a cor ou a letra, ao passo que o último se refere a Atma.

---

* Observações fixadas pelos tradutores originais.

Verso 90

- O complemento implica (isto é, dá origem a)* conhecimento errôneo, enquanto o princípio é de natureza pura. O princípio, através de sua meditação constante, leva à destruição de todos os complementos.

Verso 91

- Uma pedra preciosa, quando polida, reflete com muito brilho sua verdadeira cor. Assim é a alma que se liberta, pois o despertar da Kundalini está para ser exaltado (por isso é que ela parece liberada)* e está livre de todos os complementos.

Verso 92

- Os conhecedores do princípio sabem que ele é isento de dor, sem qualquer apoio, livre de diversidade, mesmo sem ter fundamento, livre do sofrimento e vazio de forma.

Nos versos 85-92, Goraknath parece nos dar um aviso importante. A saber, se as habilidades paranormais forem desenvolvidas unindo-se os complementos (os diversos detalhes iconográficos de cada chakra), com o princípio (o Atma), através da meditação, eles devem ser abordados com extrema precaução. Quando ativados, os próprios complementos têm a tendência a dar origem ao conhecimento "errôneo", o qual desvia o aspirante espiritual de seus verdadeiros objetivos. Somente quando os complementos forem por fim unidos e dissolvidos ao princípio absoluto, o Atma, o iogue pode se considerar livre do sofrimento e liberto do mundo concreto das formas.

---

* Observações fixadas pelos tradutores originais.

No próximo capítulo, voltaremos nossa atenção ao já conhecido estudo do rev. C. W. Leadbeater, *Os Chakras**. Isso mostrará de forma muito interessante que as descrições de Leadbeater sobre os chakras diferem consideravelmente daquelas contidas na matéria até agora examinada. O principal ponto de controvérsia é que Leadbeater, em sua própria experiência dos chakras, não percebeu a existência dos diversos complementos nos chakras, conforme descritos na literatura hindu tradicional. Na realidade, ele sustenta que as descrições indianas sobre os chakras são apenas simbólicas, e que os chakras observados por ele em forma de discos de luzes multicoloridas são os verdadeiros. Examinemos esse argumento com mais atenção.

---

* Publicado pela Editora Pensamento, São Paulo.

VII

Os Chakras Segundo o Rev. Leadbeater

O reverendo Charles Webster Leadbeater, autor de *Os Chakras*, nasceu na Inglaterra em 1847. Trabalhava como vice-reitor da Church of England, e tornou-se membro da Theosophical Society (Sociedade Teosófica) em 1882. Essa sociedade, fundada por Madame Blavatsky em Nova York em 1875, promove estudos de religião comparativa, filosofia e ciência, e também investiga os poderes latentes no homem. Em 1884, Leadbeater foi estudar na Índia, seguindo a orientação de seu guru, e praticou ioga enquanto servia à sociedade. Após anos de treinamento, desenvolveu suas faculdades de clarividência e pesquisou as esferas superfísicas e a constituição interior do homem, atividade esta que resultou em seu livro *Os Chakras*, publicado em 1927. Viajou e doutrinou por todo o mundo, retornando afinal à Índia, onde morreu em 1934, tendo escrito aproximadamente trinta livros. *

Começarei apresentando um resumo do parecer de Leadbeater sobre a natureza da existência humana. Muitas vezes, ele dizia que o corpo físico é considerado o centro do ser humano, sendo a alma um mero acessório. Todavia, ele sustentava que o corpo físico é, na verdade, a dimensão mais superficial do ser: o homem é, de fato, um mecanismo complexo que compreende os corpos físico, etéreo, astral e causal. Esses corpos superiores, embora imperceptíveis aos sentidos físicos, exercem

---

* Para maiores informações sobre o rev. Leadbeater, veja *How Theosophy Came to Me* (Theosophical Publishing House, Adyar, Madras, Índia); e também *History of Theosophy and the Theosophical Society* (Theosophical Society, Wheaton Illinois).

um papel vital na existência humana, mantendo intacta sua homeostase e possibilitando-lhe alcançar esferas espirituais mais elevadas.

A teosofia prega a existência de uma matéria física invisível conhecida como "etérica", a qual difere totalmente do corpo físico normal. Essa matéria etérica é o veículo que permite à energia escoar em forma de pensamentos, atos e sentimentos para fluir partindo do invisível corpo astral até a matéria física mais densa, com as células do cérebro agindo como receptores.* Para os clarividentes, o corpo etérico é claramente visível como uma névoa lilás-acinzentada, que interpenetra as partes mais densas do corpo e se estende ligeiramente para fora dele, acompanhando seu contorno.

O corpo físico torna-se cansado com o passar do tempo, e necessita de três fontes de energia básica para seu sustento: comida, ar e "vitalidade inata". Essa vitalidade é uma força invisível existente em todos os planos do Universo; porém, em seu padrão físico ela está mais ligada à constituição e funcionamento do corpo etérico. Este, por sua vez, entra em contacto com o corpo fisiológico através do agente crucial daqueles centros invisíveis, os chakras.

Localizados na superfície do duplo etérico, que flui numa linha externa ao corpo físico, esses centros servem como canais de energia entre os corpos físico e astral. Em seu estado latente, tais chakras são pequenos círculos de cinco centímetros de diâmetro que conservam um ligeiro rubor. Entretanto, quando ativados, em pessoa sensível às forças supranormais, eles aparecem como redemoinhos de luz resplandecente.

Simbolicamente falando, os chakras lembram flores que brotam a intervalos de uma haste, que é a espinha. Existem sete chakras principais em rotação constante na direção da força primária. Esta força — a vitalidade inata mencionada anteriormente — é de natureza séptupla, e todas as suas formas trabalham correspondendo-se com cada um dos chakras. Todavia, a atividade dos centros não é uniforme. Por exemplo em médiuns e iogues, certos chakras podem ser ativados e funcionam num grau de intensidade muito maior do que numa pessoa comum.

Agora, passaremos ao sumário das descrições de Leadbeater sobre os próprios chakras. Em sua opinião, quando a energia divina do cosmos entra

---

* Em minha opinião, o "duplo etérico" corresponde ao fluxo de energia Ki da medicina chinesa.

em cada chakra, ela estabelece exalações de uma força secundária nos ângulos retos. Tais forças secundárias ondulam em movimento circular. Ao mesmo tempo, a força primária gera linhas retas, que lembram os raios estacionários dessas rodas de energia ondulante. Esses raios ajudam a manter unidos os corpos astral e etérico. Cada centro de força possui um número diferente de raios, que determinam o número de ondas ou "pétalas" no interior. Por causa desse padrão, as escrituras antigas descrevem cada chakra como um lótus florido.

As forças secundárias circulam em ondas de várias dimensões, cada uma com milhares de comprimentos de onda. Essas ondulações tecem sob os raios da energia primária, criando oscilações semelhantes às pétalas das flores, de diâmetros variados que volteiam em torno de um vórtice. Cada uma das "pétalas" resultantes possui uma cor predominante característica, e lembra o lampejo vislumbrante do luar refletido em águas plácidas.

Os chakras variam em forma e em brilho de pessoa para pessoa. Além disso, algumas vezes pode-se observar claramente que alguns chakras se desenvolvem de forma diferente em relação aos outros em uma mesma pessoa. Se um indivíduo possui certos traços superiores relacionados com um determinado centro, este centro não é apenas engrandecido mas também se torna radiante, circundado por raios dourados brilhantes.

Leadbeater divide os chakras em três grupos: inferior, médio e superior, denominados fisiológico, pessoal e espiritual, respectivamente. Os qualificados no grupo fisiológico — o primeiro e o segundo chakra — possuem menos raios em relação aos outros, e servem preliminarmente como receptores de duas forças principais que penetram no corpo físico. Essas duas forças são o "fogo serpentino", que vem da terra, e a vitalidade, emanada do sol. O grupo médio compreende os chakras pessoais, o terceiro, o quarto e o quinto. O terceiro chakra recebe forças provindas do nível astral inferior, que penetra no homem através de sua personalidade. No caso do quarto chakra, as forças provêm do astral superior; no caso do quinto, elas procedem da esfera mental inferior. Todos esses centros parecem estar ligados com certos gânglios no corpo humano. O sexto e o sétimo centro — os chakras "espirituais" — são ativados apenas depois de atingido um determinado grau de crescimento espiritual.

O rev. Leadbeater é da opinião de que as diversas pétalas desses chakras não estão necessariamente relacionadas com o desenvolvimento de qualidades morais, ponto de vista contrário ao apresentado no *Dhayanabindu*

Upanishad. Leadbeater relata que encontrou pessoas cujos centros foram completamente ativados, mesmo apesar de seu desenvolvimento moral ser um tanto deficiente, ao passo que os centros de outras, que haviam atingido um considerável desenvolvimento mental e espiritual, mal foram vitalizados.

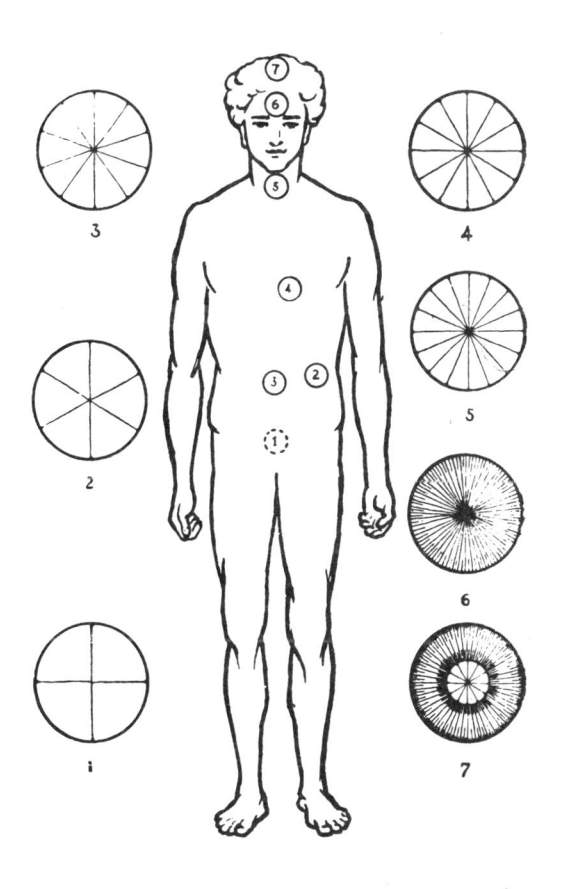

Para explicar esta aparente contradição, Leadbeater formula um trabalho hipotético a respeito da inter-relação entre o desenvolvimento moral e a intensa atividade dos chakras. Segundo ele, os raios em torno de um determinado centro diferem em feitio graças às subdivisões da força primária que entra, o que faz com que cada raio irradie a própria influência particular. Nesse processo, as forças secundárias que passam por cada raio são modificadas através de sua influência e revelam uma variação de cor. Portanto, cada uma das diferentes pétalas manifesta radiações diversas. Uma certa qualidade moral pode ser indicada por um determinado tom de cor, que aumenta em luminosidade e energia vibratória quando esta qualidade moral é fortalecida. Em outras palavras, as condições das pétalas individuais, e não o formato e o brilho de todo o chakra, refletem com mais precisão o desenvolvimento moral. Partindo desse princípio, a condição de cada centro e de suas pétalas constituintes parece relacionar-se com a interação entre a entrada da força primária e os raios que ela produz.

Leadbeater descreve da seguinte forma os chakras individuais.

OS CENTROS DE FORÇA

Nome	Nome sânscrito	Localização
Chakra básico ou fundamental	Muladhara	Na base da espinha dorsal
Chakra esplênico ou do baço	–	Acima do baço
Chakra umbilical ou do umbigo	Manipura	No umbigo, acima do plexo solar
Chakra cardíaco ou do coração	Anahata	Acima do coração
Chakra laríngeo ou da garganta	Vishudda	Na frente da garganta
Chakra frontal ou das sobrancelhas	Ajna	No ponto entre as sobrancelhas
Chakra coronal ou da parte superior da cabeça	Sahasrara	No alto da cabeça

TABELA I

O CHAKRA BÁSICO (MULADHARA)

O primeiro chakra localiza-se na base da espinha dorsal. Ele manifesta uma força primária radiante em seus quatro raios, produzindo um efeito de quadrantes e alternando as cores vermelha e laranja. Quando ativado vigorosamente, suas cores tornam-se de um faiscante vermelho-alaranjado.

O CHAKRA DO BAÇO

O segundo chakra origina-se no baço e sua principal responsabilidade é a especificação, subdivisão e distribuição da vitalidade provinda do sol. Quando absorvida, essa vitalidade é emitida novamente em seis ondulações. Cada uma irradia uma cor intensa de força vital, isto é, vermelha, laranja, amarela, verde, azul e roxa.

O CHAKRA DO UMBIGO (MANIPURA)

O terceiro centro localiza-se no umbigo ou no plexo solar. Recebe dez radiações de força primária, portanto compõe-se de dez ondulações. Suas cores predominantes são nuanças variáveis de vermelho e verde. Este chakra relaciona-se intimamente com as emoções do indivíduo.

O CHAKRA DO CORAÇÃO (ANAHATA)

O quarto centro localiza-se no coração. Ele apresenta doze raios e resplandece na cor dourada.

O CHAKRA DA GARGANTA (VISHUDDHI)

O quinto chakra, posicionado na laringe, possui dezesseis raios e ostenta cores que se alternam entre o azul e o verde, produzindo um efeito da cintilação de água prateada.

O CHAKRA FRONTAL (AJNA)

O sexto centro, localizado entre as sobrancelhas, divide-se em duas partes: rosa-amarelado de um lado e azul-arroxeado do outro. Leadbeater observa que enquanto as escrituras indianas descrevem o chakra ajna como se ele possuísse apenas duas pétalas, ele mesmo pôde verificar que cada parte do chakra é subdividido em 48 ondulações, perfazendo um total de 96.

Com relação a isso, o súbito salto de dezesseis raios do chakra da garganta para 96 neste, é digno de atenção. Apesar de se desconhecerem os fatos que determinam o número de raios em cada chakra, está claro que cada um deles representa uma variação de força primária. Portanto, quando entramos nas esferas espirituais superiores que transcendem as limitações convencionais da experiência humana, encontramos manifestações complexas, múltiplas da força primária que não podem ser facilmente rotuladas.

O CHAKRA DA COROA (SAHASRARA)

O sétimo centro, conhecido como chakra da coroa ou do alto da cabeça, está situado no alto da cabeça. Habitualmente é o último chakra a ser ativado. Muitas vezes, apenas uma depressão no corpo etérico permite que a força divina penetre livremente. Entretanto, quando uma pessoa evolui em seu crescimento espiritual e começa a receber a luz divina, o chakra se fecha, tornando-se um canal de radiação em vez de recepção.

CHAKRA BÁSICO

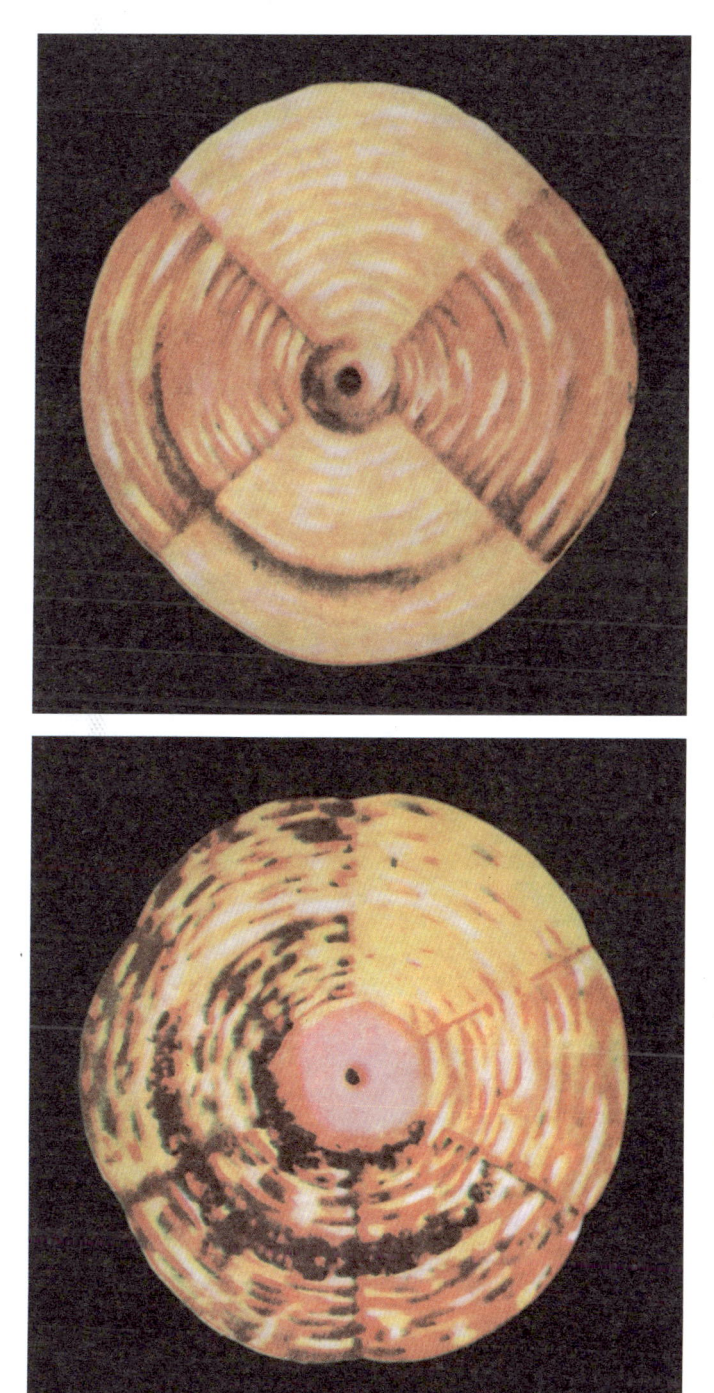

CHAKRA ESPLÊNICO

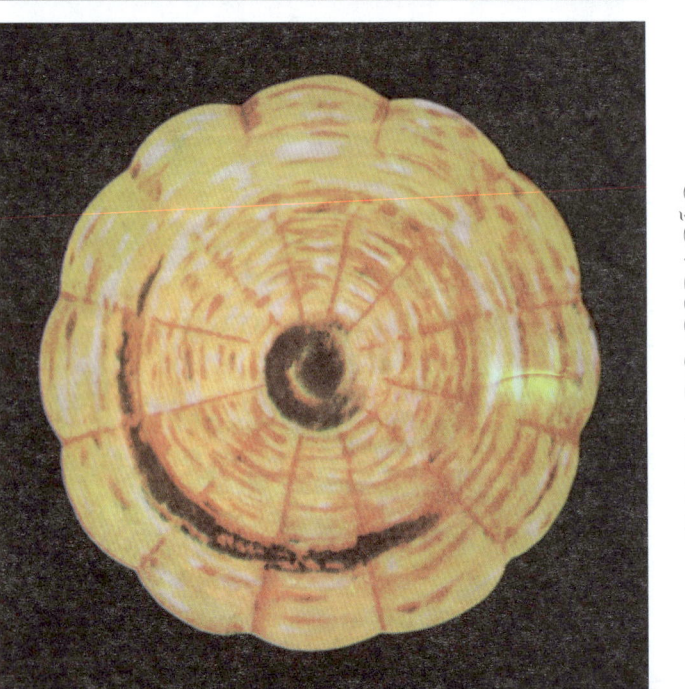

CHAKRA DO CORAÇÃO

CHAKRA DO UMBIGO

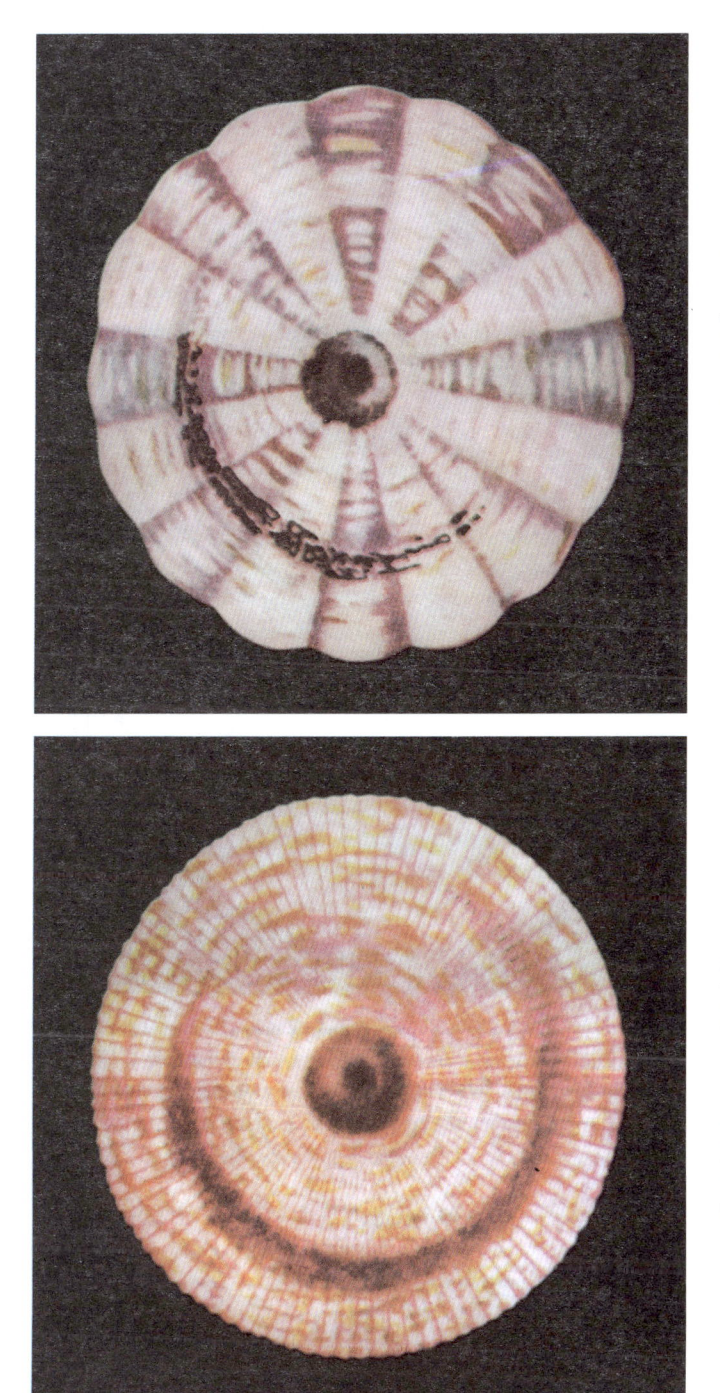

CHAKRA FRONTAL

CHAKRA LARÍNGEO

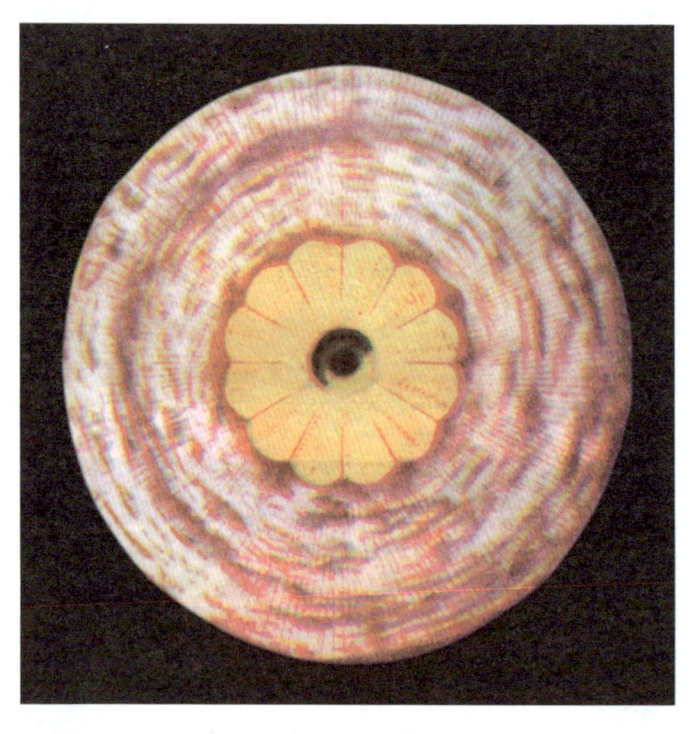

CHAKRA CORONÁRIO

Ele emite ligeiras vibrações de diversas cores prismáticas, entre as quais predomina a lilás. As escrituras indianas descrevem o sahasrara como um chakra de mil pétalas; Leadbeater, em sua eficaz constatação, afirma que ele apresenta 960 manifestações de força divina. O notável formato deste chakra é de um pequeno redemoinho de energia em seu centro, consistindo em doze ondulações de cores branca e dourada.

O chakra sahasrara é visto freqüentemente em representações orientais de divindades e homens santos, assim como a estátua de Buda no Borobudur, em Java. Ele é também, às vezes, retratado na mitologia cristã: por exemplo, as coroas usadas pelos vinte e quatro anciãos que se prostram humildemente diante do trono de Deus.

Na opinião de Leadbeater, não é conveniente identificar os chakras com os plexos nervosos, porque eles não são entidades físicas no sentido comum. Na realidade, eles agem como condutos intermediários entre o corpo astral e o físico. Todavia, cada chakra está precisamente relacionado com um plexo nervoso específico. A ilustração da p. 190 mostra a localização dos chakras no duplo etérico, e suas posições correspondentes nos gânglios vertebrais. As "flores" existem na superfície do duplo etérico; os pedúnculos agem como canais para distribuir vitalidade aos gânglios e à espinha dorsal. A partir desses centros, a energia intensificada flui para os diversos órgãos internos.

A tabela seguinte indica o posicionamento de cada chakra em relação aos gânglios. Por exemplo, o chakra coronário está localizado na superfície do duplo etérico acima do coração; seu correlativo na espinha encontra-se no oitavo cervical, e está diretamente ligado aos plexos cardíaco, pulmonar e coronário. Portanto, o chakra relaciona-se intimamente com o funcionamento dos pulmões e do coração.

Conforme vimos no Capítulo V, os *Upanishads* afirmam que o prana, a força vital, é absorvido através do processo respiratório e digestivo, e distribuído por todo o corpo através dos nadis. Os chakras ajudam a distribuir e a canalizar o prana ao longo do sistema de nadis. Além disso, o prana (ou vayu) subdivide-se tradicionalmente em cinco ou dez categorias, estando cada variedade individual associada a uma área específica do corpo.

Os Chakras e o Sistema Nervoso

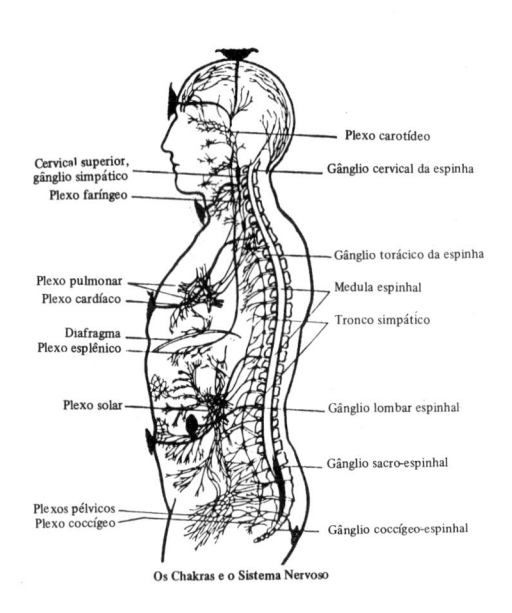

AS FORÇAS

Nome dos Chakras	Posição na Superfície	Posição aproximada do Chakra na Espinha	Plexo Simpático	Principais Plexos Auxiliares
Básico Muladhara	Base da Espinha	4º Sacro	Coccígeo	—
Baço	Acima do baço	1º Lombar	Esplênico	—
Umbigo Manipuraka	Acima do umbigo	8º Torácico	Celíaco ou Solar	Hepático, Pilórico, Gástrico, Mesentérico, etc
Coração Anahata	Acima do coração	8º Cervical	Cardíaco	Pulmonar, coronário, etc
Garganta Vishuddha	Na garganta	3º Cervical	Faríngeo	—
Frontal Ajna	Entre as sobrancelhas	1º Cervical	Carotídeo	Geralmente gânglios cavernosos e cefálicos

TABELA II

A seguir, a explicação de Leadbeater sobre o prana, que ele chama de "glóbulo de vitalidade". O glóbulo de vitalidade origina-se no sol e irradia-se em todas as direções, impregnando-se em todas as coisas. No homem, ele é absorvido através do chakra esplênico, onde se subdivide em raios de sete cores diferentes: lilás, azul, verde, amarelo, laranja, vermelho-escuro e rosa. Esses raios de cores variadas fluem para um ou mais chakras, de onde vivificam os órgãos e outros sistemas do corpo. A tabela seguinte, tirada do livro de Leadbeater, mostra a correspondência entre os cinco tipos de prana dentro do sistema indiano tradicional, e seus próprios "raios de vitalidade".

Prana e Região Afetada	Raio de Vitalidade	Chakra Principalmente Afetado
Prana-Coração	Amarelo	Cardíaco Anahata
Apana-Ānus	Laranja-avermelhado	Básico Muladhara
Samana-Umbigo	Verde	Umbilical Manipuraka
Udana-Garganta	Violeta-azulado	Laríngeo Vishuddha
Vyana-Todo o corpo	Rosado	Esplênico

TABELA IV

Em minha pesquisa, utilizando o equipamento AMI para medir os meridianos da acupuntura (ver Capítulo IX), descobri que pessoas com percepção extra-sensorial e outras habilidades psíquicas demonstram, como conseqüência, uma condição yin anormal (estado de absorção de energia em excesso) no meridiano esplênico. Esse fato parece condizer com Leadbeater, que afirma que o glóbulo de vitalidade é absorvido através do chakra esplênico.

Leadbeater descreve os sete raios de força primária, como segue:

O raio violeta-azulado: O raio violeta-azulado flui naturalmente para a garganta, dividindo-se em dois tons: um azul-claro, que continua a vitalizar o centro da garganta, e um azul-escuro e lilás, que prossegue até o cérebro. O azul-escuro se estabelece nas partes inferior e central do cérebro, enquanto o lilás segue até a parte superior, para revigorar os centros de força do alto da cabeça.

O raio verde: Penetra especialmente no plexo solar, inundando o abdômen e vivificando o fígado, os rins, os intestinos e o sistema digestivo.

O raio amarelo (dourado): Primeiro passa pela cabeça, onde deposita energia substancial, depois segue pelo cérebro, direcionando-se principalmente para as doze pétalas da "flor" que está situada no meio do centro de força mais elevado.

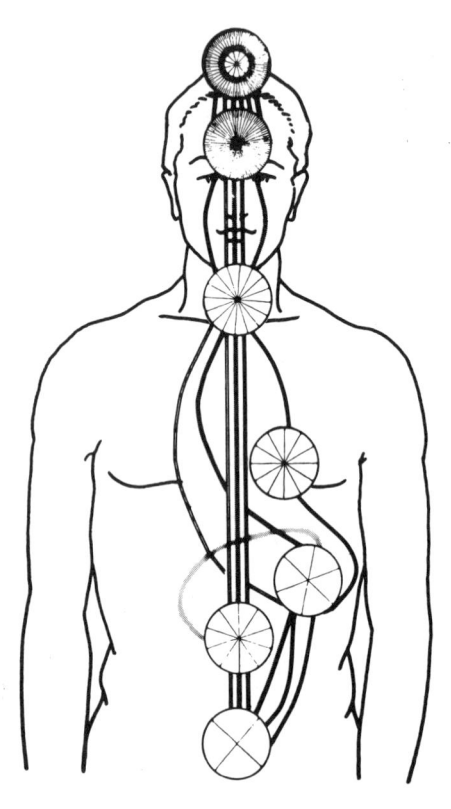

O raio rosa: Conhecido como núcleo ou fonte de vida do sistema nervoso. Ele circula por todo o corpo em todo o sistema nervoso. A única característica deste raio é sua habilidade de impregnar e irradiar energia para outras pessoas. Por exemplo, um homem saudável irradia constantemente essas partículas cor-de-rosa às pessoas ao seu redor, especialmente àquelas que carecem desta energia. Por esse motivo, algumas vezes certas pessoas sentem-se exaustas depois de ficarem algum tempo perto de pessoas debilitadas.

Tal fenômeno acontece também na flora e na fauna. Por exemplo, pinheiros e eucaliptos irradiam uma intrínseca quantidade de energia, por isso estimulam os poderes meditativos superiores.

O raio laranja-avermelhado: Também possui tons de roxo-escuro, e flui dentro da base da espinha, ativando os órgãos urogenitais; geralmente ajuda a manter o corpo aquecido e age como um estimulante do desejo de comer carne. Entretanto, quando uma pessoa desenvolve um sistema de defesa contra esse desejo, o raio pode desviar-se para o cérebro, onde suas três cores (laranja, vermelho e roxo) sofrem uma extraordinária modificação. A cor laranja transforma-se em amarelo-dourado, que ativa o intelecto; o vermelho-escuro torna-se carmesim, produzindo uma inabalável condição de amor ao próximo; a terceira cor, roxo-escuro, transforma-se em violeta-pálido, elevando a espiritualidade. Uma vez realizadas essas transformações, desenvolvem-se poderes perfeitos que capacitam o indivíduo a transcender os desejos sexuais mundanos. Por conseguinte, quando o fogo serpentino for estimulado, ele se verá livre dos grandes perigos inerentes a esse processo.

Segundo a visão de Leadbeater, os centros existem tanto na dimensão etérica como na astral. As descrições apresentadas acima com relação a este tópico retratam os centros como existentes e ativos no corpo etérico. Os vórtices localizam-se na superfície do corpo etérico, e são ativos até certo ponto em pessoas comuns, regularizando suas funções fisiológicas e auxiliando-as a levar uma vida normal.

Embora os centros astrais se assemelhem muitas vezes aos centros etéricos, tanto em aparência como em localização, eles são na realidade entidades diferentes. Localizados no interior do corpo astral, controlam as funções sensorial, mental e espiritual nesta dimensão. O despertar desses centros astrais pode começar apenas depois de ativada a kundalini — o fogo serpentino — localizada no chakra básico. Em pessoas normais, esse fogo serpentino é uma massa inconsciente, inerte, destituída de qualquer iniciativa ou poder concreto. Porém quando completamente desperta, atinge alturas indescritíveis, engrandece a alma e capacita o homem a obter o supremo conhecimento do Universo.

Quando a kundalini chega ao segundo chakra (do baço), a pessoa é capaz de viajar no mundo astral num ligeiro estado de consciência. Ao atingir o terceiro chakra (manipura), desperta-se gradativamente a percepção no corpo astral. Atingindo o nível do chakra anahata, o despertar da kundalini capacita o indivíduo a compreender e a se corresponder com outras entidades astrais. Quando o poder chega ao quinto chakra, o vishuddhi, a pessoa desenvolve o poder de ouvir no plano astral. Com o despertar do sexto chakra (ajna), surge o poder de nítida visão astral. Quando a kundalini chega ao sahasrara, o sétimo chakra, o adepto adquire completo conhecimento da vida astral, dotando-se com a perfeição de todos os poderes astrais.

Observa-se, às vezes, que a glândula pituitária controla o sexto e o sétimo chakras, agindo como um ponto convergente entre a dimensão física e as superiores. Entretanto, em alguns casos excepcionais, os centros se dividem – o sexto relaciona-se com a glândula pituitária, ao passo que o sétimo se associa à glândula pineal – tornando assim possível a comunicação direta entre os planos superiores e os estados mentais inferiores. Nesses casos, os planos astrais intermediários são superados.

De acordo com Leadbeater, os centros astrais agem quase como órgãos de sentido para o corpo astral. Contudo, devemos nos lembrar de que esses centros diferem consideravelmente dos órgãos do sentido do corpo físico. Em primeiro lugar, a essência da percepção astral difere em natureza da percepção física; ela recebe informações da dimensão astral. Além disso, os órgãos astrais não são como olhos, ouvidos, nariz, etc.; eles são centros que reagem às informações vibracionais, que podem ser recebidas de todas as direções. Por este motivo, uma pessoa atuando no corpo astral tem o poder de ver objetos em todas as direções sem nem mesmo virar a cabeça. Gostaria de acrescentar que, de acordo com minha própria experiência, a informação visual no plano astral também pode ser recebida através de outros chakras além do ajna. Portanto, parece que um determinado sentido astral não está necessariamente restrito a um único centro astral.

Leadbeater afirma que quando os centros são ativados apenas no nível astral, a consciência física permanece desconhecedora deste processo. A informação pode ser transposta do astral para o físico somente através dos centros etéricos; portanto, esses centros devem ser despertos completamente para que o homem adquira consciência na dimensão astral. Cada uma das principais escolas de ioga indiana possui seus próprios métodos para despertar tais centros. A raja ioga enfatiza a concentração e a meditação sobre os chakras; em karma ioga, dá-se ênfase à dissolução do karma; em jnana ioga, a pessoa procura desenvolver o prajna, ou a sabedoria; em laya ioga, o adepto empenha-se em adquirir habilidades paranormais e em desenvolver uma interação com seres divinos; em bhakti ioga, a prática está centrada na auto-redenção, no amor e na devoção a Deus; e, finalmente, em mantra ioga, pratica-se a entoação de mantras.

A seguir, apresento um resumo do parecer de Leadbeater a respeito do despertar da kundalini.

A história registra muitas ativações espontâneas da kundalini; porém, acredita-se que, de forma geral, esse seja um processo gradual, e muitas pessoas que estão tentando despertar a kundalini pela primeira vez acharão difícil fazê-lo nesta encarnação. A possibilidade de sucesso desse despertar superior é grande para aqueles indivíduos que estiveram praticando disciplinas iogues durante suas vidas anteriores.

No decorrer da prática da ioga, é fundamental que se tenha completa consciência do valor da orientação do Mestre pessoal (ou do Anjo da Guarda), e que ela seja seguida rigorosamente. Apesar de a idade não ser nenhuma barreira para se obter sucesso na prática iogue, a boa saúde é um pré-requisito básico. O despertar da kundalini é um processo muito árduo, portanto, apenas as pessoas em ótimas condições físicas podem suportá-lo.

No despertar espontâneo do poder serpentino, nota-se um ligeiro brilho no cóccix, no abdômen, ou na espinha. Segue-se uma dor cruciante na medula espinhal, o canal por onde se eleva a kundalini. O sedimento etérico queima-se durante esse doloroso processo de purificação. Apesar da forte resistência, a kundalini continua a elevar-se até brilhar na atmosfera, circundando a cabeça. Nesta etapa, não há nenhum efeito físico danoso, exceto uma pequena perda de consciência temporária e um leve cansaço.

Uma vez ativado, o fogo serpentino deve ser controlado cuidadosamente. Este poder precisa ser dirigido de forma eficaz, em direção aos diversos chakras e dentro de um padrão adequado. Normalmente, o adepto concentra-se num determinado chakra, ativando-o através da infusão de prana; então, a kundalini se eleva e é dirigida para lá. Como os métodos melhores diferem de pessoa para pessoa — pois existem diferenças na constituição, personalidade e fatores cármicos — é indispensável a supervisão rigorosa de um guru.

Durante o segundo estágio, o fogo serpentino atinge o segundo centro etérico; dá-se a preparação para as jornadas astrais conscientes, as quais podem ser repetidas posteriormente.*

Quando o fogo serpentino chega ao terceiro chakra, o praticante experimenta vários tipos de influências astrais na dimensão física. Ele pode achar algumas experiências agradáveis e outras um tanto hostis — com relação a certos lugares, por exemplo — porém, sem qualquer explicação lógica.

Com o despertar do quarto centro, o indivíduo passa a sentir as alegrias e as tristezas dos outros, como se fossem dele próprio; numa etapa posterior, essa experiência pode chegar até às dores físicas.

Ao atingir o quinto centro, o praticante torna-se clarividente nos planos etérico e astral, adquirindo a capacidade de ouvir diversas sugestões astrais.

A vivificação do sexto centro concede à pessoa o desenvolvimento de uma faculdade extraordinária — um estreito tubo etérico, com uma espécie de olho na ponta, posicionado entre as sobrancelhas. Esse tubo pode dilatar-se ou contrair-se para examinar objetos das mais variadas proporções, de acordo com a necessidade da pessoa. Leadbeater observa que o tubo corresponde à pequena cobra pintada na frente do turbante cerimonial dos faraós egípcios.

Finalmente, o despertar do sétimo centro revitaliza a kundalini, facilitando sua passagem por todos os centros etéricos mencionados acima. Ao atingir essa etapa, a pessoa desenvolve a capacidade de transcender a consciência física e experimentar as bem-aventuranças do céu.

Leadbeater cita um interessante fenômeno relacionado com isso, que ele chama de "clarividência casual". No estado de clarividência casual, a pessoa pode ver de relance o mundo astral, apesar de não ter ativado a kundalini. Ele explica esse fato como sendo o resultado de fortes infusões

---

* Um iogue experiente é capaz de, conscientemente, deixar seu corpo físico e transportar-se para locais distantes através da dimensão astral. Esse fenômeno denomina-se projeção astral. Contudo, em pessoas cuja kundalini ainda está dormente, os sonhos podem agir como um veículo para a viagem astral. Por exemplo, uma pessoa que sonha muitas vezes que está voando, pode realmente estar viajando através da dimensão astral; porém, como seus chakras ainda não estão ativados por completo, esta experiência acontece apenas em sonhos.

de prana que reanimam os chakras, ativando-os em níveis superiores. A intensa concentração interior, resultante das condições de ioga dharana ou dhyana, produz às vezes essas clarividências espasmódicas, as quais se relacionam com o despertar do fogo serpentino. Outras vezes, o despertar parcial da kundalini pode ser responsável pelo aparecimento de poderes psíquicos extraordinários. Quando uma pessoa experimenta esses estados de clarividência casual, ela deve praticar perseverantemente para completar a ativação da força da kundalini.

A seguir as qualificações necessárias para o completo despertar da kundalini:

1) Um padrão de vida virtuoso, dentro da ética e da integridade moral.
2) Muita disposição para controlar e canalizar adequadamente a kundalini.
3) Um estado de resignação muito bem desenvolvido para executar todo o processo, sem sucumbir às dores.

Se uma pessoa tenta despertar o fogo serpentino antes de corresponder a esses critérios, poderá deparar-se com os seguintes perigos:

1) Uma vez ativado, o poder serpentino é incontrolável. Isso tende a causar uma dor torturante que afeta todo o sistema somático, podendo provocar a morte. Em alguns casos, é possível que ocorram danos irreversíveis em dimensões mais elevadas do que a física.
2) Apesar de mover-se para cima, ao longo da medula espinhal, a kundalini pode descer. Nesse caso, ela ativa os invisíveis centros animais, localizados nas regiões inferiores do corpo, que, em geral, não são usados pelas pessoas normais e virtuosas.* Isto resulta no súbito aparecimento das mais indesejáveis paixões.

---

* Leadbeater omite os nomes desses chakras predominantes nos animais; porém, segundo a tradição indiana, eles são denominados: Atala, Vitala, Sutala, Talatala, Rasatala, Hahatala e Patala. Esses chakras inferiores localizam-se entre o cóccix e os calcanhares. Diz-se que o muladhara (o chakra básico nos humanos) é o mais elevado dos chakras ativos nos animais, ao passo que no funcionamento normal dos chakras humanos, ele é o mais inferior.

3) Na intensificação básica da kundalini podem surgir as piores características da personalidade; traços de ambição, de ciúme, de egoísmo, etc. são intensificados até atingir um grau inacreditável, danificando os diversos núcleos do processo da vida.

Assim, embora o despertar do poder serpentino possa levar o praticante à libertação espiritual, sérios perigos o aguardam caso não esteja convenientemente preparado. Leadbeater enfatiza a necessidade de desenvolver o amor altruísta e de dedicar muito tempo e energia à melhora da sociedade, antes de entregar-se à prática destinada ao despertar da kundalini. Além disso, é necessária a sábia orientação de um guru para evitar o despertar prematuro e para acompanhar os perigos.

Leadbeater continua a discutir a "rede etérica", uma simples camada de minúsculos átomos físicos impregnados de força vital que envolve o corpo físico como um revestimento. Esta rede esotérica age como uma compacta barreira para todas as forças, com exceção da força divina, que passa pelo corpo físico e pelo astral. Portanto, a principal função dessa rede é proteger o corpo físico da influência de entidades astrais, enquanto permite que a força divina entre livremente. Ela impede a abertura precoce dos dois corpos, pois isso seria potencialmente perigoso para pessoas cujos chakras e nadis não estivessem purificados adequadamente. Devido ao fato de esta rede etérica ser a única barreira entre os centros astral e etérico, qualquer prejuízo em sua delicada estrutura pode causar distúrbios emocionais e físicos.

Segundo Leadbeater, o consumo constante de bebidas alcoólicas e o uso de narcóticos, de drogas, de fumo, etc. podem eventualmente enfraquecer esta rede de proteção. Tais estimulantes voláteis solidificam os átomos, de forma que a pulsação da rede etérica fica muito restrita e seu crescimento é paralisado. Isso leva à ossificação da rede e à interrupção do influxo normal de energia vital. Em conseqüência, é provável que se manifeste o materialismo grosseiro, a brutalidade, o animalismo, a perda das emoções mais elevadas, a falta de empatia, o egoísmo, a ira e outras dessas características — em suma, surge um comportamento irresponsável e regressivo.

Leadbeater insinua que os prejuízos na rede etérica podem afetar diretamente o corpo astral, produzindo danos que permanecem mesmo depois da morte. Nesses casos, o corpo astral de uma pessoa pode ficar paralisado e sem qualquer ajuda por muitas semanas ou meses após ocorrer a morte física.

Assim, para que a espiritualidade de uma pessoa evolua dentro do curso da existência, é importante que ela desista de todos os hábitos anti-sociais. O corpo etérico e o astral precisam ser purificados, e a matéria atômica da rede etérica mantida cuidadosamente limpa. Isso permitirá a abertura natural e gradual da rede etérica, facilitando a comunicação entre o corpo etérico e o astral; ao mesmo tempo, as influências desagradáveis vindas de planos inferiores (isto é, dos centros animalescos abaixo do chakra muladhara) serão efetivamente eliminadas. Desse modo, o indivíduo é capaz de experimentar o despertar espiritual da forma mais agradável e segura possível.

O trabalho pioneiro de Leadbeater, portanto, oferece explicações precisas e compreensíveis a respeito dos chakras e de suas funções. Completando as descrições dos centros etéricos, à medida que os percebeu, ele fez alusões à correlação destes com os plexos nervosos do corpo físico e de sua relação com os chakras astrais. Além disso, suas descrições sobre a função da kundalini e da rede etérica são concisas e valiosas por excelência. Resumindo, as explanações de Leadbeater sobre os chakras mostram um caminho que nos leva a um entendimento básico do conhecimento esotérico.

No próximo capítulo, veremos os chakras segundo as descrições de Swami Satyananda Saraswati, um consumado guru contemporâneo vindo da Índia, que possui um amplo conhecimento tanto sobre a ioga convencional como sobre a ioga tântrica.

VIII
Os Chakras e Nadis
Descritos por Swami Satyananda Saraswati

Swami Satyananda Saraswati é um guru indiano muito respeitado que escreveu inúmeros trabalhos sobre a ioga tântrica e sobre os chakras. Nasceu no Himalaia em 1923 e tornou-se discípulo de Swami Shivananda em 1947. Depois de doze anos de prática espiritual com seu mestre, passou nove anos peregrinando pela Índia a fim de aperfeiçoar seu sadhana. Em 1964, estabeleceu-se em Monghyr e fundou a Bihar School of Yoga. Assim, sob sua orientação surgiram muitos centros de ioga e *ashrams* por todo o mundo.

Swami Satyananda extraiu a essência da prática da ioga tradicional e criou seu próprio sistema de tantra para atender às necessidades dos tempos modernos. Nosso Institute for Religious Psychology (Instituto de Psicologia Religiosa), em Tóquio, mantém um intercâmbio com sua organização, por meio do qual utilizamos suas doutrinas iogues; além disso, ele tem plena liberdade para consultar nossas pesquisas científicas.

Segundo Satyananda, a palavra chakra refere-se a um centro de energia psíquica no corpo astral, centro este que controla certas habilidades elevadas ou paranormais. Também afirma que cada chakra se relaciona diretamente com um determinado sistema ou órgão do corpo físico, inclusive o cérebro. Muitos desses centros estão inativos ou num estado de atividade mínima nos seres humanos comuns. No curso natural da evolução, tais centros tornam-se gradualmente mais ativos até atingir todo seu potencial. Contudo, a ciência da ioga oferece um método seguro de encurtar, de forma extraordinária, este longo processo de evolução — o desenvolvimento sistemático e o despertar dos chakras. Satyananda enfatiza que o principal objetivo de se desenvolver os chakras é justamente esta aceleração do processo evolutivo.

O CHAKRA AJNA

Satyananda aconselha ao praticante ativar o chakra ajna antes de qualquer outro. Justifica dizendo que, uma vez desperto, este chakra tem o poder de anular o carma; dessa forma ele ajuda a diminuir os perigos que podem surgir quando o carma dos chakras inferiores é ativado. A seguir, apresento um resumo de seu parecer sobre o chakra ajna.

Derivada originalmente das raízes sânscritas, com o sentido de "saber" e de "seguir", a palavra ajna significa "comandar". Por esta razão, o termo ajna é freqüentemente utilizado como "centro de comando", o qual recebe orientações de um guru (veja a seguir). Localiza-se no ponto em que os três nadis principais (ida, pingala e sushumna) se fundem para formar uma única passagem, que continua a subir até o chakra sahasrara. Parte da combinação da energia vital aqui reunida, provinda dos três nadis, flui para o sahasrara, enquanto o restante se dispersa pelos corpos físico, astral e causal. No chakra ajna os três nadis formam o Rudra-granthi ou o "nó de Shiva", o terceiro dos "nós" psíquicos que devem ser desatados para que a kundalini se eleve até o sahasrara. No corpo físico, o ajna relaciona-se diretamente com a glândula pineal e com o ponto entre as sobrancelhas, ponto este freqüentemente escolhido para a concentração neste chakra.

O chakra ajna localiza-se na extremidade oposta do sushumna

com relação ao chakra muladhara, e qualquer alteração ocorrida num reflete instantaneamente o mesmo efeito sobre o outro. Os símbolos contidos nesses dois chakras também se assemelham: ambos possuem um triângulo invertido, o símbolo da força geradora ou criadora.

A concentração no ajna coloca o praticante em contato com grandes forças existentes nos nadis ida, pingala e sushumna, levando-o a profundas alterações psíquicas e à purificação da mente. Uma vez alcançada tal purificação, o iogue pode praticar com segurança a concentração nos demais chakras. Entretanto, se este estágio não for cumprido com rigor, o praticante correrá grandes perigos devido à ativação do carma acumulado nos outros chakras, especialmente no muladhara, considerado o maior depósito de carma. Com o chakra ajna ativo, o praticante é capaz de manter a calma sem ser afetado quando essas forças são desencadeadas.

Ao ativar-se o chakra ajna, o praticante entra em contato com a consciência superior através da liberação do grande acúmulo de energia latente na glândula pineal. (Observe que Satyananda associa o ajna com a glândula pineal, enquanto Leadbeater o associa com a glândula pituitária.) "Contato com a consciência superior" pode parecer uma concepção um tanto vaga, e de fato trata-se de um assunto um pouco difícil de explicar. Refere-se ao contato direto com o "guru interior" — ou seja, uma fonte inata de profundos conhecimentos e uma grande ciência existente no interior do chakra ajna de todas as pessoas. Também é possível entrar em contato com o "guru exterior" — o anjo da guarda das pessoas. Quando o praticante entra num estado de concentração profunda, a autopercepção e a consciência do ego desaparecem temporariamente; assim, ele pode ouvir a voz do guru interior e do exterior. Por esta razão, o chakra ajna é conhecido como "centro de comando". Comunicações telepáticas e percepção de clarividência também podem ser desenvolvidas com o despertar do chakra ajna.

No interior do círculo do diagrama que representa o chakra ajna existe um triângulo invertido. Ele simboliza o criador, a força mãe, a força material e a manifestação. Em contrapartida, o triângulo em pé (como o encontrado no yantra do chakra anahata, ✡) representa a consciência-percepção inativa. Dentro do triângulo, atrás da letra " ३ ", existe uma forma de coluna, conhecida como linga. Embora o linga seja convencionalmente visto como um símbolo fálico, Satyananda afirma que na ioga tântrica ele é primariamente um símbolo do corpo astral, denominado linga sharira em sânscrito. O círculo simboliza o shunya, o vazio.

Trata-se de um dos três atributos do samadhi, o estado de superconsciência. Os outros são chaitanya (consciência completamente ativa) e ananda (glória). O estado de shunya permanece inacessível para aqueles cuja consciência esteja confinada aos limites de tempo e espaço.

O corpo astral pode ser observado extra-sensorialmente em três formas, representado por Shiva-lingas nos chakras muladhara, ajna e sahasrara. No muladhara, ele é visto como uma coluna de gás cinzento inconstante. À medida que nossa concentração se aprofunda, o corpo astral aparece bem escuro (preto) no chakra ajna. Com uma concentração contínua, este Shiva-linga torna-se iluminado, como uma luz brilhante no sahasrara. Esses três estágios são conhecidos como consciência astral indistinta, escurecida e luminosa, o que representa a purificação e a evolução progressiva da mente.

A sílaba OM, o mantra bija do chakra ajna, localiza-se no interior do círculo; trata-se do símbolo da superconsciência. Acima da lua sobreposta e do bindu (um ponto) existe a cauda esguia, que representa a parte mais sutil da consciência. As duas pétalas localizadas a cada lado do círculo encerram as sílabas Ham e Ksham, os mantras bija de Shiva e de Shakti, respectivamente.

Satyananda vê a aura do chakra ajna de cor cinzenta, apesar de admitir que os outros pesquisadores a descreveram como transparente. Leadbeater, por outro lado, afirma que o ajna emite uma aura de cor violeta-escura. Tais descrições assemelham-se no que diz respeito às cores escuras; as ligeiras diferenças podem ser atribuídas ao fato de Satyananda referir-se à aura existente na dimensão astral, ao passo que Leadbeater descreve a aura etérica.

O CHAKRA MULADHARA

A palavra muladhara tem o sentido de "raiz" (mula) e de "base" (adhara); é, portanto, a raiz, o fundamento dos sete chakras.

Satyananda sugere que mula é entendido melhor como mula-prakriti, a base transcendental da natureza física na tradição Sankhya da filosofia indiana. (Prakriti é a matéria caracterizada como feminina, em contraste com o masculino purusha — espírito., Mula-prakriti é a origem primordial de todo o processo de evolução natural, o princípio ao qual a matéria retorna depois de desintegrada. É responsável por todos os aspectos do homem — tanto físico como material e psicológico — inclusive pela consciência e inconsciência. O muladhara é a sede de mula-prakriti, a grande Shakti; ali jaz a força transcendental pronta para ser ativada.

No corpo físico, o chakra muladhara localiza-se no períneo (a região entre o ânus e os órgãos genitais). Ligado diretamente aos testículos, está associado aos nervos sensoriais que os alimentam. No corpo feminino, localiza-se no colo do útero. As antigas escrituras iogues associam o muladhara ao elemento terra, cujo atributo principal é o olfato; assim, no nível físico o muladhara está ligado ao sentido do olfato e com o nariz.

Segundo a tradição, o muladhara é representado por um lótus de quatro pétalas vermelhas; cada uma delas contém uma letra sânscrita (Sam, Vam, Sham e Śam); cada letra representa as vibrações individuais dos nadis correspondentes. O mantra bija deste chakra é Lam, o som que representa o elemento terra. A divindade feminina reinante é Dákini, terrível e de olhos vermelhos; seu correlativo masculino é Ganesha, encarnado na forma de um elefante.*

O triângulo invertido no diagrama do muladhara simboliza shakti, a energia criadora. Conforme exposto anteriormente, o Shiva-linga ou a forma fálica no interior do triângulo representa o corpo astral. A serpente enrolada em volta dele é o símbolo da kundalini. A kundalini apóia-se num elefante, cujas sete trombas representam os sete minerais indispensáveis para o sustento do corpo físico. O quadrado amarelo dentro do pericarpo que abriga esses símbolos é o yantra — símbolo de uma energia psíquica especial — do chakra muladhara. Esta configuração significa o elemento terra e seu tipo correspondente de energia.

Satyananda explica a importância dos yantras da seguinte maneira: a existência humana compõe-se de muitos corpos, cada um contendo diversos centros nervosos, hemoglobina, oxigênio, carbono, etc.; o corpo astral — o corpo psíquico, o grande inconsciente — compõe-se de muitos aspectos ou dimensões; uma delas é um agregado de símbolos geométricos; outra compreende vibrações sonoras — o mundo dos mantras. Quando uma pessoa entra num estado de meditação profunda, através da concentração num determinado chakra, ela transcende a consciência do ego; entra realmente num reino onde existem apenas vibrações sonoras de um único mantra, nada mais. Da mesma forma, é possível experimentar a dimensão onde não há mais nada além do padrão geométrico — o mundo dos yantras.

Com base em tal experiência, Satyananda fala da realidade do mantra e do yantra. "Yan" significa "conceber" e "tra" significa "liberar"; ambas têm o mesmo significado essencial. Concentrando-se num determinado yantra, o indivíduo percebe sua consciência conforme um padrão preestabelecido. À medida que aumenta a concentração, o yantra é ativado e a consciência assume gradualmente sua forma simbólica. Uma vez ocorrida a unificação total, libera-se então a mente. Cada um dos sete chakras possui um yantra. Através da concentração sobre um determinado chakra, experimenta-se a dimensão mística da personalidade onde existem os yantras e, mais especificamente, o princípio do próprio chakra.

---

* No Japão, Ganesha é conhecido como Kangiten ou Shoten-sama (divindade sagrada do prazer); costuma ser retratado como um casal abraçado, cada um deles metade humano e metade elefante.

Uma das mais importantes funções do guru é escolher o chakra apropriado para o indivíduo se concentrar, ato que se executa pronunciando-se o mantra correspondente e visualizando-se o yantra. Em minha opinião, o guru baseia esta sua escolha nas características cármicas da pessoa. O carma das vidas passadas cria uma série de padrões de elementos físicos e psicológicos. Na dimensão do yantra, esses padrões podem ser observados em forma geométrica. O carma da pessoa tende a ser alterado e purificado de uma forma mais eficiente através da ativação do chakra adequado com sua penetrante influência em todos os níveis do ser humano. Um dos melhores métodos de ativar o chakra é a estimulação direta do reino yântrico da consciência através da visualização do yantra.

Conforme já verificamos, a kundalini está adormecida, feito uma cobra enrolada no chakra muladhara. Dentro do muladhara existe uma formação semelhante a um nó, conhecida como o Brahma granthi. Quando este nó é desfeito, shakti, o poder da kundalini, começa a subir pelo nadi sushumna, no interior da espinha dorsal. Existem dois outros granthis ao longo do sushumna: o granthi Vishnu no chakra anahata, e o granthi Rudra no ajna. Esses nós psíquicos formam uma barreira que impede a elevação da kundalini, porém uma vez desatados, o poder serpentino pode continuar sua subida, e o praticante recebe muita sabedoria e poder.

Quando a kundalini se ativa como resultado da prática do ioga ou de outras disciplinas espirituais, ocorre um alvoroço explosivo procedente dos domínios da inconsciência. Parece-se com a irrupção de um vulcão, onde a lava escondida em seu interior é expelida para fora. Tal descarga pode conter o carma de muitas encarnações passadas, extraído subitamente do depósito inconsciente do muladhara. Mais uma vez, não se esqueça: o chakra ajna deve ser ativado antes de qualquer outro, assim essas poderosas forças inconscientes podem ser controladas com segurança.

A kundalini possui duas qualidades contrastantes. Enquanto jaz dormente no muladhara, ela existe apenas na condição inativa e além dos limites de tempo e espaço. Todavia, quando ativada, transforma-se num tipo de força material, sujeita às leis da dimensão física. O mesmo acontece com o mula-prakriti universal que, embora transcenda o tempo e o espaço antes da criação da natureza, adapta-se cada vez mais a essas leis à medida que avança no processo evolucionário.

Quando o muladhara desperta, ocorre um grande número de fenômenos. A primeira coisa que muitos praticantes experimentam é a levitação do corpo astral. Algumas pessoas têm a sensação de estarem flutuando no espaço, deixando o corpo físico para trás. Isso ocorre devido à energia da kundalini, cujo impulso de ascensão faz com que o corpo astral se desprenda do físico, deslocando-se um pouco para cima. Esse fenômeno limita-se à dimensão astral e possivelmente à mental, e é diferente da levitação conhecida normalmente — a deslocação real do corpo físico.

Além da levitação astral, às vezes alguns experimentam um fenômeno psíquico tal como a clarividência ou a clariaudiência. Outras manifestações comuns são os movimentos ou o aumento de temperatura na região do cóccix, e a sensação de algo se movendo vagarosamente para cima na coluna vertebral. Tais sensações resultam na ascensão do shakti, a energia da kundalini ativa.

Em muitos casos, quando o shakti alcança o chakra manipura, ele começa a descer, de volta para o muladhara. Muitas vezes o praticante tem a sensação de que a energia sobe até o alto da cabeça, porém na maioria das vezes apenas uma pequena quantidade de shakti é capaz de ultrapassar o manipura. É necessário tentar repetidas vezes para que a kundalini se eleve mais além. Segundo Satyananda, uma vez ultrapassado o manipura, não se encontra mais nenhum obstáculo sério. Porém, surgem muitos problemas durante o estágio em que a kundalini ativa apenas os chakras muladhara e svadhishthana.

O despertar do chakra muladhara libera todos os tipos de emoções reprimidas, de forma tão explosiva que o praticante muitas vezes torna-se irritadiço e psicologicamente instável. Um dia ele consegue dormir um sono profundo por muitas horas, no outro pode acordar no meio da noite, completamente sem sono, a fim de meditar ou de tomar um banho. Ele também torna-se temperamental; às vezes, pode estar comunicativo, bastante alegre para cantar, e outras vezes torna-se facilmente enfurecido, a ponto de atirar objetos nas outras pessoas. Durante esse estágio de instabilidade emocional e psíquica, é imprescindível a orientação de um mestre experiente e qualificado. O despertar do chakra svadhishthana leva a um estado semelhante: sentimentos de ira, tristeza, incerteza, insensatez, etc. podem chegar a um ponto quase insuportável. Em vez de tentar evitar esse período tumultuoso, o praticante deve enfrentá-lo, porém com a supervisão de seu guru. Tal torrente de sentimentos não é sinal de degeneração ou de mau caráter, mas sim parte integrante do processo evolucionário. Se esses estágios forem evitados ou suprimidos, não será possível mais nenhum tipo de progresso.

Existem outros chakras inferiores subordinados ao muladhara, que são: Atara, Vitara, Sutara, Talatara, Rasatara, Mahatara e Patala. Localizam-se entre o cóccix e os calcanhares e controlam os instintos animais. Embora o chakra muladhara esteja num plano superior em relação a estes sete, nele predominam a paixão e os instintos animais. Todavia, o shakti divino também reside nele; assim, uma pessoa comum pode eventualmente entregar-se ao domínio dos chakras inferiores, comportando-se instintivamente como um animal. Entretanto, acredita-se que ela sempre retornará ao muladhara ou a outros chakras humanos superiores. A correta prática da ioga kundalini, no entanto, faz com que seja impossível a kundalini descer para esses centros animais devido à transformação do shakti, no muladhara, em energia espiritual (ojas), o que faz com que ele suba pelo sushumna.

Os três nadis principais – ida, pingala e sushumna – originam-se no muladhara. Eles são os mais importantes dentre os supostos 72.000 nadis no corpo (apenas uma fonte dá uma estimativa de 300.000). Satyananda afirma que embora a palavra "nadi" seja freqüentemente traduzida por "nervo", ela deriva da raiz *nad*, "fluir". Portanto, deveria ser interpretada como o fluxo de consciência psíquica e não simplesmente como um conduto físico para esse fluxo.

O nadi ida começa no lado esquerdo do chakra muladhara, o pingala no direito, e o sushumna a partir do centro. No interior do sushumna existe um nadi mais sutil, o chitra, e dentro deste encontra-se o nadi Brahma, mais sutil ainda. Portanto, o sushumna pode ser considerado um conduto para dois fluxos de consciência. Partindo do muladhara, o sushumna segue em linha reta até o chakra ajna. O ida e o pingala sobem pela espinha num movimento espiral, entrecruzando-se na altura de cada chakra. Finalmente, o ida chega ao chakra ajna pela esquerda e o pingala pela direita. Acredita-se que o ida controla as atividades mental e psíquica, enquanto o pingala controla o prana e as diversas atividades físicas. O fato de alternarem suas posições ao atingir cada chakra, ajuda a manter o equilíbrio entre a energia psicológica e a física, assegurando a harmonia entre as atividades do corpo e da mente. Satyananda afirma que se houver um desequilíbrio no fluxo de energia nos nadis ida e pingala, o shakti não poderá fluir, muito menos subir pelo sushumna.

O CHAKRA SVADHISHTHANA

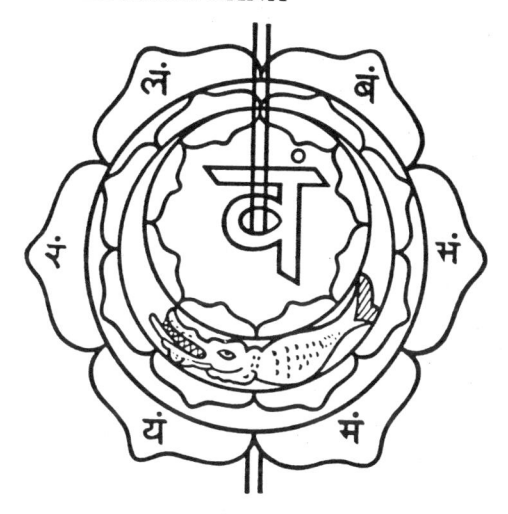

A palavra svadhishthana significa literalmente "morada própria". Isso deixa claro que a morada original da kundalini era neste chakra; subseqüentemente ela passou a se estabelecer no muladhara.

De fato, essa teoria corresponde à migração física dos testículos masculinos durante o período vivíparo. Nos primeiros meses, eles se localizam dentro do abdômen inferior; então descem gradualmente para, afinal, se estabelecer na região da virilha. Logicamente, os órgãos sexuais possuem estreita relação com a energia shakti, e esse movimento é muito semelhante ao da suposta migração da kundalini. Segundo Satyananda, o svadhishthana localiza-se no cóccix, ao lado do muladhara, e ambos estão ligados aos plexos nervosos sacral e coccígeo.

A explicação de Satyananda sobre o svadhishthana e o inconsciente é muito interessante. Ele afirma que o centro do cérebro ligado ao svadhishthana controla todas as fases da mente inconsciente, em particular o inconsciente coletivo. Este inconsciente é mais poderoso do que o individual e controla grande parte do comportamento humano, embora muitas pessoas o desconheçam por completo. Todas as experiências da vida cotidiana, quer sejam importantes para a pessoa quer não, quer sejam conscientes quer não, são registradas no centro da inconsciência, o svadhishthana. Portanto, este centro encerra não apenas o carma das vidas passadas, como também todas as experiências e carmas relacionados que têm contribuído para o processo da evolução humana. Parte deste carma é guardado como semente adormecida, e outra parte mantém-se ativa. Seja ele ativo ou inativo, é raro que a consciência da pessoa esteja ciente de seu carma. Contudo, quando a kundalini ativa começa a subir, acionando o processo de evolução psíquica, ambos os carmas, o ativo e o dormente, são desencadeados e invadem o consciente. Se a pessoa não puder analisar ou controlar este carma acumulado no svadhishthana, então a kundalini se retrai, voltando para o muladhara.

Nesse sentido, o chakra svadhishthana e o carma acumulado nele são um grande impedimento para a evolução espiritual do ser humano. A melhor forma de superar esta barreira é despertar primeiramente o chakra ajna. O superconsciente que habita o ajna está completamente ciente das atividades da mente inconsciente do svadhishthana, e pode controlar todo o carma desencadeado.

A essa altura da explanação, seria muito válido expor um resumo das opiniões de Satyananda sobre a evolução humana.

A criação da vida se dá quando o prakriti (a substância original) se manifesta, ordenado pela consciência de purusha (espírito, o Ser Verdadeiro). À medida que a matéria sofre uma série de transformações, realizam-se sucessivos estágios na evolução animal, e os sete chakras inferiores, que existem nos humanos abaixo do muladhara, são desenvolvidos e ativados gradativamente. Quando esse processo atinge o chakra muladhara, termina a evolução animal e começa a humana. Os seis chakras superiores representam a extensão completa do possível desenvolvimento humano. Segundo a tradição tântrica tibetana, acima do sahasrara existe uma outra série de sete chakras que corresponde à evolução dos seres divinos. Portanto, assim como o muladhara é considerado o mais elevado dos animais e o mais baixo dos chakras humanos, o sahasrara pode ser visto como ponto de transposição entre a evolução humana e a evolução divina.

No tantra, então, o processo infinito de evolução é descrito em termos de chakras, desde o Absoluto – o estado anterior à criação, antes da interação do purusha e prakriti – até a criação do mundo fenomênico, os reinos animal e humano, a dimensão dos seres divinos e assim por diante. Esse conceito tem por base a crença no progresso da evolução espiritual de todas as coisas criadas e reconhece a importância dos chakras neste processo. Esse sistema é a base das tradições esotéricas da ioga e do Budismo na Índia, no Tibete e no Nepal.

A esse respeito, Satyananda contesta que grande parte das experiências comuns passadas durante o processo da evolução animal esteja guardada no interior do chakra muladhara, em forma de tendências cármicas e habilidades latentes. Por exemplo, muitas das atividades físicas do homem — dormir, comer, evacuar — são funções desenvolvidas durante o estágio da evolução animal, e ainda operam devido à atividade desse chakra. Assim, o carma de natureza animal do homem está ativo e em funcionamento no muladhara.

Em contrapartida, o carma do svadhishthana está quase que completamente inativo, sem qualquer forma manifesta. Ele existe apenas como inconsciente coletivo, a força cármica residual da evolução passada. Nesse sentido, é ainda mais básico do que o muladhara, a fonte primária do último carma animal. As forças contidas dentro do svadhishthana são muito poderosas e irracionais, formam uma grande barreira para a elevação da kundalini. Muitas vezes, a kundalini retornará para seu estado dormente no muladhara, vencida pelo carma impenetrável do svadhishthana. Entretanto, quando o último chakra for ativado e controlado, o carma animal do muladhara será dominado, então serão possíveis novos progressos.

Num sentido mais amplo, dizem que, sempre que um chakra superior for ativado pela kundalini, suas funções e seu raio de ação começam a predominar sobre os chakras inferiores. Todavia, o relacionamento entre esses dois chakras é tão notável e tão íntimo, que deve ser cuidadosamente observado.

O diagrama tradicional do chakra svadhishthana contém um crocodilo dentro de uma lua crescente. O crocodilo representa as forças do inconsciente, o carma disforme. A lua crescente é formada por dois círculos, o maior possui pétalas viradas para fora e no menor as pétalas estão viradas para dentro. O círculo interior representa a existência um tanto fantasmagórica do inconsciente, apoiado nas costas do crocodilo.

A divindade reinante é Brahma, o criador. Algumas vezes ele é descrito como o Hiranya-garba, "o útero de ouro", pelo fato de todas as criaturas se originarem dele. Satyananda considera Hiranya-garba como sendo o inconsciente coletivo de svadhishthana. A entidade feminina deste chakra é Sarasvati, a deusa da sabedoria;* ela aparece também na

---

* No Japão é conhecida como Benzaiten, a deusa do conhecimento, da música, da poesia, etc. Geralmente escondida próxima a lugares que contêm água, é retratada na maioria das vezes segurando um alaúde.

forma de Rakini, a deusa do reino vegetal. O chakra svadhishthana está diretamente ligado ao mundo vegetal, portanto é muito importante seguir uma dieta vegetariana para poder despertá-lo.

As seis pétalas vermelhas deste chakra contêm as sílabas Lam, Ram, Yam, Mam, Bam e Bham. O princípio governante (tattva) é a água (apas); o yantra é a branca lua crescente e seu bija mantra é Vam.

O chakra svadhishthana associa-se ao sentido do paladar, portanto seu "órgão de conhecimento" é a língua. Seus "órgãos de atividade" são os órgãos sexuais e os rins. Ele também está ligado diretamente ao plexo nervoso prostático.

Quando o chakra svadhishthana é ativado, surgem as seguintes habilidades paranormais: aumento do poder de intuição, conhecimento do corpo astral e capacidade de criar sensações de paladar em si próprio ou em outras pessoas (um determinado gosto na boca sem nada ter comido).

O CKAKRA MANIPURA

Satyananda afirma que o manipura localiza-se na coluna vertebral atrás do umbigo. A palavra "manipura" quer dizer "repleto de jóias". No Tibete, este chakra é conhecido como "manipadma", ou seja, "lótus enfeitado com jóias". (Ver o famoso mantra de Avolokitesvara,

Bodhisattva da Compaixão: OM MANI PADME HUM.) Segundo a tradição budista, o manipura também é denominado hara, que significa "partir", porque dizem que o shakti kundalini parte do manipura para sua ascensão. Conforme já pudemos verificar, existe uma forte tendência de a kundalini descer depois que atingir o chakra svadhishthana; porém, depois de chegar até o manipura, dificilmente isso ocorrerá. A tradição budista tibetana ensina que o processo da verdadeira evolução espiritual começa quando a kundalini é ativada no manipura e começa sua ascensão. Na realidade, os chakras muladhara e svadhishthana não são descritos com muita clareza, provavelmente porque possuem traços da vida animal. Na ioga tântrica o manipura também é considerado o ponto de partida para a mais elevada evolução humana.

O tattva do chakra manipura é o fogo, um elemento intimamente ligado ao shakti e ao despertar da kundalini. No corpo físico, acredita-se que o manipura seja o centro do "fogo digestivo" que reduz o alimento a detritos (fezes) e extrai a energia vital. Também conhecido como o chakra do sol, o manipura relaciona-se com o plexo solar.

O despertar deste chakra traz como conseqüência aspectos positivos e negativos. Como vimos, quando a kundalini chega até o manipura e nele se fixa, a possibilidade de uma regressão permanente ao reino animal da consciência é mínima. Satyananda atribui a isso o nome de "despertar confirmado". Aqui desperta a consciência de Jiva, a alma individual. Oculto na consciência humana convencional, o jiva é a consciência espiritual pessoal que abrange todas as dimensões da evolução, desde a criação da mais ínfima forma dos reinos da natureza até o mundo dos seres divinos. Uma vez desperta esta consciência no manipura, segundo Satyananda, ela nunca retornará às dimensões animais.

Contudo, de acordo com minha própria experiência, parece que o shakti retorna algumas vezes ao muladhara depois de atingir o manipura.

O aspecto negativo disso é o fato de a superestimulação do manipura poder diminuir o período de vida do praticante. Isso ocorre porque o fogo ativado neste chakra queima o néctar sustentador da vida, que dizem ser produzido no bindu – o centro psíquico na parte posterior da cabeça, representado por uma pequena e gelada lua crescente. Normalmente esse néctar desce para uma glândula na garganta (ligada diretamente ao chakra vishuddhi), onde é estocado. Entretanto, o fogo do manipura consome o néctar, causando um enfraquecimento acelerado do corpo.

udana

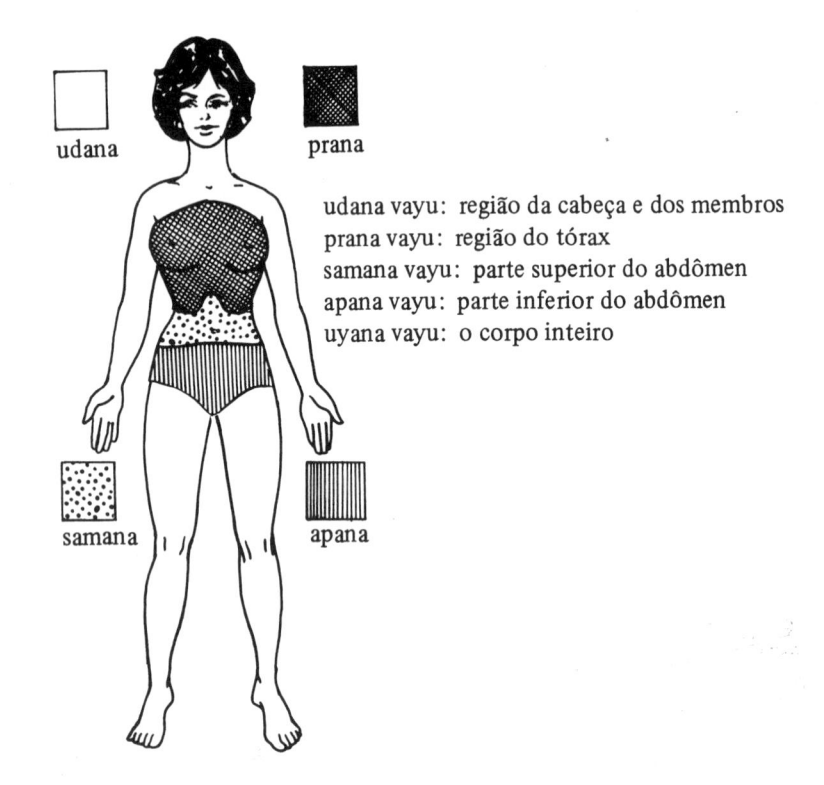

prana

samana

apana

udana vayu: região da cabeça e dos membros
prana vayu: região do tórax
samana vayu: parte superior do abdômen
apana vayu: parte inferior do abdômen
uyana vayu: o corpo inteiro

Conforme descrito no Capítulo V, o prana divide-se em cinco subtipos ou "ventos" (vayu) distribuídos em todo o corpo; cada um controla uma região diferente, como segue:

Segundo Satyananda, a prática de unir conscientemente o prana ao apana na região do umbigo é muito importante para despertar o chakra manipura. Normalmente, na inspiração, o prana segue da garganta para o umbigo, e o apana desce do umbigo para o ânus. Entretanto, quando o apana é dirigido conscientemente para o muladhara durante a inspiração, para encontrar-se com o prana na região do umbigo (ver pp. 110 e 147), essas duas energias se fundem, gerando uma grande força. Como o apana é elevado a partir do muladhara, ele carrega consigo o shakti kundalini; este shakti é fortalecido com a união apana-prana, e a decorrente supercarga de energia flui diretamente do umbigo para o manipura, na coluna vertebral.

Dizem que o muladhara associa-se com o reino físico; o svadhishthana com o reino intermediário, entre a dimensão física e a espiritual; e o manipura com o mundo espiritual – o reino dos céus. Satyananda refere-se a esses três chakras como os três primeiros dos sete planos possíveis de evolução, que são:

os três planos principais
{
Bhu – terra
Bhuvana – espaço intermediário
Svaha – céu
Mahaha
}
Janana
Tapaha
Satyam – a verdade

Conseqüentemente, as habilidades paranormais resultantes do despertar do svadhishthana – telepatia, clarividência, clariaudiência, etc. – podem não estar completamente livres de interesse próprio, de negatividade, de emoção pessoal e de outros atributos mentais inconvenientes. Isso deve-se ao fato de a personalidade da pessoa continuar dentro do segundo estágio de evolução, e o ser egoísta vinculado à terra ainda manifestar sua influência. Contudo, quando uma pessoa evolui além dos limites da existência mortal e penetra no reino do manipura, ela atinge um estágio de consciência superior, repleto de infinita beleza, verdade e felicidade. Este chakra tem sido descrito tradicionalmente como jóia valiosa em diversas culturas para simbolizar estas qualidades incomparáveis. Nele não existem traços de preconceito ou de tendências pessoais. Assim, os siddhis (poderes paranormais) obtidos quando este chakra é desperto são de natureza benevolente e compassiva; entre eles encontram-se a habilidade de localizar tesouros escondidos, de dominar o fogo, a capacidade de ver o interior de um corpo, de livrar-se de males, e a habilidade de enviar prana para o sahasrara. Além disso, concentrar-se no chakra manipura traz grandes melhoras para a digestão.

O lótus do chakra manipura possui dez pétalas de cor azul-escuro e, em cada uma, está inscrita uma letra sânscrita: Dam, Dham, Nam, Tam, Tham, Dam, Dham, Nam e Pam. Elas compõem vibrações sonoras e cada uma representa um nadi. A divindade feminina governante é Lakshmi (ou Lakini), de cuja boca gotejam gordura e sangue. A entidade masculina é Vishnu. O tattva do manipura é o fogo, cujo bija mantra é

Ram; dentro do diagrama, ele se apóia no dorso de um carneiro. Seu yantra é um triângulo invertido, muitas vezes ilustrado por marcas em forma de T, de cada lado.

O CHAKRA ANAHATA

Dizem que o chakra anahata localiza-se na parte do corpo astral que corresponde ao coração. Portanto, no corpo físico ele está ligado diretamente ao coração e ao plexo nervoso cardíaco, sendo muitas vezes denominado de "chakra do coração". Contudo, em contraste com a pequena área ocupada pelo coração físico, o espaço astral do chakra anahata é muito grande e completamente disforme. Ele é escuro por natureza, porém quando ativado torna-se muito brilhante. Dizem que nele reside a pureza.

A palavra anahata significa "invicto" ou "inviolado". Manifesta-se nele o anahata nada, um som imaterial, contínuo, que não tem começo nem fim.

Para compreender melhor a significação do chakra anahata, precisamos primeiro sumarizar as opiniões de Satyananda sobre o carma.

Derivada da raiz "kri" que significa "trabalhar", a palavra carma indica a lei de causa e efeito, na qual todas as ações produzem seu próprio resultado. Contudo, normalmente ela é utilizada para descrever um tipo de dívida pelas ações de uma pessoa a serem sanadas ou pagas num tempo futuro. Além disso, existem o carma individual e o social ou coletivo, porque as ações podem ser executadas por uma única pessoa, por um grupo ou por toda a sociedade. Satyananda também distingue o carma individual, o qual se origina nas próprias encarnações passadas de uma pessoa, e aquele derivado de seus parentes e antecessores. Assim, existem três principais categorias de débito cármico: a) o resultante das encarnações passadas do indivíduo; b) o herdado de seus familiares; c) o resultante das ações de sua sociedade ou de seu grupo social. Todos esses fatores contribuem para formar o carma de uma pessoa; é preciso dedicar-se a ele; é impossível evitá-lo.

Os três chakras inferiores — muladhara, svadhishthana e manipura — relacionam-se diretamente com os sentidos e com a consciência que governa o corpo físico e sua conservação. Funcionando dentro de um mundo fenomênico, a mente desses três chakras está vinculada à lei do carma. Em outras palavras, neste nível o jiva (alma individual) não está livre da relação causal entre as ações e suas conseqüências, suas funções dependem do carma, e estão ligadas a ele. Independentemente de sua origem, se ela está nas vidas passadas do indivíduo ou nas ações da sociedade à qual ele pertence, o carma comanda totalmente o indivíduo nos níveis do muladhara e do svadhishthana, até ser de alguma forma esgotado ou purificado. Porém, no nível do manipura, o jiva começa a assumir um controle parcial, e pode, até certo ponto, agir sob sua própria vontade.

Em contrapartida, a maneira de ser do chakra anahata transcende completamente o reino da existência mundana. Ao contrário dos outros três, ele não está subordinado ao carma desse mundo. Além disso, uma pessoa com o chakra anahata ativo pode receber diretamente as tarefas do carma terreno, e ao mesmo tempo livrar-se dele. Neste nível, o jiva tem condições de controlar o carma terrestre e exercer sua própria vontade na terra, de modo a realizar todos os seus desejos. Esta é a maior diferença entre o anahata e os chakras inferiores. Nos níveis inferiores a alma individual simplesmente aceita o que as circunstâncias cármicas oferecem; no anahata, entretanto, ela pode fazer valer sua própria vontade.

Este poder de cumprimento dos desejos é simbolizado pela "árvore do desejo" — uma planta sempre verde chamada Kalpavriksha — ilustrada dentro de um outro lótus semelhante, abaixo do anahata no diagrama simbólico. Embora esteja presente em todas as pessoas, esta árvore funciona apenas quando o chakra anahata é desperto. Quando uma pessoa desenvolve este poder, dizem que todos os seus desejos são realizados, sejam eles bons ou maus. Portanto, Satyananda faz as seguintes advertências:

Antes de tentar despertar o chakra anahata, é imprescindível desenvolver a capacidade de corrigir os pensamentos e os conceitos. Os maus pensamentos e os maus julgamentos tendem a criar desarmonia e conflitos, principalmente quando uma pessoa com o anahata desperto tem pensamentos errôneos e deseja que se cumpram.

Além do mais, deve-se manter uma atitude de constante otimismo. É preciso compartilhar a paz interior e a harmonia com as outras pessoas, independentemente de qualquer perturbação, conflito ou intenção maliciosa encontrada. A negatividade e o pessimismo são obstáculos para o despertar do anahata. Portanto, até uma pessoa hedonista ou um assassino devem ser tratados como pessoas boas; condições negativas tais como pobreza, doença, conflito emocional, etc., devem ser consideradas, enfim, como fatores benéficos. Na realidade, o desenvolvimento de tal atitude constantemente positiva é considerado um método para despertar o anahata. Segundo Satyananda, também é importante manter o seguinte pensamento: "Todo o mundo está dentro de mim. Eu estou em todas as pessoas. Todas as pessoas estão em mim." Essa sua recomendação baseia-se, provavelmente, na crença hindu de que Brahman, o ser absoluto do cosmos, mora no chakra anahata como Atman, o verdadeiro ser individual. Brahman e Atman são, na essência, os mesmos. De fato, essa concepção é importante tanto para despertar o anahata como para a realização do Absoluto universal.

Satyananda também adverte seus discípulos dizendo que, em geral, depois do despertar e da ascensão do shakti kundalini até um determinado chakra, quando surge na mente do praticante algum pensamento negativo ou atitude pessimista, a kundalini retorna ao muladhara. Se nesta altura ela chegou até o manipura e depois retornou, poderá ser elevada novamente através da ioga ou de outras práticas espirituais. Entretanto, se ela retornar depois de ter atingido o anahata, dificilmente será elevada de novo. Deve ficar bem claro que aqueles que desejam despertar o anahata não podem, em momento algum, perder o otimismo, independentemente das circunstâncias que encontrarem. Portanto, toda pessoa que pretenda despertar a kundalini deve levar essas advertências a sério.

São muitas as habilidades paranormais resultantes do despertar do chakra anahata: a capacidade de controlar o ar (vayu); o desenvolvimento de um amor cósmico, completamente livre do individualismo; a eloqüência, passa a caracterizar o praticante dotando-o de um certo gênio poético; e, conforme mencionamos anteriormente, adquire-se o poder de realizar todos os desejos.

O anahata controla o sentido do tato. Quando desperto, este sentido torna-se cada vez mais sutil, podendo-se perceber até a matéria astral, através do sentido do tato astral. Essa sensação pode então ser comunicada aos outros. Portanto, a parte do corpo relacionada com o anahata é a pele, e seu principal órgão ativo são as mãos.

Além dessas habilidades paranormais mencionadas por Satyananda, desenvolvem-se poderes de cura psíquica. O prana pode ser transmitido pelas palmas das mãos para uma parte doente do corpo de outra pessoa. A famosa técnica de "imposição das mãos" está possivelmente relacionada com a estreita conexão entre o anahata e as mãos. Desenvolvem-se também poderes psicocinéticos.

O lótus do chakra anahata possui doze pétalas vermelhas, onde estão inscritas as letras Kam, Khan, Gam, Gham, Ngam, Cham, Chham, Jam, Jham, Nyam, Tam e Than. O tattva correspondente é vayu (ar ou vento) simbolizado por uma estrela hexagonal, yantra do anahata. Conforme já mencionamos, o triângulo invertido representa o chakti, a forma material, enquanto o triângulo em pé representa Shiva, a consciência. O yantra possui uma cor enfumaçada, e o bija mantra é Yam. Apoiado nas costas de um antílope preto, é um símbolo de vivacidade. Satyananda afirma que o mantra Om Shanti (shanti significa paz interior) pertence ao anahata. A divindade feminina é Kali (ou Kakini); ela está adornada com um colar de ossos humanos. A entidade masculina é Isha ou Rudra.

O anahata possui o granthi Vishnu (nó). Conforme mencionamos antes, os chakras que possuem granthis (muladhara, anahata e ajna) têm uma importância especial. Apenas depois de ativados e de estes nós serem desatados é que a kundalini poderá prosseguir no processo de evolução espiritual.

O CHAKRA VISHUDDHI

No corpo físico, o chakra vishuddhi localiza-se na garganta, correspondendo diretamente à glândula tireóide; ele está relacionado com os plexos nervosos da faringe e da laringe. "Vishuddhi" deriva da palavra "shuddhi" que significa "purificar"; portanto, é considerado o chakra da purificação. Ao contrário dos chakras ajna e manipura, onde ocorre a purificação dos pensamentos e do carma, tem-se o vishuddhi como capaz de purificar o próprio veneno. A natureza dessa purificação pode ser explicada da seguinte maneira:

Na ioga tântrica diz-se que a lua expele ambrosia, consumida pelo sol do manipura. Neste caso, a lua se refere ao cérebro, a região do sahasrara, geralmente simbolizado por uma lua ou uma meia-lua (talvez corresponda aos ventrículos do cérebro) tanto no Hinduísmo como no Taoísmo. Esta ambrosia ou néctar divino que o cérebro segrega flui pelo manipura, onde é consumido como se fosse um combustível de sustento da vida.

O néctar segregado pelo sahasrara tem forma de gotas no bindu visargha, o "ponto" psíquico atrás da cabeça (ver a próxima seção). Ele goteja num chakra menor, chamado lalana, na parte superior do epiglot ou na base do orifício nasal, que funciona como um reservatório desse néctar. É segregado quando se praticam mudras do tipo khechari, e então desce para o chakra vishuddhi. Se este chakra foi ativado, o néctar sofre uma purificação, tornando-se um néctar divino que rejuvenesce o corpo, ocasionando boa saúde e longevidade. Contudo, dizem que se o vishuddhi não estiver ativado, o néctar transforma-se em veneno e desce pelo corpo; passa então a envenená-lo vagarosamente, levando-o ao enfraquecimento e por fim à morte.

Segundo Satyananda, o chakra vishuddhi ativado possui também o poder de neutralizar venenos que provêm de fora do corpo. Na realidade, a glândula tireóide, que corresponde diretamente ao vishuddhi no corpo físico, é reconhecida clinicamente por exercer uma função de desintoxicação.

O despertar do chakra vishuddhi resulta em poderes telepáticos. Apesar de, às vezes, o telepata achar que recebe o pensamento das outras pessoas pelo manipura ou por qualquer outro lugar, o verdadeiro centro de percepção é o vishuddhi. A partir dele, as ondas de pensamento são transmitidas para outros centros, no cérebro ou em outro lugar, onde ocorre o reconhecimento consciente. Juntamente com o muladhara, o vishuddhi é a fonte de todos os sons básicos: dizem que os sons vocálicos se originam nele, conforme inscrito nas pétalas do chakra. Outras habilidades paranormais relacionadas com ele são: a indestrutividade, o completo conhecimento dos *Vedas* — os textos sagrados que contêm a Lei do Universo —, a capacidade de conhecer o passado, o presente e o futuro, e a habilidade de permanecer dias sem comer nem beber (ver a próxima seção sobre bindu).

As dezesseis pétalas do vishuddhi, de cor lilás-acinzentada, possuem inscritas as letras: A, $\bar{A}$, I, $\bar{I}$, U, $\bar{U}$, $\bar{R}$, R, $\bar{L}$, L, E, Ai, O, Au, Am e Ah. Seu tattva é o espaço (akasha), representado por um yantra oval ou circular. O bija mantra é Ham, que está em cima de um pequeno elefante branco dentro de um círculo. A divindade feminina é Shakani, e a masculina Sadashiva. O vishuddhi associa-se ao sentido da audição, portanto, seus órgãos de conhecimento e atuação são respectivamente os ouvidos e as cordas vocais.

Satyananda não considera o sahasrara como um chakra propriamente dito. Ele afirma que os chakras operam dentro da psique humana, manifestando-se em níveis diferentes. O sahasrara, porém, é a totalidade além da individualização. Por este motivo, não aparece descrito no *Tantra of Kundalini Yoga*. Todavia, o bindu está exposto da seguinte maneira:

BINDU VISARGHA

Bindu significa "gota" ou "marca", e bindu visargha quer dizer, literalmente, "queda da gota". Visto que "gota" se refere ao néctar, esta frase ficaria mais significativa como sendo "a sede do néctar".

Segundo a tradição, o bindu localiza-se perto do topo do cérebro, na direção da parte posterior da cabeça. Nesse local, existe uma ligeira depressão, onde se concentra uma pequena quantidade de secreção líquida. Dentro desta depressão existe uma elevação mínima, localização exata do bindu na estrutura fisiológica. Os nervos cranianos partem deste ponto, inclusive os nervos ligados ao sistema óptico.

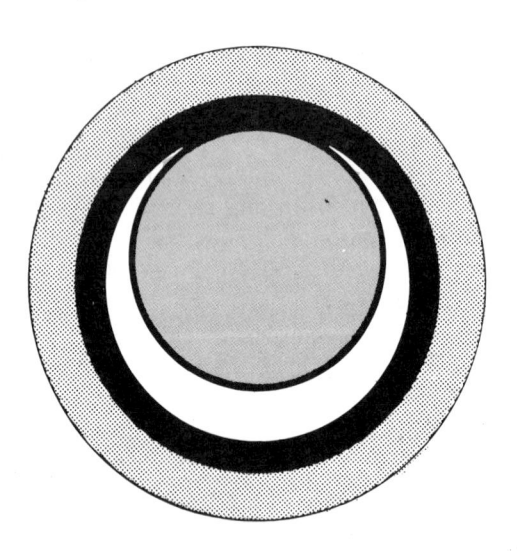

O processo pelo qual o néctar é segregado pelo bindu, estocado no chakra lalana no orifício nasal, e purificado pelo chakra vishuddhi foi descrito na seção anterior. O bindu e o lalana são mais bem interpretados como pequeninos centros psíquicos ligados diretamente ao vishuddhi. Esses pequenos centros não podem ser ativados independentemente deste chakra superior. Por isso, apenas os seis chakras superiores, desde o muladhara até o ajna, são denominados "chakras do despertar".

À medida que o néctar divino, purificado pelo harmonioso funcionamento do bindu, lalana e vishuddhi, começa a descer e atingir todo o corpo, ocorrem fatos extraordinários. Por exemplo, uma pessoa é capaz de viver por longos períodos sem ar, sem comida e sem água. Há casos documentados de iogues que permaneceram enterrados durante quarenta dias, sobrevivendo voluntariamente num estado de hibernação, e depois se recuperaram por completo. Isso torna-se possível através da prática de um tipo especial de mudra khechari, no qual o tendão debaixo da língua é rompido gradualmente durante um período de dois anos, até que possa ser enrolado na epiglote para vedar a passagem respiratória. Isso estimula diretamente o centro lalana; nesse caso, o néctar desce para o vishuddhi, onde é purificado e distribuído por todo o corpo, fornecendo oxigênio e demais nutrientes necessários para a sustentação da vida. O bindu é induzido a produzir mais néctar e, ao mesmo tempo, a necessidade que o corpo tem de ar, comida e água é drasticamente reduzida.* Acredita-se que o néctar flui lentamente pelo metabolismo do corpo e, de fato, os iogues enterrados não apresentaram crescimento dos cabelos.

Em nosso instituto, em Tóquio, elaboramos experimentos que confirmam a afirmação de que o chakra vishuddhi desperto, juntamente com o bindu e o lalana, torna possível o controle consciente do metabolismo, da respiração, da necessidade alimentar, da digestão, etc. (Para maiores detalhes, ver meu trabalho "Western and Eastern Medical Studies of Pranayama and Heart Control", no Vol. 3, n⁰ 1, de *Journal of the International Association for Religion and Parapsychology*.)

Segundo Satyananda, o bindu controla a percepção visual. Os nervos cranianos ligam-no ao sistema óptico. Por esse motivo, qualquer irregularidade no bindu pode causar distúrbios visuais.

O bindu é o centro do nada, ou o som psíquico. Quando o vishuddhi e o bindu são ativados através de práticas como Navamukhi mudra (Capítulo IV), vajroli mudra (Capítulo IV), ou murcha Pranayama (Capítulo III), ouve-se um som imaterial contínuo composto de inúmeras vibrações agudas. Essa experiência aponta a exata localização do bindu.

Por não ser exatamente um chakra, o bindu não é representado por um lótus ou por divindades residentes. Seu símbolo é uma lua cheia — representa o ponto onde começa a individualização — e também uma lua

---

Algumas vezes, atribuiu-se a aquisição desses poderes ao despertar do nadi Kurma ("tartaruga"), associado ao chakra vishuddhi.

crescente, indicando o fato de que apenas uma parte da totalidade infinita existente no sahasrara se manifesta, tornando-se perceptível para o praticante no nível do bindu.

Ambas, a pequena mancha (a lua cheia) e a lua crescente, podem ser observadas no canto superior direito de algumas versões convencionais dos caracteres OM:

ॐ

Assim conclui-se nossa apresentação a respeito das opiniões de Satyananda sobre os chakras. O presente capítulo é também a parte final de nossa revisão das principais literaturas existentes a respeito dos chakras e dos nadis. Para sua melhor compreensão e como um sumário, apresento a seguir uma explanação sobre minhas próprias experiências, experimentos e teorias nesta área da ciência.

IX
Experiências e Experimentos Sobre os Chakras Realizados por Motoyama

Depois de estudar minuciosamente o material descrito nos capítulos anteriores, duas questões intrigavam-me.

A primeira era, simplesmente, "os leitores em geral acreditarão na existência dos chakras?". Acredito que eles existem, e para sustentar a evidência de tal afirmação, passo a relatar aqui as experiências relacionadas com os chakras por mim pessoalmente elaboradas nos últimos trinta anos de prática de ioga. Além disso, é minha intenção descrever as explorações científicas que venho executando a respeito da possível existência dos chakras e de seus sistemas correlacionados. Esta explanação compõe a maior parte do presente capítulo.

Contudo, antes de iniciar, vou expor a segunda questão levantada a partir de meus estudos. Trata-se de um problema que tive com a declaração de Leadbeater; ele afirmou que os chakras por ele verificados eram os verdadeiros, ao passo que as representações tradicionais desses chakras eram apenas simbólicas.

Eu, particularmente, não verifiquei os símbolos em si, no despertar de meus chakras pessoais. Entretanto, minha mãe, uma mulher simples, sem nenhum conhecimento de sânscrito, o fez. Ela costumava comentar o fato de ter visto um símbolo semelhante a um veleiro de ponta cabeça dentro de uma estrela de seis pontas em seu chakra anahata. Refletimos juntos sobre o significado dessa visão. Somente depois de estudar sânscrito, anos mais tarde, é que cheguei à conclusão de que minha mãe vira, de fato, o símbolo associado tradicionalmente ao chakra anahata: —𝜋— , a bija mantra "yam" circundado por uma estrela —✡— . Portanto, me é muito difícil aceitar a opinião de Leadbeater. Comparando isso com as afirmações de Satyananda de que existem de fato diversas dimensões nas quais existem os mantras e os yantras, vim a perceber que os chakras que Leadbeater verificou eram provavelmente aqueles do duplo etérico, como ele mesmo denominou, e não os chakras superiores da dimensão astral e causal. É possível também que se deva a isso o fato de Leadbeater ter omitido o chakra svadhishthana, referindo-se apenas ao "chakra do baço", isto é, ao manipura. Não sei se ele simplesmente não viu o svadhishthana, ou se talvez o tenha excluído de propósito por alguma razão.

Bem, voltando às minhas experiências, fui iniciado na realidade espiritual quando ainda era muito jovem. Minha mãe natural e minha mãe de criação eram devotas espirituais, e me levavam a templos e santuários nas montanhas da Ilha Shodo, onde nasci, quando tinha quatro anos de idade. Elas me ensinaram a entoar sutras budistas e orações Shinto. Juntos cantávamos durante horas.

Elas me levaram também a lugares famosos como centros de energia do asceticismo religioso, tal como a cachoeira de Kobo. Lembro-me muito bem desse lugar. Tínhamos de caminhar oito quilômetros por uma floresta fechada, escura mesmo ao meio-dia, e repleta de cobras d'água. Para mim aquilo tudo era muito assustador.

Durante o tempo que passei com minhas mães, aprendi e experimentei a existência de entidades não-humanas, de entidades que habitam dimensões superiores. A combinação desse tipo de ambiente com meu próprio carma provavelmente me levou a aspirar ao mundo da realidade dimensional superior. Por esse motivo, comecei a praticar ioga há trinta anos. Vou relatar, a seguir, as passagens desta história.

O DESPERTAR DO CHAKRA MULADHARA

Eu tinha 25 anos de idade. Minha prática preliminar consistia em levantar às três horas da manhã, praticar asanas por mais ou menos meia hora, e permanecer sentado durante três ou quatro horas. A primeira parte da meditação era dedicada ao pranayama, a última à concentração em determinado chakra.

Eis o método inicial de pranayama que eu praticava:

Inspire (prana) através da narina esquerda, expandindo o abdômen inferior, por quatro segundos; retenha o prana por oito segundos. Então, eleve a kundalini a partir do cóccix até o abdômen inferior (o chakra svadhishthana) e contraia os músculos abdominais. Visualize a mistura e a unificação do prana com a kundalini durante oito segundos. Expire pela narina direita por quatro segundos. Um ciclo respiratório leva, portanto, vinte e quatro segundos. Repita todo o processo, inspirando pela narina direita e expirando pela esquerda, e assim por diante, alternadamente.

Eu costumava executar esta prática de quatorze a vinte e uma vezes. Depois de um ou dois meses, já era capaz de prolongar o período de kumbhaka (retenção de ar) para um minuto ou um minuto e meio. Quando comecei a me concentrar no chakra svadhishthana ou no ajna, percebi que a série de pensamentos seculares tornavam-se cada vez mais raros em minha mente. Passei a sentir que meu corpo e minha mente possuíam uma extraordinária quantidade de energia.

Como resultado dessa prática, minha condição física e psicológica começou a mudar. Era freqüente eu ter problemas no estômago, e sofria de supuração auditiva. Também costumava ficar extremamente nervoso e afetado mental e fisicamente com a chegada de uma tempestade. Num prazo de seis meses depois do início da prática da ioga, todos esses problemas desapareceram.

No decorrer de uma prática contínua, comecei a observar algumas sensações novas. Tive comichão no cóccix, um tipo de formigamento na testa e no alto da cabeça e uma sensação febril na parte inferior do abdômen. Pude ouvir uma espécie de som semelhante ao zumbido das abelhas na região ao redor do cóccix. Meu olfato tornou-se tão sensível que já não podia mais suportar odores desagradáveis na vida do dia-a-dia.

Tais condições permaneceram por dois ou três meses. Um dia, quando estava meditando diante de um altar, como era de costume, tive uma forte sensação febril no abdômen inferior e notei que lá havia um círculo de luz vermelha escura, semelhante a uma bola de fogo prestes a explodir, no meio de uma nuvem de vapor. Subitamente, um poder inacreditável lançou-se através da minha espinha dorsal até o alto da cabeça e, embora tenha durado apenas um ou dois segundos, meu corpo elevou-se do chão alguns centímetros. Fiquei aterrorizado. Todo o meu corpo estava ardendo, e uma forte dor de cabeça impediu-me de fazer qualquer coisa no decorrer daquele dia. O estado febril continuou por dois ou três dias. Tinha a sensação de que minha cabeça iria explodir de tanta energia. A única coisa que me trazia um certo conforto era o fato de me dar conta da existência do "Portão de Brahman" no alto da cabeça.

Esta foi a primeira vez que experimentei a elevação do shakti kundalini até o alto da cabeça através do sushumna. Não senti a dificuldade física e mental que geralmente acompanha esta experiência, provavelmente devido ao feliz fato de meu Portão de Brahman já estar aberto; dessa forma, o shakti pôde fluir livremente para a dimensão astral.

O DESPERTAR DO CHAKRA SVADHISHTHANA

O sentimento febril que tive ao redor do svadhishthana, durante a prática inicial de pranayama alguns meses antes do despertar da kundalini, foi como uma mistura de gelo e fogo, acompanhada pela visão de uma nuvem de vapor. Um ou dois meses depois, comecei a ver um círculo, uma bola de fogo vermelho no meu abdômen. Nessa mesma ocasião, comecei a ter sonhos proféticos, experiências de PES involuntárias (tal como telepatia) e percebi que meus desejos eram realizados espontaneamente.

Percebi que era capaz de ativar o svadhishthana, o manipura e o sahasrara mais facilmente do que os outros chakras. Esta facilidade de ativar o svadhishthana provavelmente relacionava-se ao asceticismo aquático que eu praticava desde minha infância. Segundo a tradição, existe uma forte ligação entre o svadhishthana e a água, pois dizem que este chakra domina o princípio e o poder da água. Muitos médiuns modernos que praticam asceticismo aquático conseguiram despertar desta forma o chakra svadhishthana. Além disso, tenho verificado que muitos médiuns com PK ou PES inato porém incontrolável, também parecem apresentar uma espécie de despertar do chakra svadhishthana.

Depois do despertar deste chakra, tornei-me muito sensível física e mentalmente. Durante a meditação, o menor ruído soava-me como um grande estrondo, deixando-me sobressaltado. Minhas emoções mostravam-se instáveis, e eu me tornava excitado com facilidade. Esse período é chamado algumas vezes de "etapa perigosa" da disciplina iogue; nesse momento é muito importante ter a orientação de um guru experiente.

Consegui superá-la sem muitos problemas, com a orientação das minhas duas mães e com o auxílio do que se pode chamar de proteção divina.

Acredita-se que o chakra svadhishthana controla o sistema gênito-urinário e as glândulas ad-renais. Os meridianos dos rins, da bexiga e do triplo aquecedor parecem também estar ligados a esse sistema. É interessante observar que quando examino a condição dos meridianos em meu corpo, ocorre uma nítida anormalidade nos meridianos dos rins e da bexiga, embora não exista nenhuma disfunção. Tenho observado esta mesma anormalidade em casos semelhantes, portanto creio que isso seja um possível indicador do aumento das atividades do svadhishthana.

O DESPERTAR DO CHAKRA MANIPURA

Durante a minha infância, e até começar a praticar a ioga, meu sistema digestivo era deficiente; frituras me provocavam diarréia. Sofria de freqüentes ataques de gastrenterites no período de transição da primavera para o outono, ocasião em que era forçado a viver com uma dieta simples de mingau de arroz e de ameixas em conserva. Esses meus problemas começaram a melhorar depois de seis meses de prática da ioga.

Após este mesmo período, teve início uma nova série de sensações. Via com freqüência outro centro de luz vermelha no umbigo que se tornava intensamente branco, mais brilhante do que a luz do sol. Ficava estonteado e não podia ver mais nada por uns dez minutos. Comecei a ver também uma luz roxa entre minhas sobrancelhas ou em meu abdômen.

Embora estivesse habituado a ver fantasmas (seres astrais inferiores) desde a minha infância, comecei a vê-los com mais freqüência nesta época, durante a meditação. Às vezes era capaz de amenizar o sofrimento deles entoando orações de purificação e sutras budistas, e emitindo-lhes prana conscientemente. Contudo, quando os espíritos eram muito fortes e hostis, eu não era capaz de ajudá-los e, em vez disso, sentia-me terrivelmente afetado por eles. Sob a influência desses espíritos, meu corpo e minha mente tornavam-se inconstantes. Adoecia ou ficava muito irritado sem qualquer motivo, e certa vez tive de permanecer na cama com febre por uma semana. Por outro lado, espíritos positivos (que trabalham em favor da harmonia social) podiam influenciar-me de forma benéfica, proporcionando-me muita paz.

Outro resultado do despertar do chakra manipura foi o fato de obter intensas habilidades PES tais como clarividência, telepatia e discernimento espiritual.

Nessa época, tive uma experiência impressionante que afetou muito minha vida posterior. Numa noite de novembro, há 26 ou 27 anos, estava jogando "kokkurisan" (um jogo japonês que lembra a utilização da mesa Ouija) com um velho assistente no santuário. Depois de dez minutos de jogo, me senti num estado como que de semitranse; meu corpo parecia queimar e comecei a transpirar muito. Minha mão começou a agitar-se violentamente e eu não podia detê-la. O estado de transe tornou-se mais profundo, porém não perdi a consciência.

Súbito tive a visão extra-sensorial de um homem vestido com roupas brancas antigas; ele estava de pé num pinheiral que ficava a aproximadamente 100 metros de onde nos encontrávamos, por trás das venezianas. Eu o via de forma tão nítida como se estivesse diante de uma pessoa real. Ele estava repleto de dignidade e parecia um líder tribal; acenou para mim, curvando-se. Senti que ele queria guiar-me para algum lugar.

O homem apresentou-se como Hakuo e disse que eu tinha sido o soberano das tribos naquelas imediações, inclusive a sua própria, numa vida anterior. Disse também que gostaria de me levar ao local onde havíamos vivido. Eu recebi esta mensagem telepaticamente. Da mesma forma como um pesquisador acadêmico de filosofia e psicologia, considerei tudo aquilo extraordinariamente estranho. Em outro nível de meu ser, porém, na parte superior de minha mente, a que não fazia distinção entre o passado, o presente e o futuro, entendia que tudo o que ele dizia era verdade. Eu tinha sido o senhor daquela região e Hakuo era meu seguidor.

Acredito que o diálogo espiritual com Hakuo continuou por dez ou vinte minutos. Com os olhos abertos, era capaz de ver tanto as venezianas como Hakuo; via este mundo e o mundo espiritual como se estivessem sobrepostos. Quando fechei meus olhos, porém, vi apenas Hakuo, o pinheiral e a grama.

No dia seguinte, fui de bicicleta ao templo Jindaiji, na frente do qual havia uma montanha onde jaziam antigas sepulturas. Embora nunca tivesse estado ali anteriormente, aquele lugar me pareceu familiar. Para surpresa minha, o templo estava cheio de cacos de louças velhas e de utensílios de pedra; e havia um comunicado dizendo que uma escavação recente descobrira a existência de uma comunidade antiga ao redor de Jindaiji.

Quando deixei Jindaiji, o sol de outono se punha rapidamente. No caminho de casa, passei por um lugar escuro que de alguma forma me atraiu espiritualmente; então pensei que aquele pudesse ser o lugar onde Hakuo tinha vivido há milhares de anos. Subi uns dez degraus de pedra, e pude ver indistintamente o que parecia ser um pequeno santuário. Eu sabia, por instinto, que na verdade aquilo tinha sido a velha casa de Hakuo, e naquele momento senti que Hakuo ficara feliz com minha descoberta.

Subi ao santuário e comecei a rezar, quando tive uma visão da divindade budista Fudomyoo.* Já estava bastante escuro, senti que tudo aquilo era muito estranho e voltei correndo para casa. Contudo, no dia seguinte, voltei a Jindaiji para visitar o pequeno santuário que havia descoberto na noite anterior. Enquanto eu rezava, o sacerdote daquele templo veio ter comigo depois de fazer sua oração matinal. Contei-lhe o que havia acontecido na noite anterior. Surpreso, ele confirmou o fato dizendo que Fudomyoo fora guardado como relíquia ali e convidou-me a adorá-lo. Entrei no templo e certifiquei-me de que tudo era exatamente como eu havia visto.

Em termos de parapsicologia, esse é um exemplo de clarividência. Porém, experimentei também algo que não pode ser descrito pela palavra "clarividência" — uma forte afirmação da existência do mundo espiritual. Acredito que seja este o mundo em que a consciência do iogue entra através do despertar do chakra manipura.

Mais tarde, tive uma experiência com o chakra manipura que me ensinou algo de muita importância: se uma pessoa abusa da habilidade psíquica adquirida com o despertar do chakra manipura — a capacidade de manter contato direto com o mundo espiritual — e abandona o desenvolvimento dos outros chakras, ou se ela se utiliza de qualquer um dos chakras para excluir os outros, essa pessoa estará pronta para desenvolver anormalidades e muitos males em seu próprio corpo e mente.

Há aproximadamente treze anos (1967), dezessete anos após ter-me iniciado na ioga, minha mãe ficou doente. Substituindo-a, dei consultas espirituais aos membros do Tamamitsu Shrine durante uns três anos.

---

* Nome japonês de Achala, um dos "brilhantes reis" do fogo do Budismo esotérico.

A princípio, era capaz de deixar meu corpo, através do chakra sahasrara, durante a meditação para entrar num estado de união divina ou superior. Contudo, depois de uns seis meses de ter dado início àquelas consultas, apareciam espíritos diante de meu chakra manipura ou ajna quando eu me concentrava, isso me obrigava a negociar com eles constantemente. Era incapaz de passar por eles e deixar meu corpo através do chakra sahasrara para alcançar aquela união — uma situação que continuou por dois ou três anos. Apesar de não ter mais ficado doente depois de começar a praticar a ioga, meu estômago passou a abalar-se com facilidade e comecei a sentir-me freqüentemente cansado.

Nessa conjuntura, deixei o Japão e fui dar conferências na Universidade Andhra na Índia, durante três meses. No tempo em que estive lá, desenvolvi uma úlcera gástrica, em parte devido à alimentação forte e picante, mas também devido a uma deterioração causada pelo uso contínuo do manipura. Quando retornei ao Japão, minha mãe reassumiu as consultas espirituais e eu consegui curar minha úlcera em dezoito meses, através da disciplina iogue e do tratamento com acupuntura.

Meditando sobre o ocorrido, percebi que o contato com os espíritos nas consultas espirituais havia sobrecarregado meu chakra manipura, assim danificando o equilíbrio com os outros chakras e causando problemas nos órgãos digestivos. Muitos médiuns que chegaram a estafar este chakra morreram jovens ou adquiriram sérios problemas no estômago e nos intestinos. Portanto, tenho certeza de que existe um grande perigo na utilização excessiva de qualquer um dos chakras.

Quanto à parte emocional, o resultado da ativação do chakra manipura, foi o de que meus sentimentos ficaram de alguma forma mais ricos e controlados. Desenvolvi também um grau de solidariedade muito mais profundo.

O DESPERTAR DO CHAKRA ANAHATA

Embora tivesse tido problemas digestivos, nunca senti nenhum incômodo relacionado com o coração. Entretanto, depois de aproximadamente dois anos após ter iniciado a ioga, comecei a sentir um tipo de dor no ponto onde a linha que liga os dois mamilos se cruza com a mediana (o ponto Danchu do meridiano do vaso da concepção, Shanchung, VC 17) e meu coração parecia estar funcionando de modo irregular. Porém, em lugar de me sentir doente, estava saudável, muito ativo e necessitava de pouco descanso.

Nesta época, como de costume durante o período mais rigoroso do inverno, praticava o tradicional asceticismo aquático. Levantava-me de madrugada, ia para o lado de fora da casa e derramava água gelada sobre o corpo seminu, durante aproximadamente uma hora. Enquanto fazia isso, minha mãe ficava do meu lado, rezando por mim.

Certa manhã, aconteceu o seguinte: senti um tipo de energia quente elevar-se de meu cóccix para o coração, através da espinha dorsal. Percebi que meu tórax estava muito quente e vi brilhar em meu coração uma luz dourada. A água gelada se esquentava com esse calor e da superfície de meu corpo saía vapor; porém, eu não sentia frio. Quando a kundalini subiu de meu coração para o alto da cabeça, ela tornou-se uma luz branca radiante. Deixei meu corpo e elevei-me juntamente com ela, para uma dimensão muito mais elevada. Meu corpo físico ficou imóvel, exposto ao vento frio do mundo terreno; havia me esquecido dele. Estava meio inconsciente, porém ainda podia perceber que estava nos céus e adorava o Divino. Quando voltei a mim dez ou vinte minutos depois, minha mãe me disse que havia visto uma luz dourada brilhar no alto de minha cabeça e em meu coração. Creio que esta experiência ocorreu no momento em que se ativou meu chakra anahata.

Desde então, tenho sido capaz de fazer curas psíquicas, e um ou dois anos depois desta graça, tive a experiência que comprovou o poder desta cura. O neto de um membro de nosso Santuário, uma criança de três anos de idade, apresentou um tipo de reação alérgica a uma injeção. Seu estado tornou-se crítico, e o médico afirmou que não havia mais esperança. Sua avó me telefonou às dez horas da noite, implorando que eu rezasse por ele e o salvasse. Comecei de imediato a oferecer fervorosas orações, juntamente com minha mãe. Logo o menino apareceu diante de nós. Continuamos nossa oração, transmitindo-lhe energia e forçando-o a voltar para seu corpo. Depois de aproximadamente uma hora, o menino desapareceu; sentimos que havia retornado ao corpo e que iria se recuperar. Telefonei para a avó dizendo que o neto estava salvo. No hospital, o coração do menino começou a bater de forma lenta porém compassada, e sua respiração voltou ao normal. Ele passou a melhorar gradualmente e já estava recuperado dois ou três dias depois.

Após despertar o chakra anahata, reconheci e aprendi a controlar as habilidades psíquicas, tanto para a emissão de energia como para a realização de curas. Ao contrário do que havia acontecido quando aprendi a despertar o chakra manipura (na ocasião em que os espíritos entraram em mim), depois de despertar este chakra, minha própria energia espiritual ou meu corpo astral tornou-se capaz de entrar em outras pessoas e efetuar alterações curativas. Além disso, era capaz de expandir minha existência, abrangendo a pessoa que gostaria de curar, ou por outro lado, as outras pessoas podiam penetrar em minha desenvolvida existência e viver dentro de mim.

Percebi que minha mãe também despertara o chakra anahata, e que, muitas vezes, ela executava curas psíquicas. Por exemplo, certa vez ela enviou energia para uma garota cega desde o nascimento, gritando com ela. De repente, dos olhos da garota vazou sangue e pus. Mais tarde, ao abrir os olhos, a menina pôde perceber a luz e, depois de uma semana, conseguiu ver os objetos. Em outra ocasião, minha mãe rezou por um velho fazendeiro paralítico, confinado à cama há mais de dez anos. Depois de rezar, ordenou-lhe que se levantasse, e imediatamente o homem ficou de pé.

Acredito que muitos dos seres humanos capazes de efetuar curas milagrosas, o fazem por força do chakra anahata.

Meu estado psicológico também sofreu profundas alterações com o despertar deste chakra. Desenvolvi uma atitude de desprendimento das coisas materiais. Apesar de ter me tornado clarividente e telepático após despertar o chakra manipura, e embora minhas emoções tivessem se tornado mais ricas e controláveis, ainda era incapaz de me desprender totalmente do mundo material. Com o anahata, passei a sentir um otimismo constante, percebendo que realmente aquele que espera tudo alcança, e que as coisas boas sempre são precedidas pelas más. Tornei-me capaz de ver não apenas o lado bom e o lado mau de todas as coisas, mas também que existe um outro mundo além dessa dualidade. Após alcançar esse desprendimento, tornei-me mais sereno e minha mente libertou-se. Para todo aquele que atingiu essa verdadeira liberdade, os prazeres deste mundo dualista parecem destituídos de qualquer importância.

Depois de despertar este chakra, todos os meus desejos passaram a se realizar espontaneamente. Por exemplo, nossa família possui um lugar de retiro chamado Nebukawa, em Odawara; o local tem aproximadamente quatro acres, um dos quais compreende um vale profundo onde corre um rio. Era meu desejo transformar parte desse vale num estacionamento destinado aos que viessem fazer retiro espiritual, provindos de todos os pontos do Japão. Cerca de um ano mais tarde, uma companhia de construção se ofereceu para fazê-lo gratuitamente.

O antigo proprietário de nossa terra havia planejado construir um grande hotel em Yugawara. Em decorrência de um problema com o excesso de solo escavado durante a construção, ele me pediu permissão para despejar a terra em nosso vale, oferecendo-se para construir grandes paredes de pedra que dessem sustentação ao aterro. Concordei com a proposta, e durante um mês nosso vale ficou coberto de poeira levantada pelos caminhões que iam e vinham. Dois grandes buldôzeres nivelavam o terreno todos os dias. Finalmente, cerca de um terço do vale ficou totalmente plano, transformando-se num estacionamento com capacidade para no mínimo cinqüenta carros, uma operação que de outro modo nos custaria aproximadamente $ 200.000.

O DESPERTAR DO CHAKRA VISHUDDHI

Eu não sentia a atividade do chakra vishuddhi tão bem como sentia a dos outros chakras, mas no decorrer do quarto ou do quinto ano de prática da ioga, comecei a me concentrar nele depois de executar o pranayama diário. Em pouco tempo, passei a sentir uma irritação constante em minha garganta e a respiração tornou-se difícil.

Alguns meses mais tarde, eu vi uma luz lilás escura formar-se gradualmente ao redor de minha cabeça. Perdi toda a consciência sobre meu corpo; permaneci quieto e, procurando manter a calma, passei para o estado de completa inconsciência.

A experiência do despertar do chakra vishuddhi é semelhante ao que sentimos na última noite de outono, quando o céu apresenta um crepúsculo lilás e o silêncio impera sobre todas as coisas. O pálido tom lilás espalha-se e depois desaparece lentamente. Assim, deleitei-me com o estado de absoluta inconsciência e minha mente ficou totalmente tranqüila.

Existe um ditado budista que diz:

諸行無常　是生滅法
生滅滅己　寂滅爲楽

Isso significa que todas as coisas, não importa quais sejam, estão sujeitas a mudanças, porque uma vez criadas devem chegar a um fim. Transcendendo o nascimento e a morte, encontraremos Shunyata, o vazio absoluto e a bondade suprema.

Depois de experimentar esse estado por diversas vezes, deparei-me com um abismo de completo vazio. Senti um temor tão forte que desejei suspender a prática da ioga. Por diversas vezes senti que meu apego a este mundo vinha chegando ao fim; através destas experiências eu estava deixando o nosso mundo. Meu temor passou a diminuir quando aprendi a entregar-me completamente a Deus – confiando a Ele minha vida.

Durante todo esse processo, deparei-me com um ser horrível, semelhante ao diabo. Foi uma experiência indescritivelmente aterradora. Contudo, pude perceber também que todas as coisas, mesmo "os anjos ou demônios", são passageiras: no fim não há nada a temer. Essa concepção é que me permitiu atravessar um período tão assustador e perigoso.

Quando consegui superar meus temores e apreciar o silêncio total à minha volta, pude ver claramente que não estava mais ligado a este mundo. Passei a trabalhar sem me preocupar com os resultados de minhas ações. Experimentei uma profunda sensação de desapego e de liberdade. Com essa atitude, era capaz de ver o passado, o presente e o futuro numa mesma dimensão, ultrapassando as distinções entre eles. Agora, quando faço consultas espirituais para os membros do Shrine, posso ver suas vidas anteriores, sua situação presente e seu futuro num fluxo contínuo.

Outro resultado da ativação do vishuddhi aconteceu no meu sentido auditivo. Dizem que quando o vishuddhi desperta, a audição se torna aguçada. Na realidade, tenho tido grandes dificuldades auditivas por sofrer de timpanite nos dois ouvidos desde a infância. Além disso, a membrana do tímpano esquerdo, juntamente com alguns pequenos ossos, foram removidos cirurgicamente quando eu ainda era jovem. Entretanto, desde que despertei o vishuddi, sou capaz de ouvir com muito maior clareza – logicamente não por causa do meu ouvido físico, mas sim do mental.

O DESPERTAR DO CHAKRA AJNA

Conjuntamente com o pranayama, às vezes me concentrei no períneo, contraindo-o durante a inspiração e relaxando-o ao expirar. Nessas ocasiões, a região perineal tornava-se aquecida. Essa sensação de calor freqüentemente era acompanhada de uma delicada vibração no ponto entre as sobrancelhas, suposta localização do chakra ajna, cujo órgão de ligação é a glândula pineal. Para acelerar especificamente o despertar do chakra ajna, executei a seguinte prática:

Concentrado no chakra ajna, visualizei a absorção da energia divina através dele, enquanto inspirava, e a liberação do prana enquanto expirava, todo o tempo pronunciando OM.

Depois de executar essa prática durante uma hora por dia e durante vários meses, a energia da kundalini se elevou a partir do cóccix por toda a espinha, aquecendo todo o corpo. A parte inferior de meu abdômen, ao redor do chakra svadhishthana, tornou-se tão consistente como o aço. Minha respiração tornou-se tão fácil e lenta a tal ponto que cheguei a sentir que poderia viver sem ela. Meu corpo, principalmente a parte superior do tronco, parecia estar desaparecendo. Meu chakra ajna começou a vibrar delicadamente. Eu estava inundado por uma luz violeta escura, quando surgiu entre minhas sobrancelhas uma brilhante luz branca. Ouvi uma voz me chamar, como se estivesse ecoando num vale. Eu estava repleto de êxtase quando me foi revelado um símbolo divino do poder. Esse estado permaneceu por uma ou duas horas, e logo concluí que indicava a ativação inicial do chakra ajna.

Esse despertar não foi assustador como o do vishuddhi; pelo contrário, fui como que inundado por uma serenidade celeste. Minha consciência não se obscureceu, nem ficou totalmente perdida, como aconteceu com os outros chakras; em vez disso, permaneci num estado de ampla e profunda consciência, com uma clara percepção da dimensão superior que às vezes chegava a ser como a superconsciência. Enquanto estive nesse estado, o passado, o presente e o futuro podiam ser reconhecidos simultaneamente; tornaram-se claros a essência dos objetos, e o carma de outras pessoas, de toda uma nação, enfim, do mundo inteiro. Tal conhecimento é denominado prajna, ou sabedoria divina.

Os diversos estudos científicos que elaborei tiveram por base a sabedoria adquirida através da concentração no ajna. Comecei a perceber que uma de minhas tarefas nesta vida é ajudar a tornar esse conhecimento o mais claro possível por meios científicos, e tentar explicá-lo de forma que todos possam entender. Nesse sentido, meu trabalho difere daquele dos que aplicam métodos indutivos comuns, na pesquisa científica destinada a examinar um fenômeno físico com o intuito de estabelecer uma verdade científica sintética. Ao contrário, venho tentando transferir para a dimensão física, através de métodos dedutivos e científicos, a sabedoria a mim conferida durante a concentração no chakra ajna.

Outro resultado do despertar do chakra ajna é um determinado número de habilidades psíquicas que parecem surgir de uma dimensão diferente daquelas habilidades associadas ao despertar dos chakras anahata e manipura. Quando meu chakra manipura foi ativado, por exemplo, eu era capaz de ver e de ser influenciado por espíritos, além de também poder ver o carma das vidas anteriores das pessoas. Entretanto, depois de despertar o chakra ajna, tornei-me ciente do sofrimento dos espíritos e desenvolvi a capacidade de ajudar a libertá-los, rezando a Deus por eles. Além disso, a visão do carma que recebi com o despertar desse chakra não se limitava a indivíduos, mas a famílias inteiras e até a nações. Ao mesmo tempo, adquiri a capacidade de afetar e alterar esses carmas.

Para finalizar, gostaria de acrescentar o aspecto mais importante da ativação do chakra ajna, que é a habilidade de transcender e purificar o carma. Por essa razão, creio ser absolutamente necessário para o ser humano despertar os chakras ajna e sahasrara para poder evoluir e atingir uma dimensão superior.

O DESPERTAR DO CHAKRA SAHASRARA

Uma das práticas que executei regularmente em meu programa inicial de disciplina foi a taoísta chamada Shoshuten. Esse método purifica o sushumna através da circulação de energia na parte superior do corpo, o que se consegue com a elevação da kundalini shakti pelo sushumna até o alto da cabeça e depois deixando-a fluir para o chakra ajna durante a inspiração. Em seguida, prende-se a respiração por dois ou três segundos, conservando o shakti neste chakra. Depois ele é deixado fluir para o chakra svadhishthana através da linha mediana frontal, sendo conservado ali simplesmente prendendo-se mais uma vez a respiração por dois ou três segundos. Deve-se manter, então, a circulação do shakti através do sushumna, partindo do muladhara até o alto da cabeça e depois de volta ao muladhara, por diversas vezes.

Enquanto executava o Shoshuten, eu podia ver o interior do sushumna, o sahasrara e dois ou três outros chakras brilhando. Depois de praticar ioga de seis meses a um ano, uma luz dourada brilhante começou a entrar e sair de meu corpo pelo alto da cabeça, e senti como se este ponto tivesse se alongado de dez a vinte centímetros. Na dimensão astral, não na física, notei um vulto que parecia a cabeça de Buda, brilhando nas cores violeta e azul, apoiado em cima de minha própria cabeça. Havia uma luz dourada-clara que entrava e saía pelo alto da coroa de Buda. Fui gradualmente perdendo a sensação do meu corpo, porém continuava com a perfeita percepção de consciência, e também de superconsciência. Pude ver meu próprio espírito elevando-se, saindo de meu corpo pelo alto da cabeça, a fim de ser revigorado nos Céus.

Tornei-me capaz de ouvir uma Voz poderosa, mas muito terna, ressoar pelo Universo. Enquanto escutava essa Voz, compreendi espontaneamente minha missão, minhas vidas anteriores, meu próprio estado de espírito, e muitas outras coisas. Em seguida, senti um estado de fato indescritível; toda minha existência espiritual ficou como que inteiramente imersa numa serenidade extraordinária. Após algum tempo, senti que era imperativo voltar ao mundo físico. Retornei pelo mesmo caminho, entrando pelo portão no alto de minha cabeça. Tive de inundar conscientemente todo o corpo com a energia espiritual, pois ele estava enregelado e todas as extremidades paralisadas. Afinal, consegui mover mãos e pés, e gradualmente fui retornando ao estado normal.

Isso aconteceu depois de menos de um ano de prática iogue. Durante os dois anos seguintes, os chakras vishuddhi e anahata foram ativados. Meus chakras svadhishthana, manipura e sahasrara, conforme mencionei antes, foram os primeiros a serem ativados.

Depois de ativar o chakra sahasrara, meu corpo astral tornou-se capaz de sair livremente pelo Portão de Brahman. Isso me permitiu observar o mundo exterior durante a meditação, conforme descrevo no exemplo seguinte.

Há aproximadamente dez anos, enquanto meditava como de costume, pude "ver" um estranho no santuário, apesar de estar com meus olhos fechados e de costas para as outras pessoas que meditavam. Após a meditação, enquanto cumprimentava os outros praticantes, olhei atentamente para uma velha senhora que nunca havia visto antes, e extra-sensorialmente comecei a ver um lindo campo no sopé de uma grande e bela montanha. Tratava-se, sem dúvida, do monte Oyama. Ali, um fazendeiro, que compreendi ser o pai daquela mulher, removia um velho túmulo de um dos campos no intuito de aumentar o aproveitamento do terreno de sua fazenda. A cena mudou; algum tempo havia se passado, e vi que um dos descendentes daquela fazenda, além de um certo número de aldeões haviam enlouquecido. Isso fez com que eu compreendesse que aquele campo era o antigo campo de batalha na guerra entre as famílias Tokugawa e Takeda há cerca de quatrocentos anos; naquele túmulo havia sido enterrado um guerreiro Takeda. Quando o fazendeiro removeu o túmulo, a alma do guerreiro enfureceu-se e começou a assombrar o fazendeiro e toda sua descendência. Aquilo fez com que o filho mais velho da senhora no templo (o neto do fazendeiro) tivesse se tornado esquizofrênico; eis o motivo que a trouxera ao santuário. Viera rezar para pedir ajuda.

Quando lhe contei o que havia visto, a velha senhora ficou perplexa. No mesmo dia, voltou para o lugar onde nascera, observou o campo que eu havia descrito segundo minha visão, e certificou-se de que todos os outros fatos eram verdadeiros. No dia seguinte, retornou ao santuário e nos contou que quando seu filho atingiu o primeiro ano da escola superior, tornou-se mentalmente tão instável que não pôde mais assistir às aulas. Permanecia em seu quarto o dia todo, escrevendo em seu diário que era um guerreiro Takeda. Ela não tinha a menor idéia do que aquilo pudesse significar. Seu filho já estava há cinco anos num hospital psiquiátrico.

A velha senhora implorou-me que eu ajudasse seu filho. Durante a semana seguinte, negociei insistentemente com a alma do guerreiro e por fim consegui persuadi-lo a deixar o moço em paz. A mulher voltou uma semana mais tarde, contando que o filho havia saído do hospital, que estava voltando ao normal, e que já estava habilitado para ajudá-la na quitanda.

A experiência mostrou-me com clareza que os acontecimentos do mundo real estão profundamente ligados aos eventos do passado aos do mundo espiritual. Além disso, revelou-se bem diferente de uma simples projeção astral, na qual não existe enregelamento e rigidez do corpo, nem perda da consciência. Embora minha consciência às vezes tivesse oscilado, eu estava apto a observar precisamente tudo o que havia a meu redor. Desde então, ocorreram muitas experiências semelhantes

Depois de ativar o chakra sahasrara, as habilidades adquiridas com o despertar dos chakras inferiores tornaram-se mais fortes. Ao mesmo tempo, esses chakras ficaram ativos num nível mais elevado, e aqueles que não haviam sido completamente despertos, os chakras vishuddhi e anahata, foram ativados por inteiro a partir daquele momento. Além disso, como o sahasrara tornou-se mais ativo nas dimensões superiores, recebi as seguintes habilidades:

- a capacidade de penetrar e de afetar o corpo de outras pessoas;
- a habilidade de expandir minha existência e de incluir nela as outras pessoas;
- a capacidade de trabalhar livremente, transcendendo o carma e as limitações do corpo; e
- a habilidade de receber a união com o poder Divino.

Após essa descrição geral do despertar e das atividades de cada chakra e das habilidades psíquicas correspondentes, extraída de minha própria experiência nos últimos trinta anos, gostaria de ressaltar três pontos a respeito do despertar dos chakras. Primeiro: trata-se de um processo que precisa ser executado para que a alma possa evoluir e atingir um maior esclarecimento. Um dos *Upanishads* afirma que uma pessoa não tem condições de alcançar nenhum esclarecimento se não despertar ou ao menos reconhecer os chakras, e acredito que essa afirmação é verdadeira. Em segundo lugar, parece-me que a ordem em que os chakras são ativados varia de pessoa para pessoa. De acordo com o carma e a natureza individual, existem determinados chakras mais fáceis de ativar e que estão mais expostos ao movimento da kundalini. Por fim, gostaria de ressaltar que o uso indiscriminado da habilidade paranormal de um chakra pode causar uma anormalidade ou mesmo um distúrbio num órgão interno controlado por este chakra, capaz de levar à morte prematura.

Na segunda parte deste capítulo, vou expor as pesquisas científicas que elaborei para comprovar, por meio de experiências, as verdades por mim vivenciadas, como muitos outros também fizeram, na prática espiritual. Tais explanações giram em torno de observações experimentais obtidas pelo AMI e o Instrumento do Chakra, aparelhos de registros fisiológicos por mim desenvolvidos.

O AMI — aparelho para medir os estados funcionais dos meridianos seus correspondentes órgãos internos — é um dispositivo destinado a

AMI

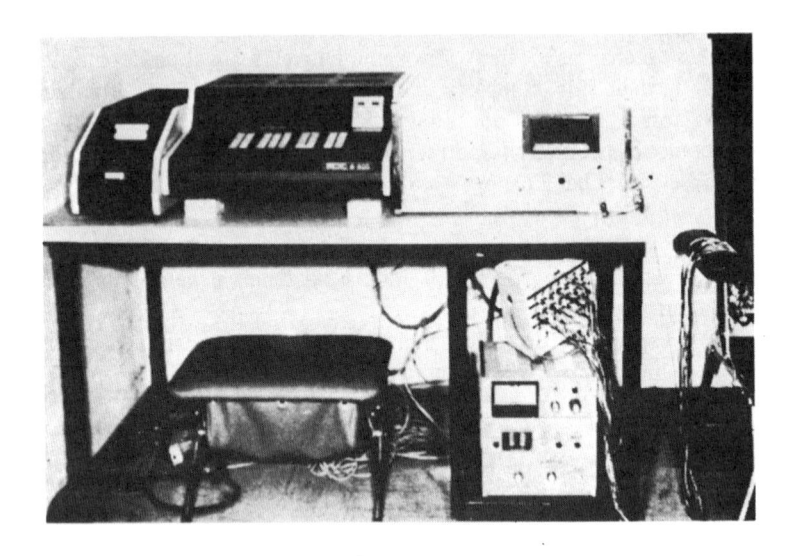

medir a corrente cutânea inicial, bem como sua condição estável, em resposta à voltagem DC aplicada externamente nos pontos especiais da acupuntura localizados na base das unhas dos pés e das mãos. Segundo a teoria da acupuntura, estes pontos especiais — denominados "pontos sei" (fonte) são aparentemente os pontos terminais dos meridianos onde a energia Ki entra e circula pelo corpo. Experiências feitas com cerca de duas mil pessoas sugerem que a importância relativa de tais correntes cutâneas reflete as condições funcionais de energia ki nos meridianos. Os dados coletados em tais experiências vêm sendo organizados segundo uma série de critérios para avaliação das condições funcionais, quer sejam normais ou irregulares em termos de excesso, deficiência ou desequilíbrio de energia ki. Esses critérios foram estabelecidos com base em análises estatísticas e em exames clínicos; estão registrados na memória de um computador para que através dele se elabore de forma automática um diagnóstico da condição funcional de cada meridiano, em forma de gráficos.

O Instrumento do Chakra foi desenhado para descobrir a energia produzida e expelida no corpo, em termos de variáveis físicas. Ao contrário do eletroencefalógrafo e dos outros instrumentos de eletrofisiologia, ele

O Instrumento do Chakra
— Amplificador Principal —

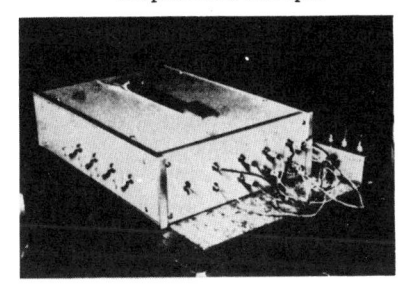

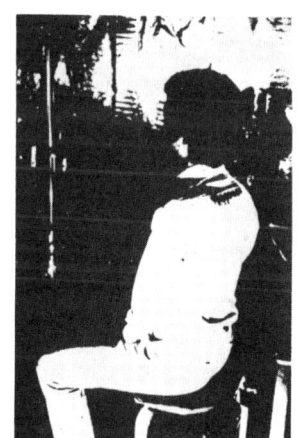

O Instrumento do Chakra
— Compartimento do Eletrodo —

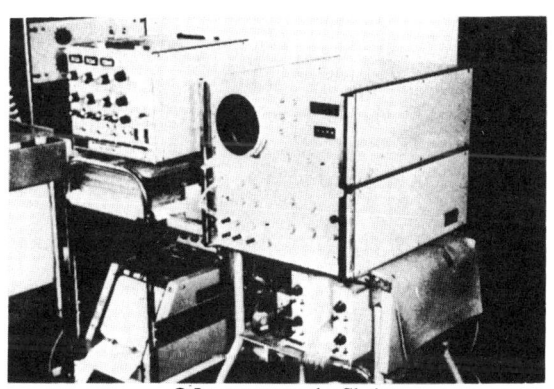

O Instrumento do Chakra
— Amplificador DC, Processador de Sinal —

foi elaborado para detectar minúsculas variações energéticas (elétricas, magnéticas, ópticas) de um paciente. Os detectores estão instalados num recipiente à prova de luz, cujas paredes são revestidas eletrostaticamente por fios terra. Além disso, as superfícies internas desse recipiente são cobertas com uma fina chapa de alumínio, também de massa, de forma a manter o potencial elétrico do recipiente sempre uniforme e praticamente a zero. Um eletrodo de cobre em forma de disco ($d = 10$ cm) e uma célula fotoelétrica são posicionados a uma distância de 12 a 20 cm na frente do paciente, na direção da suposta localização de um determinado chakra. Verificam-se então os sinais ópticos e elétricos emitidos pelo paciente, o qual deve permanecer imóvel, sentado numa cadeira. Coloca-se um detector de flutuação do campo magnético no chão, em frente ou ao lado do paciente. Os sinais são amplificados e analisados por um processador, um analisador de espectros de força e outros equipamentos semelhantes localizados no exterior do recipiente, sendo então registrados simultaneamente numa fita gravadora de diversos canais, juntamente com variáveis convencionais como a respiração, o ECG, o pletismógrafo e o GSR.

Antes de expor resumidamente minha pesquisa é necessário esclarecer alguns pontos fundamentais. Grande parte do meu trabalho baseou-se nas hipóteses de que cada chakra se relaciona intimamente com um determinado plexo nervoso e seu respectivo órgão interno. Esta hipótese não é inédita; ela vem sendo desenvolvida e sustentada por estudos da ciência médica moderna, assim como por registros de experiências pessoais de iogues ao longo de milhares de anos. A suposta correspondência é a seguinte:

Chakra muladhara — plexo sacral e coccígeo

Chakra svadhishthana — plexo sacral; sistema urogenital

Chakra manipura — plexo solar; sistema digestivo

Chakra anahata — plexo cardíaco; sistema circulatório

Chakra vishuddhi — gânglios cervicais superior, médio e inferior; sistema respiratório

Chakra ajna — hipófise, diencéfalo, sistema nervoso autônomo e sistema hormonal

Chakra sahasrara — córtice vertebral, todo o sistema nervoso; órgãos e tecidos do corpo inteiro.

É provável que, devido a essa correspondência entre os chakras e os plexos nervosos, os iogues passem por alterações fisiológicas graduais resultando num aumento do limite de atividades de órgãos internos como o coração, o estômago, os rins, a bexiga e os órgãos sexuais.

Uma série de estudos chegou a ser elaborada para investigar possíveis diferenças no alcance funcional desses referidos órgãos entre pessoas cujos chakras não apresentam atividade e outras que os têm ativos. Isso inclui um exame na sensibilidade a doenças e uma análise de respostas GSR a estímulos elétricos em pontos de reflexo víscero-cutâneos, descritos a seguir.

Os membros de nossa sociedade que praticam regularmente ioga, cerca de cem pessoas, foram divididos em três grupos:

Grupo A — compreende aqueles cujos chakras apresentaram atividade avançada;

Grupo B — compreende aqueles cujos chakras apresentaram início de atividade;

Grupo C — compreende aqueles cujos chakras estavam ainda adormecidos.

Esta classificação foi elaborada com base nas observações extra-sensoriais feitas por mim e por outras pessoas com habilidades semelhantes, e também nas descrições das próprias experiências da população que se submeteu à pesquisa.

Em primeiro lugar, fizemos um estudo comparativo quanto à sensibilidade às doenças. Cada pessoa preencheu um questionário destinado a apontar qual o tipo de doença a que era suscetível. As respostas foram então classificadas por categorias. Deveria ser contado um ponto para cada categoria de doenças às quais a pessoa se julgava suscetível, segundo um critério preestabelecido. Os pontos foram contados, categoria por categoria, em cada grupo e então divididos pelo número de pessoas no grupo a fim de obter a média de suscetibilidades. O gráfico a seguir mostra as tendências de cada grupo, multiplicadas por 100.

Em termos de órgãos internos supostamente relacionados com cada chakra, o Grupo A apresentou a maior sensibilidade às doenças, o Grupo B ficou em segundo lugar e o Grupo C mostrou o menor índice de sensibilidade. Este resultado sugere que, em comparação com o Grupo C, os Grupos A e B são mais sensíveis a distúrbios funcionais nos órgãos internos ligados aos chakras — fato este que indica claramente um incitamento funcional e/ou uma instabilidade nos respectivos órgãos.

Em seguida, estudamos as condições funcionais dos órgãos internos através de estímulos elétricos em regiões da cabeça.

Escolhemos os pontos de reflexo víscero-cutâneos nos dermatomas dos nervos simpáticos do coração, do estômago, dos rins e dos órgãos urogenitais (os quais coincidem no tronco com o dermatoma espinhal) para efetuar a estimulação elétrica porque esses órgãos conectam-se, segundo as suposições, com os chakras anahata, manipura e svadhishthana, respectivamente. Os sinais GSR foram registrados antes e depois da estimulação como um indicador da condição funcional de todo o sistema nervoso simpático, bem como das reações dos nervos simpáticos que controlam cada órgão interno.

Diagrama Estatístico de Suscetibilidade às Doenças

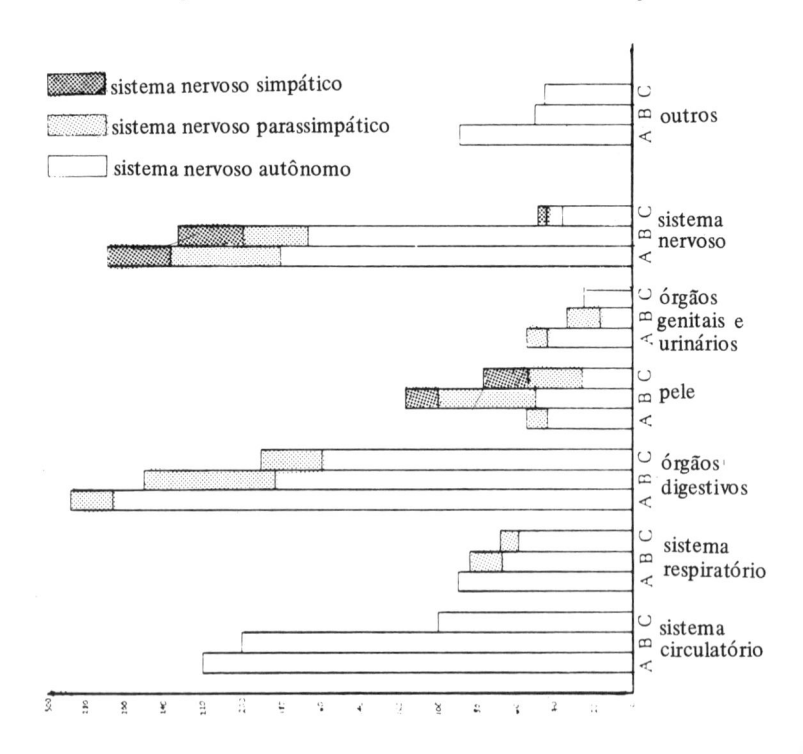

Pontos de reflexo víscero-cutâneos
(Pontos de Acupuntura)

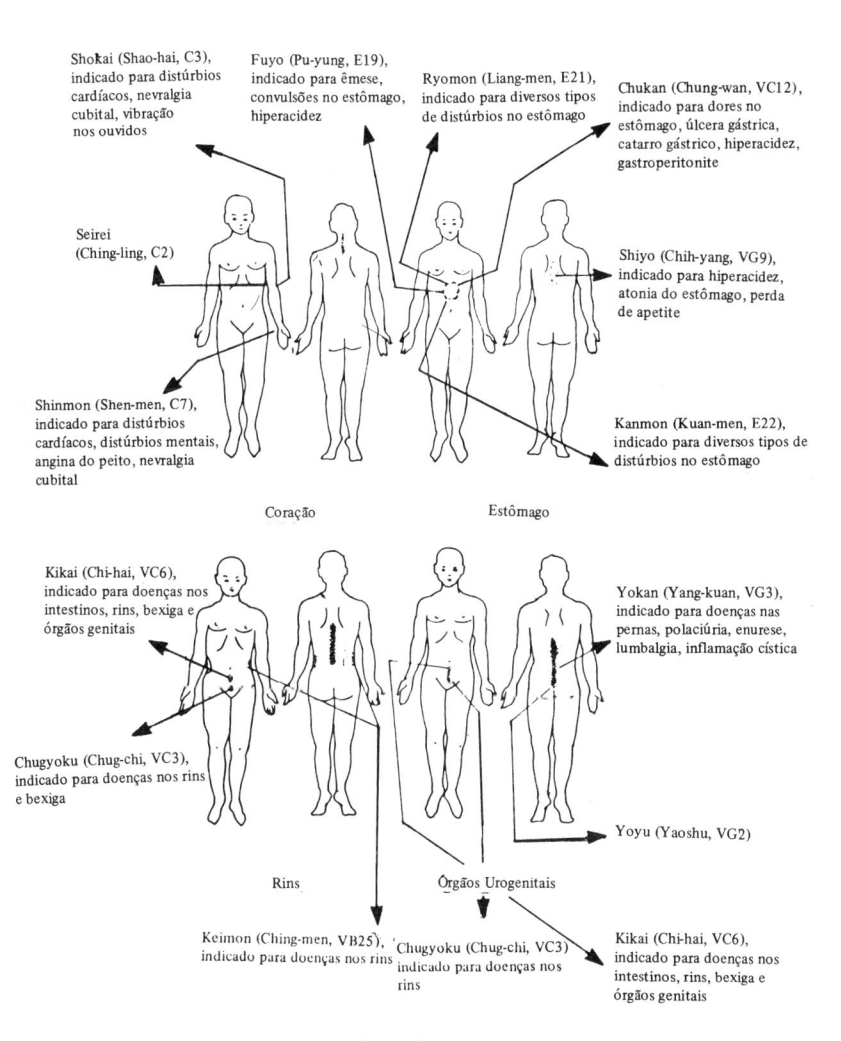

Shokai (Shao-hai, C3), indicado para distúrbios cardíacos, nevralgia cubital, vibração nos ouvidos

Fuyo (Pu-yung, E19), indicado para êmese, convulsões no estômago, hiperacidez

Ryomon (Liang-men, E21), indicado para diversos tipos de distúrbios no estômago

Chukan (Chung-wan, VC12), indicado para dores no estômago, úlcera gástrica, catarro gástrico, hiperacidez, gastroperitonite

Seirei (Ching-ling, C2)

Shiyo (Chih-yang, VG9), indicado para hiperacidez, atonia do estômago, perda de apetite

Shinmon (Shen-men, C7), indicado para distúrbios cardíacos, distúrbios mentais, angina do peito, nevralgia cubital

Kanmon (Kuan-men, E22), indicado para diversos tipos de distúrbios no estômago

Coração   Estômago

Kikai (Chi-hai, VC6), indicado para doenças nos intestinos, rins, bexiga e órgãos genitais

Yokan (Yang-kuan, VG3), indicado para doenças nas pernas, polaciúria, enurese, lumbalgia, inflamação cística

Chugyoku (Chug-chi, VC3), indicado para doenças nos rins e bexiga

Yoyu (Yaoshu, VG2)

Rins   Órgãos Urogenitais

Keimon (Ching-men, VB25), indicado para doenças nos rins

Chugyoku (Chug-chi, VC3), indicado para doenças nos rins

Kikai (Chi-hai, VC6), indicado para doenças nos intestinos, rins, bexiga e órgãos genitais

Pontos Principais

GRÁFICO GSR (Pontos Principais)

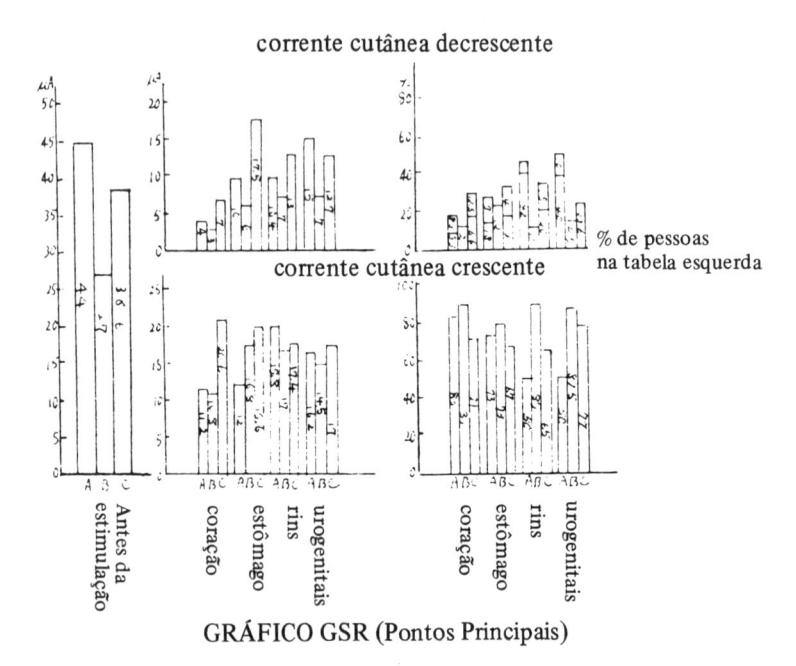

A análise comparativa das respostas GSR está demonstrada no gráfico acima. O Grupo A apresentou a mais elevada pré-estimulação GSR, o Grupo C ficou em segundo lugar, e o Grupo B em último. Contudo, após a estimulação, os Grupos A e B apresentaram uma corrente GSR menor do que o Grupo C em órgãos como o coração, o estômago e os urogenitais. Apenas nos rins, os resultados foram diferentes; o Grupo A apresentou o maior valor. Este resultado indica que para o Grupo A a reação do sistema nervoso autônomo a estímulos externos é predominantemente parassimpática. Vale observar que o Grupo A apresentou a mais alta atividade simpática antes da estimulação e as mais fortes reações parassimpáticas aos estímulos externos. Esse fato sugere que as pessoas do Grupo A possuem um maior limite de equilíbrio dinâmico entre as funções opostas mútuas do sistema nervoso simpático e do parassimpático do que as pessoas do Grupo C.

Assim, podemos supor que as pessoas cujos chakras foram ativados tendem a ter maiores limites de atividade autônoma relativa, conforme revelado através da excitação funcional e/ou instabilidade, do que aquelas cujos chakras ainda não estão ativos.

Em outras séries de investigações, utilizamos o ECG e o pletismógrafo para tentar esclarecer as disparidades funcionais nos sistemas cardiovasculares de iogues e de pessoas comuns, visto que podem estar relacionadas com o chakra anahata.

A primeira linha da figura abaixo é o pletismógrafo para pessoas comuns; ela apresenta amplitudes quase constantes, com ligeiras ondulações em relação à linha-base. A média de pulsação é 65,8 por minuto. Em contrapartida, o pletismógrafo de um iogue de Kakinanda, Índia, mostra ondulações periódicas da linha-base, com pulsações de 7 a 10

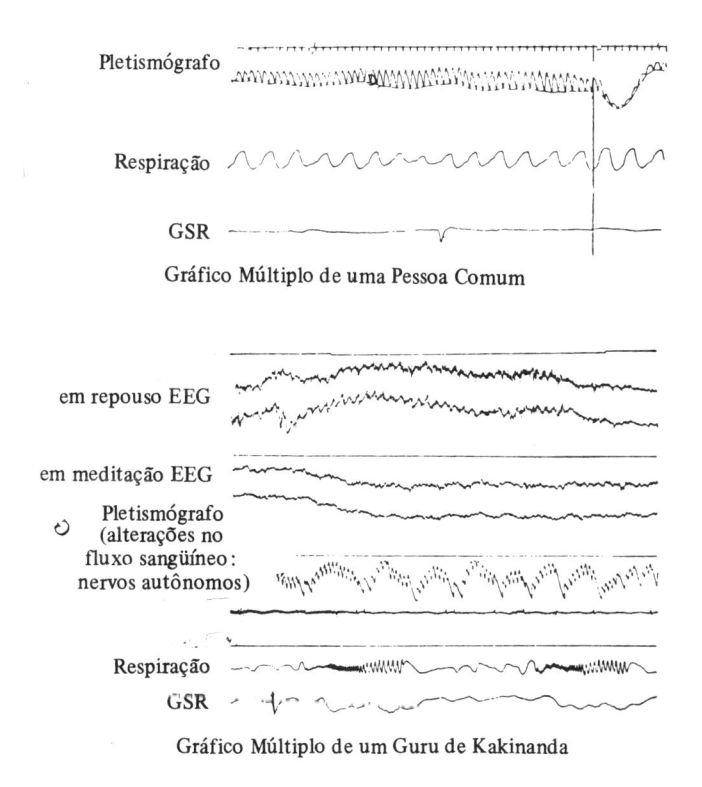

Gráfico Múltiplo de uma Pessoa Comum

Gráfico Múltiplo de um Guru de Kakinanda

sobrepostas a cada onda. Em diversos estudos semelhantes descobri que, em pessoas comuns, a flutuação na linha-base é mínima. Isto indica que o fluxo sangüíneo básico é constante. No caso dos iogues e de outros praticantes espirituais avançados, entretanto, observei muitas vezes grandes ondulações rítmicas no fluxo sangüíneo básico, além de pulsações regulares no batimento cardíaco. Isso me faz crer que em casos semelhantes ao do iogue de Kakinanda os nervos autônomos que controlam o sistema cardiovascular – especificamente as veias sangüíneas – funcionam de algum modo, num padrão rítmico. Conseqüentemente, isso sugere que o alcance funcional dos nervos autônomos, ou seja, o limite de equilíbrio dinâmico entre os sistemas simpático e parassimpático é na prática tão superior nos iogues, em relação às pessoas comuns, que ultrapassa os padrões da normalidade.

Como outro exemplo, temos a informação de um iogue que diz ter despertado seu chakra anahata e desenvolvido um controle voluntário de suas funções cardíacas. Seu caso foi estudado no Lanaula Yoga Institute, situado próximo a Bombaim, Índia. A figura a seguir mostra uma foto do registro ECG deste iogue elaborado pelo diretor do Instituto.

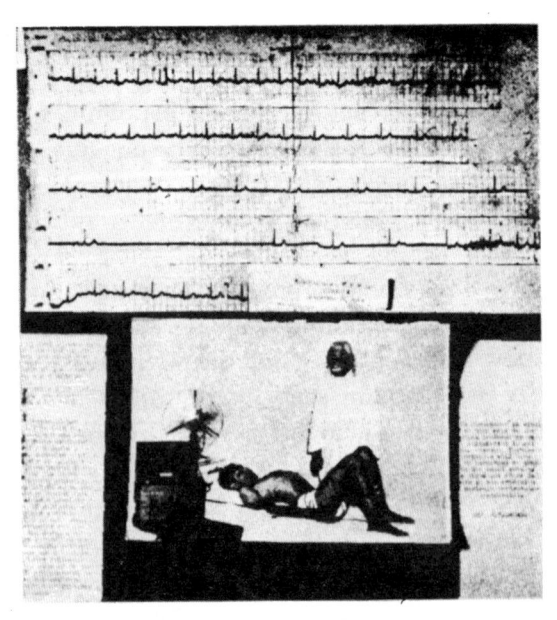

Registro ECG do Iogue de Lanaula

A quarta linha do registro ECG indica claramente que o coração do iogue parou por uns cinco segundos. Contudo, esta façanha não foi efetuada apenas pelo poder voluntário do iogue. A respiração registrada juntamente com o ECG mostra que sua respiração também parou no momento da parada cardíaca. Portanto, parece que prender a respiração facilita a interrupção cardíaca, fato este compreensível do ponto de vista neurofisiológico.

Com base nas observações científicas descritas acima, podemos concluir que as condições funcionais dos nervos autônomos e dos órgãos internos por eles controlados são diferentes nos iogues, em relação às pessoas comuns. Parece que os iogues possuem um alcance muito maior das atividades autônomas. Também acredito que existem indicações de que essa capacidade aumenta à medida que a pessoa desenvolve os chakras, até finalmente obter o controle voluntário de todos os órgãos internos ligados aos chakras. Mais uma vez, afirmo que tais observações representam indiretamente uma comprovação científica da existência dos chakras, visto que a ativação de um chakra leva à estimulação dos nervos autônomos e dos órgãos supostamente ligados a ele.

A variedade de estudos executados em nosso Instituto com o Instrumento do Chakra e a máquina AMI nos tem apresentado muitos resultados excitantes. Gostaria de ressaltar aqui os obtidos de alguns estudos elaborados com pessoas que apresentaram, comprovadamente, diversos tipos de atividades dos chakras e de habilidades psíquicas.

Acreditamos, basicamente, que o tipo de habilidade psíquica esteja ligado a um chakra específico responsável por ela, e que, por outro lado, as pessoas que as possuem apresentam padrões de anormalidade em seus sistemas de meridianos.

Além do mais, encontramos evidência para a concepção tradicional de que as habilidades psíquicas podem ser classificadas em dois grupos: poderes de recepção e poderes de produção. Os poderes de recepção parecem estar ligados aos chakras inferiores e os de produção aos superiores.

Para auxiliar o entendimento desta diferença, examinemos a explicação de Satyananda sobre as habilidades psíquicas que aparecem quando os chakras inferiores são ativados:

> O despertar do chakra muladhara proporciona completo conhecimento da kundalini (a fonte de forças vitais depositadas neste chakra) e o poder de ativar

a kundalini, dando origem, assim, a habilidades como levitação, controle voluntário sobre a respiração, pensamento, emoção e sobre o sêmen, e a habilidade de criar a fragrância desejada.

O despertar do chakra svadhishthana elimina os temores da água, intensifica o sentido do paladar, e proporciona um poder de percepção intuitiva levando a uma melhor compreensão do corpo astral, da energia física, e dos nadis e meridianos.

O despertar do chakra manipura elimina o temor do fogo, proporciona o poder de descobrir tesouros escondidos, de conhecer a condição física do próprio corpo, e de curar doenças e manter a boa saúde através da utilização do prana deste chakra. É possível obter também o poder de absorver energia do chakra sahasrara.

Através destas descrições observa-se que os três chakras possuem um único princípio em comum; todas as suas funções visam a manter as coisas conforme foram estabelecidas. Em outras palavras, eles possuem um pequenino poder de criar independentemente algo diferente no mundo exterior. Por outro lado, quando o chakra anahata é ativado, acredita-se que a pessoa adquire a habilidade de realizar seus desejos no mundo exterior. O princípio do chakra anahata é o amor, e dizem que ele detém o poder de criar energia e de transmitir essa energia para outras pessoas.

O termo PES (percepção extra-sensorial) refere-se basicamente à habilidade de compreender além dos limites dos cinco sentidos físicos. Segundo nossa própria experiência, as pessoas cujas habilidades psíquicas são na maioria do tipo PES, sejam congênitas ou adquiridas através de um treinamento religioso, em geral se sobressaem quanto ao recebimento de informações de origem animada ou inanimada, isto é, telepatia, clarividência, psicometria, etc. Contudo, em geral, elas apresentam alguns sinais do poder de afetar objetos externos ou a mente de outras pessoas, podendo dessa forma causar diversos tipos de fenômenos. As pessoas com o chakra anahata ativo, por outro lado, manifestam poderosas habilidades criativas, tais como as psicocinéticas e as de cura psíquica.

Descobriu-se, como resultado de constantes testes com o AMI, que as pessoas cujas habilidades psíquicas são do tipo PES tendem a apresentar, pelo menos aparentemente, distúrbios funcionais — atividade em demasia

Dados AMI – Tipo PES

Data Feb.20, 1975 PM
3 V 14 T(°C) 1010 mb 57 %
Nº S-18

Nome M. K.   M ⊕
idade

Data nasc.

Histórico da doença

Principal indisposição
Sintomas subjetivos

Pressão sangüínea
Diagnóstico, Tratamento

X̄ de Li, Ri	BP	1014.9642
	AP	38.9214
	P	976.0428

D da diferença X de Li, Ri	BP	99.2142
	AP	7.6714
	P	97.8571

δ de LZ, RZ	BP	0.1056
	AP	0.4905
	P	0.0999

----- brando ———— rígido

RZ:
função deteriorada | normal | atividade excessiva

0.78	0.85	1.11	1.21
0.49	0.60	1.21	1.59

estável | função instável

0.00	1.21	1.80
0.00	1.21	1.90

nção deteriorada normal função instável

0.08		0.15	
0.22		0.66	

LZ, RZ: atividade excessiva
ou função deteriorada em todos os meridianos | estável | função instável

0.10	0.26
0.21	0.71

Meridianos		DZ	LZ	RZ	Li , Ri
Pulmões	BP	1.1288	-1.2601	1.1497	
	AP	0.8733	-2.5590	-2.3868	
	P	1.0760	1.2083	1.1004	0.
					1279.
Intestino grosso	BP	0.1310	1.0729	1.0601	996.
					1.
	AP	1.3296	0.6937	0.9557	1167.
	P	0.2370	1.0880	1.0642	929.
					2.
					1089.
Constritor cardíaco	BP	1.3203	1.1497	1.0207	270.
					3.
	AP	-2.3333	1.1458	0.6859	1076.
	P	1.1557	1.1499	1.0340	372.
					4.
					1167.
Diafragma	BP	1.4917	1.0788	0.9330	446.
	AP	1.2774	1.1947	0.9429	5.
	P	1.4122	1.0742	0.9326	1036.
					267.
					6.
Triplo Aquecedor	BP	-3.4974	1.1507	0.8088	1095.
	AP	1.5121	1.2949	0.9968	465.
					7.
	P	-3.4274	1.1450	0.8013	947.
					367.
					8.
Coração	BP	0.4132	0.9320	0.8916	1168.
	AP	1.8001	-0.3699	0.7425	504.
	P	0.5671	0.9544	0.8976	9.
					821.
Intestino Delgado	BP	-1.9452	0.9655	-0.7753	388.
					10.
	AP	0.3910	0.9043	0.8273	946.
	P	-1.9416	0.9679	-0.7733	144.
					11.
					905.
Baço	BP	0.1713	1.0059	1.0226	289.
					12.
	AP	0.0651	-0.3622	-0.3751	980.
	P	0.1686	1.0316	1.0485	352.
					13.
					787.
Fígado	BP	0.3729	1.0532	1.0167	322.
	AP	0.3519	1.3231	1.2538	14.
					1021.
	P	0.3505	1.0424	1.0073	141.
					15.
Estômago	BP	0.1713	0.9685	0.9852	1038.
	AP	0.8342	1.3026	1.1381	146.
	P	0.2391	0.9551	0.9791	16.
					1069.
					515.
Ramificações estomacais	BP	0.4334	0.8995	0.9419	17.
	AP	1.7076	0.9943	0.6577	1032.
	P	0.5732	0.8957	0.9532	239.
Vesícula biliar	BP	0.5039	1.0581	1.0089	
	AP	0.5474	0.7990	0.6911	
	P	0.4680	1.0684	1.0215	
Rins	BP	-1.8948	0.8709	1.0561	
	AP	0.1433	0.9994	1.0277	
	P	-1.9099	0.8658	1.0573	
Bexiga	BP	0.5241	0.9566	0.9054	
	AP	0.7430	0.7605	0.6140	
	P	0.4731	0.9645	0.9170	

ou insatisfatória, excesso ou deficiência de energia — nos meridianos do estômago, do baço (pâncreas), do triplo aquecedor, dos rins e da bexiga. Na maioria das vezes, observamos mais especificamente a deficiência de energia no meridiano do baço-pâncreas (ver fig. p. 257). Teoricamente, esses meridianos são os que fornecem energia ki para os respectivos órgãos internos, os quais estão, conforme já mencionado, ligados aos chakras inferiores.

Muitas pessoas cujas habilidades psíquicas pertencem predominantemente à classificação PK também foram testadas na máquina AMI. Os dados obtidos na AMI tendem a mostrar excesso de energia e instabilidade nos meridianos do coração, do constritor cardíaco e do diafragma relacionados com o funcionamento do coração e, conforme supomos, com o chakra anahata. Além dos aparentes distúrbios funcionais no sistema de meridianos, as pessoas cujas habilidades psíquicas são predominantemente do tipo PK mostram com freqüência disritmia e sinais característicos de angina do peito em seus eletrocardiogramas.

Desde os tempos antigos, o conhecimento experimental tem sido transmitido de geração a geração, porém agora, os registros pessoais dos iogues modernos são acompanhados por suportes científicos através dos resultados dos testes AMI. Em resumo, as pessoas que despertaram os três chakras inferiores e desenvolveram, como conseqüência, as habilidades PES tendem a apresentar distúrbios funcionais nos meridianos relacionados com os órgãos digestivos (controlados pelo chakra manipura) e/ou com os órgãos urogenitais (controlados pelos chakras muladhara e svadhishthana). Aqueles que despertaram o chakra anahata e desenvolveram conseqüentemente as habilidades psicocinéticas tendem a apresentar distúrbios funcionais no coração, e nos meridianos relacionados com a função cardíaca, da mesma forma como apresentam evidência nos padrões AMI aparentemente ligados aos três chakras inferiores.

O Instrumento do Chakra verifica com mais clareza esta relação. O dr. A. K. Tebecis, um ex-professor da Universidade de Camberra, que tem estudado ioga por toda a Ásia, visitou nosso instituto em Tóquio. Ele é um iogue convicto, que afirma ter experimentado a projeção astral devido ao despertar da kundalini. Antes de ser examinado, nos disse que tinha um distúrbio crônico no sistema digestivo e que se concentrava habitualmente no chakra anahata durante a meditação. O dr. Tebecis foi testado com o AMI e com o Instrumento do Chakra. Obtivemos os seguintes resultados.

DADOS AMI – Tipo A.K.T.

Data **Aug. 25, 1975** M
3 V 28 T(°C) 1007 mb 59 %
N? **3900**   **S - 22**

Nome **A. K. T.**   (M) F
idade
Data nasc.   **32**

Histórico da doença

Nada importante

Principal indisposição
Sintomas subjetivos

Mal funcionamento do sistema digestivo

Pressão sangüínea

Diagnóstico. Tratamento

$\bar{X}$ de Li, Ri	BP	1103.0357
	AP	18.1178
	P	1084.9178

D da diferença $\bar{X}$ de Li, Ri	BP	140.2142
	AP	5.4785
	P	139.9928

σ de LZ, RZ	BP	0.1236
	AP	0.2728
	P	0.1265

——— brando   ——— rígido

RZ:
função deteriorada / normal / atividade excessiva

0.78	0.85		1.11	1.21
0.49	0.60		1.21	1.39

estável | função instável

0.00	1.21	1.80
0.00	1.21	1.90

ção deteriorada / normal / função instável

0.04		0.15
0.22		0.66

LZ, RZ: atividade excessiva
ou função deteriorada / estável / função instável
em todos os meridianos

0.10	0.26
0.21	0.71

Meridiano		DZ	LZ	RZ	Li , Ri
Pulmões	BP	1.3622	1.1287	0.9555	
	AP	-1.9895	0.9383	1.5399	
	P	1.4422	1.1318	0.9457	
Intestino grosso	BP	-1.8186	1.1477	0.9165	0.
	AP	1.3324	0.7285	1.1314	1245.
	P	-1.8736	1.1547	0.9129	170.
					1.
					1054.
Constritor cardíaco	BP	1.3408	1.0371	0.8666	279.
	AP	0.6205	1.2418	1.0542	2.
	P	1.3186	1.0337	0.8635	1266.
					132.
					3.
					1011.
Diafragma	BP	1.3265	1.0045	0.8358	205.
	AP	0.9308	0.9493	1.2308	4.
	P	1.3650	1.0054	0.8292	1144.
					225.
					0.
Triplo aquecedor	BP	-2.3892	1.0072	-0.7035	5.
	AP	1.0221	1.3688	1.0597	956.
	P	-2.3529	1.0011	-0.6975	191.
					6.
					1108.
Coração	BP	0.7702	0.9709	0.8730	172.
	AP	0.7483	1.3908	1.1645	7.
	P	0.7421	0.9639	0.8681	922.
					223.
					8.
					1111.
Intestino delgado	BP	1.5618	0.9718	-0.7733	248.
	AP	1.2046	0.5629	0.9272	9.
	P	1.6115	0.9786	-0.7707	776.
					192.
					10.
					1071.
Baço	BP	0.0641	1.1767	1.1849	252.
	AP	0.4928	0.7837	0.9327	11.
	P	0.0450	1.1833	1.1891	963.
					211.
					12.
Fígado	BP	0.4350	1.1858	1.1305	1072.
	AP	0.5658	1.3964	1.2253	102.
	P	0.4135	1.1823	1.1289	13.
					853.
					168.
Estômago	BP	1.6260	1.0208	0.8141	14.
	AP	1.2594	0.6512	1.0321	1298.
	P	1.6779	1.0269	0.8104	142.
					15.
					1307.
Ramificações estomacais	BP	0.5562	1.0253	0.9546	169.
	AP	1.6975	1.3522	0.8389	16.
	P	0.4907	1.0198	0.9565	1308.
					1107.
Vesícula biliar	BP	.2781	1.0752	1.0398	126.
	AP	1.2777	1.0762	0.6899	
	P	0.2285	1.0751	1.0457	
Rins	BP	0.2852	1.1024	1.0661	
	AP	0.7666	1.7727	0.5409	
	P	0.2557	1.1079	1.0749	
Bexiga	BP	0.1854	1.0271	1.0035	
	AP	0.0912	0.7230	0.6954	
	P	0.1821	1.0322	1.0087	

O teste AMI mostrou instabilidades nos meridianos do constritor e do diafragma, e também nos meridianos do estômago, das ramificações estomacais, e do intestino grosso, assim como deficiência de energia e instabilidade nos meridianos do triplo aquecedor e do intestino delgado (os quais se supõe serem controlados pelo chakra svadhishthana). Esse resultado é compatível com a condição crônica de seu sistema digestivo e sua prática iogue sobre o chakra anahata.

a. Dados do Instrumento do Chakra – A.K.T., Estômago

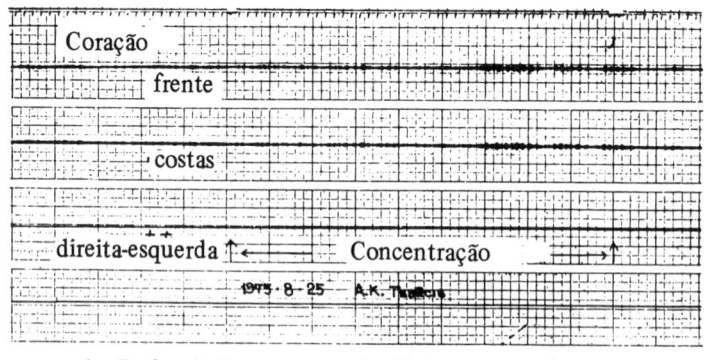

b. Dados do Instrumento do Chakra – A.K.T., Coração

No teste do instrumento do Chakra, escolhemos os chakras manipura e anahata para fazer a medição. As vibrações do campo elétrico na frente desses chakras foram verificadas continuamente num total de três minutos. Isto é, três períodos diferentes — antes da concentração sobre o chakra, durante a concentração e depois dela. No teste, não observamos nenhuma alteração significativa devido à concentração no chakra manipura, sobre o qual o dr. Tebecis não costumava se concentrar em sua prática iogue diária. Contudo, o teste no chakra anahata mostrou notável intensificação nas vibrações durante a concentração, com base nos sinais registrados antes e depois dela, conforme mostra a Figura b. É necessário ressaltar que o chakra anahata é aquele sobre o qual o dr. Tebecis pratica sua concentração.

Trata-se de um exemplo da evidência experimental que comprova a teoria de que a concentração mental sobre um chakra é capaz de ativá-lo, de forma a eventualmente tornar-lhe possível a emissão voluntária de uma quantidade cada vez maior de energia. Esperamos demonstrar com maior clareza que a prática persistente de concentração mental sobre um chakra pode despertá-lo e que as habilidades psíquicas com ele relacionadas começam a se manifestar.

Através de aperfeiçoamento nos eletrodos do Instrumento do Chakra, como também de redução no campo elétrico do fundo da sala, as naturezas das diversas energias psíquicas dos chakras tornaram-se gradualmente mais claras, conforme se ilustra nos dois exemplos a seguir.

Os dados AMI de R.B. mostram um excesso de energia e uma grande instabilidade entre o lado direito e o esquerdo dos meridianos do estômago e do baço (p. 262). Os próprios padrões dos dados sugerem a possibilidade do chakra manipura de R. B. estar ativo.

R. B. foi, a seguir, testada no Instrumento do Chakra com um eletrodo posicionado uns 15 a 20 cm diante do chakra manipura. Quando se fez a leitura durante uma condição tranqüila, observou-se uma potência elétrica positiva ao redor do chakra manipura. A paciente foi instruída então a se concentrar no chakra manipura, como fazia habitualmente em sua prática diária de ioga. Durante este período de concentração, toda vez que sofria uma sensação subjetiva de ejeção psíquica de energia, desaparecia o potencial elétrico positivo ao redor do chakra manipura (p. 263).

Dados AMI – Tipo R. B.

Meridiano		D $	L $	R $	(L$+R$)/2	LI . RI
Pulmões	BP	0.130	1.164	1.182	1.173	184.984
	AP	1.2v6	1.277	0.996	0.963	10.990
	F	0.153	1.163	1.184	1.174	1.
Intestino grosso	BP	0.086	0.949	0.937	0.943	167.842 / 5.996
	AP	0.519	1.041	0.809	0.925	2.
	F	0.078	0.948	0.938	0.943	150.845 / 8.994
Constritor Cardíaco	BP	0.130	0.868	0.686	0.677	3.
	AP	1.037	1.157	0.evu	0.925	148.940
	F	0.14v	0.866	0.687	0.677	6.989 / 4.
Diafragma	BP	0.275	0.895	0.855	0.874	137.986
	AP	1.334	1.272	0.578	0.925	9.996
	F	0.26ó	0.691	0.656	0.674	5. / 140.842 / 5.996
Triplo aquecedor	BP	0.2v9	0.855	0.695	0.875	6.
	AP	1.2v7	1.388	0.80v	1.09ó	141.933
	F	0.313	0.652	0.895	0.674	10.990
Coração	BP	0.v21	0.856	0.967	0.971	7.
	AP	1.534	1.388	0.694	1.041	135.919
	F	0.25ó	0.953	0.986	0.971	4.995 / 8.
Intestino delgado	BP	0.313	0.817	-0.773	0.7v5	135.919
	AP	1.037	1.157	0.694	0.925	11.992
	F	0.301	0.815	-0.773	0.794	9. / 142.271
Baço	BP	-5.424	-1.742	0.954	-1.368	6.989
	AP	1.814	1.504	0.894	1.09ó	10.
	F	-5.410	-1.744	6.995	-1.370	151.957 / 11.
Fígado	BP	0.050	0.967	0.994	0.990	11.
	AP	0.25v	1.041	0.v25	0.983	156.877
	F	0.055	0.987	6.996	0.990	3.996 / 12.
Estômago	BP	-3.012	1.069	-1.484	-1.277	129.886
	λP	0.517	1.157	1.3ú8	1.275	9.596
	F	-3.013	1.06ú	-1.485	-1.277	13. / 122.899
Ramificações estomacais	BP	0.724	0.874	0.924	0.874	5.996
	AP	0.260	0.923	0.80v	0.867	14.
	F	0.731	0.825	0.925	0.874	170.852 / 10.990
Vesícula biliar	BP	-2.365	-1.220	0.893	1.056	25.
	AP	1.037	1.388	0.925	1.157	160.845
	F	-2.357	-1.219	0.895	1.050	7.992 / 26.
Rins	BP	0.912	1.075	0.939	1.012	144.970
	AP	0.777	1.272	0.925	1.099	7.992
	F	0.901	1.076	0.949	1.011	27. / 143.859
Bexiga	BP	0.050	0.912	0.905	0.906	3.990
	AP	1.037	0.925	-0.462	0.893	1.100
	F	0.032	0.912	0.907	0.910	1.199

Estes dados nos levam a algumas reflexões interessantes. Pode-se supor que a energia psíquica produziu um potencial elétrico negativo que neutralizou a carga elétrica positiva. Entretanto, também é possível conjecturar-se a criação de nova energia física. Na realidade, em minha opinião, a energia psíquica emitida pelo chakra manipura de R. B. realmente eliminou a energia física das proximidades. Tomo esta posição porque o potencial positivo foi exatamente neutralizado e porque em nenhum momento houve indícios de um potencial negativo.

Dois dias mais tarde, repetimos o mesmo experimento, porém R.B. ficou doente e não pôde sentir ejeção de energia psíquica do chakra manipura. Coincidentemente, o potencial elétrico positivo ao redor do chakra manipura não teve alteração em momento algum.

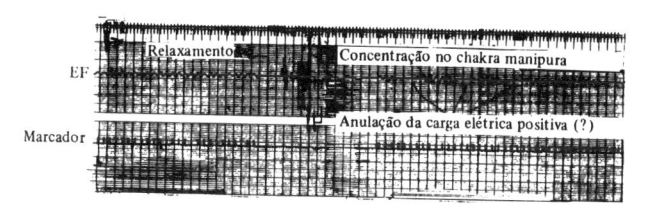

Relaxamento / Concentração no chakra manipura / Anulação da carga elétrica positiva (?)

EF
Marcador

Este registro não poderia ser causado pela respiração ou por movimento físico

Dados do Instrumento do Chakra — R.B.

Passemos ao segundo exemplo revelador.

As leituras AMI num sujeito M. Y. mostraram instabilidade e excesso ou esgotamento de energia nos meridianos do baço, do estômago, das ramificações estomacais e do intestino delgado, seguindo os mesmos padrões observados em pessoas com os chakras manipura e svadhishthana ativos. Observamos também instabilidade e excessivo esgotamento de energia nos meridianos do coração, do constritor cardíaco e do diafragma, sugerindo atividade no chakra anahata.

A seguir, fizemos medições nesta pessoa com o Instrumento do Chakra, tendo o eletrodo sido colocado a uma distância de 15 a 20 cm diante do chakra anahata. Os registros feitos durante um estado de relaxamento mostraram um potencial elétrico positivo produzido na pele correspondente à suposta localização do chakra anahata (Fig. a, p. 265). Pedimos para que ela se concentrasse no chakra anahata e combinamos que, se sentisse uma sensação subjetiva de que a energia psíquica estava sendo liberada pelo chakra, deveria pressionar um botão que faria uma marca no gráfico (Fig. b, p. 265). Descobrimos que quando esta marca apareceu, a célula fotoelétrica assinalou a presença de uma luz fraca naquela sala à prova de luz (Fig. b, a saliência na linha-base), e os eletrodos do monitor

Dados AMI − Tipo M. Y.

Data: June 24, 1977 時 4:15
0.5 V 21 T(°C) 996 mb 70 Z
Nº

Nome M. Y.   M (F)
                  Idade
Data nasc.

Histórico da doença

Principal indisposição
Sintomas subjetivos

Pressão sangüínea

Diagnóstico, Tratamento

$\bar{X}$ de Li, Ri	BP	134.253
	AP	2.948
	P	131.305

D da diferença $\bar{X}$ de Li, Ri	BP	-0.316
	AP	0.375
	P	-0.319

σ (de L%, R%)	BP	-0.327
	AP	0.379
	P	-0.330

----- brando   ——— rígido

L%, R%:
Função deteriorada | normal | atividade excessiva

BP.P | 0.78 | 0.85 | | 1.11 | 1.21
AP | 0.49 | 0.60 | | 1.21 | 1.59

D%:
                estável | função instável
BP.P | 0.00 | 1.21 | 1.80
AP | 0.00 | 1.21 | 1.90

D/X:
função deteriorada | normal | função instável
BP.P | 0.08 | 0.15
AP | 0.22 | 0.46

σ de L%, R%: atividade excessiva ou função deteriorada em todos os meridianos | estável | função instável
BP.P | 0.10 | 0.26
AP | 0.21 | 0.71

Meridiano		D%	L%	R%	(L%+R%)/2	Li, Ri
Pulmões	BP	0.423	0.945	1.079	1.012	0. 126.933
	AP	0.817	1.355	1.050	1.203	39.972
	P	0.450	0.936	1.080	1.008	1. 144.932
Intestino grosso	BP	0.120	0.766	0.804	0.785	30.975 2.
	AP	0.182	0.915	0.847	0.881	102.889
	P	0.126	0.763	0.803	0.783	26.992 3.
Constritor cardíaco	BP	1.645	-1.250	-0.729	0.989	107.994 24.986
	AP	-2.908	1.491	-0.406	0.949	4. 167.901
	P	1.590	-1.245	-0.736	0.990	43.984 5.
Diafragma	BP	0.000	-0.722	-0.722	-0.722	97.920 11.977
	AP	0.908	1.152	0.813	0.983	6. 96.979
	P	0.023	-0.712	-0.720	-0.716	33.984 7.
Triplo aquecedor	BP	0.754	-0.632	0.871	-0.751	96.979 23.983
	AP	0.182	1.152	1.084	1.118	8.
	P	0.769	-0.620	0.866	-0.743	84.890 33.984
Coração	BP	0.941	1.027	-0.729	0.878	9. 116.993
	AP	-2.091	1.491	0.711	1.101	31.978 10.
	P	0.898	1.017	-0.729	0.873	137.947
Intestino delgado	BP	0.518	-0.528	-0.692	-0.610	43.984 11.
	AP	0.273	0.847	0.949	0.898	97.920 20.974
	P	0.517	-0.521	-0.686	-0.603	12. 70.921
Baço	BP	-3.196	-2.122	1.109	-1.615	24.986 13.
	AP	-3.364	-1.933	0.677	1.305	92.950
	P	-3.148	-2.126	1.119	-1.622	27.995 133.918
Fígado	BP	0.445	0.908	1.049	0.978	16.992 24.
	AP	0.638	0.983	0.745	0.864	160.916
	P	0.467	0.906	1.056	0.981	18.998 25.
Estômago	BP	-1.999	0.952	-1.585	-1.269	126.933 19.971
	AP	1.000	1.389	-1.763	1.576	26. 127.873
	P	-1.998	0.942	-1.581	-1.262	21.977 27.
Ramificações estomacais	BP	-2.305	0.863	-1.593	-1.228	150.976 12.980
	AP	0.544	1.152	1.355	1.254	
	P	-2.320	0.856	-1.599	-1.228	
Vesícula biliar	BP	0.306	1.094	0.997	1.406	
	AP	0.182	0.644	0.576	0.610	
	P	0.305	1.104	1.006	1.055	
Rins	BP	0.799	1.198	0.945	1.072	
	AP	0.088	0.644	0.677	0.660	
	P	0.811	1.211	0.951	1.081	
Bexiga	BP	0.543	0.952	1.124	1.038	
	AP	0.817	0.745	-0.440	0.592	
	P	0.571	0.957	1.139	1.048	

do chakra detectaram uma energia elétrica de potencial e freqüência elevados — 10kc/s para 100kc/s (Fig. b, a linha superior).

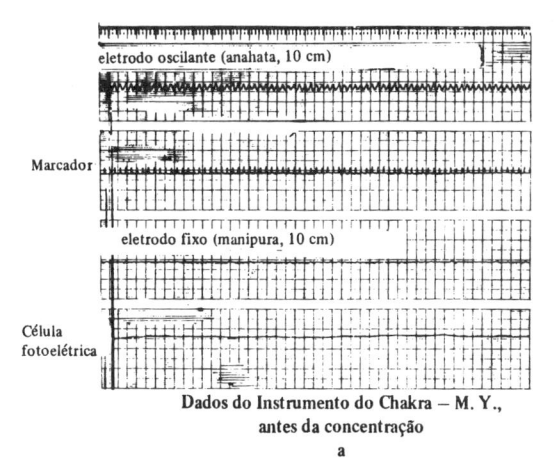

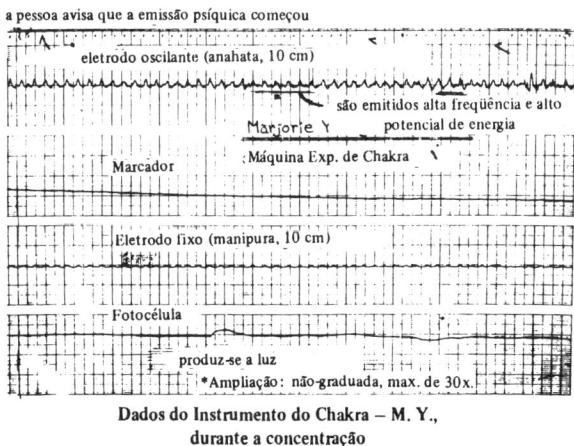

Dados do Instrumento do Chakra — M. Y., antes da concentração

a

a pessoa avisa que a emissão psíquica começou

são emitidos alta freqüência e alto potencial de energia

Marjorie Y
Máquina Exp. de Chakra

Eletrodo fixo (manipura, 10 cm)

Fotocélula

produz-se a luz

*Ampliação: não-graduada, max. de 30x.

Dados do Instrumento do Chakra — M. Y., durante a concentração

b

Esta série de dados sugere, quase com precisão, que a energia psíquica ativa no chakra anahata pode ser capaz de criar energia na dimensão física (luz, eletricidade, etc.).

Os registros feitos com R. B. e M. Y. no AMI e no Instrumento do Chakra apontam a possibilidade de que a energia psíquica ativa nos chakras pode anular ou criar energia na dimensão física. Esses dois atributos são de grande significância e, se puderem ser mais fundamentados, apontam a necessidade de uma revisão básica na Lei de Conservação de Energia, atualmente formulada na física moderna.

Tais resultados também podem nos fornecer a chave para o entendimento dos princípios fundamentais da cura psíquica, especialmente quando manifestada de forma tão dramática como uma cirurgia psíquica. Se, de fato, é verdade que a energia psíquica pode anular a energia da dimensão física, então a matéria — um aglomerado de energia física — também pode ser anulada ou "dissolvida" por ela. Com base neste raciocínio, é possível que as mãos de um cirurgião psíquico possam dissolver temporariamente uma abertura no corpo do paciente, e que a energia psíquica emitida de seus dedos seja capaz de eliminar as áreas doentes.

Além disso, se a energia psíquica tem condições de anular ou criar energia física, doutrinas religiosas tradicionais como aquelas que afirmam que o mundo físico é uma manifestação da mente, e que a mente é capaz de controlar a matéria, possuem um certo grau de verdade que, até agora, é incompreendida pela maioria das pessoas.

Creio que se, neste trabalho, dermos continuidade à pesquisa sobre a natureza das energias psíquicas, iremos nos deparar com uma considerável alteração em nossos conceitos sobre a matéria, a mente e o corpo, os seres humanos, e até sobre o próprio mundo.

Síntese

Para finalizar traço a seguir, em linhas gerais, um resumo de meus conceitos sobre os chakras e nadis.

1. *A existência dos chakras e nadis*
    A. Tanto minha experiência pessoal como meus experimentos me levam a acreditar que os chakras e os nadis existem.
    B. Minha crença na existência dos nadis deriva de três princípios:
        a. Os resultados obtidos com o AMI e o Instrumento do Chakra indicam a existência de estreitas relações entre a energia psíquica, os chakras e os meridianos.
        b. O fluxo dos nadis assemelha-se muito mais com o dos meridianos do que com o do sistema nervoso.
        c. As experiências científicas têm apresentado evidências que fortalecem a teoria tradicional dos meridianos.

2. *A natureza e a função dos chakras e nadis*
    A. Os chakras são os centros do sistema energético do corpo, que existem nas três dimensões: física, astral e causal.
    B. Cada chakra possui três níveis, e cada nível funciona em sua respectiva dimensão. Contudo, tais funções estão intimamente relacionadas umas com as outras.
    C. Os chakras atuam como intermediários entre as três dimensões, e podem converter a energia de uma dimensão para a outra.

D. Os chakras são também intermediários entre o corpo físico e a consciência, entre o corpo astral e os manas, e entre o corpo causal e o karana, isto é, entre o corpo e a mente desta dimensão. Além disso, os chakras agem para integrar o relacionamento entre os três corpos e as três mentes de forma santificada.

E. Cada chakra possui seus próprios sons (nada e mantra) e figura geométrica (yantra), que podem ser observados extra-sensorialmente.

F. Os chakras, como centros do sistema energético da dimensão física, parecem corresponder a certos pontos importantes da acupuntura, e os canais de energia — os nadis — parecem equivaler exatamente aos meridianos.

G. A aura (círculo de luz) de um chakra ativo brilha com mais intensidade e é maior do que a de um chakra adormecido. Na mesma pessoa, um chakra desperto brilha mais do que os outros, indicando que a energia emanada dele é maior.

H. O despertar de um chakra é reconhecido através do surgimento de habilidades psíquicas relacionadas com ele.

3. *A relação entre o carma e os chakras*

   A. Em cada pessoa, é comum um chakra ser naturalmente mais ativo do que os outros, porém isso difere de uma pessoa para outra, de acordo com o carma e a natureza individual.

   B. O chakra mais facilmente desperto pela prática da ioga depende também do carma e da natureza do indivíduo. Geralmente o chakra mais ativo segundo esses dois fatores é o que desperta primeiro.

4. *O crescimento espiritual e os chakras*

   O fato de despertar os chakras tem grande importância no avanço espiritual em busca de esclarecimento. É muito difícil alcançar a evolução espiritual sem despertar os chakras.

5. *Procedimento perigoso: abusar de um chakra*

   O uso excessivo de um chakra é muito perigoso. Por exemplo abusar do chakra manipura acarreta males nos órgãos digestivos o abuso do chakra anahata causa distúrbios cardíacos. Usar indiscriminadamente um chakra além de certo limite pode até levar a pessoa à morte.

Perfil do Autor

O dr. Hiroshi Motoyama, um famoso erudito japonês, nasceu na Ilha Shodo, município de Kagawa, Japão. Com seus cinqüenta anos de idade, o dr. Motoyama, formado na Universidade Educacional de Tóquio, é Ph. D. em Filosofia e Psicologia Clínica.

O dr. Motoyama é um cientista, instruído na metodologia empírica e um sensitivo que adquiriu na prática um profundo conhecimento filosófico. Ele é o supremo sacerdote do Santuário Tamamitsu em Tóquio, e um importante iogue conhecedor dos tratados da ioga. Seus esforços científicos resultaram na organização do Instituto de Psicologia Religiosa, que facilita todo o trabalho de pesquisa, e na Associação Internacional de Religião e Parapsicologia, uma organização internacional cujos membros executam pesquisas e estudos relacionados com essas áreas. O dr. Motoyama é autor de mais de trinta livros e de numerosos trabalhos e monografias, viajou muito pelo mundo todo, participando de conferências e apresentando seu trabalho.

Em reconhecimento a seu importante papel nesta área da ciência, a UNESCO elegeu-o em 1974 como um dos dez parapsicólogos mais importantes do mundo. Ele também foi reverenciado por diversas organizações científicas e religiosas de renome, e serve até hoje como consultor em diversas associações e institutos internacionais relacionados com essas áreas.

Os leitores que desejam aprender mais sobre o trabalho do dr. Motoyama, e aqueles que compartilham de seu interesse na pesquisa o abuso do chakra anahata causa distúrbios cardíacos. Usar indiscriminadamente um chakra além de certo limite pode até levar a pessoa à morte.

Perfil do Autor

O dr. Hiroshi Motoyama, um famoso erudito japonês, nasceu na Ilha Shodo, município de Kagawa, Japão. Com seus cinqüenta anos de idade, o dr. Motoyama, formado na Universidade Educacional de Tóquio, é Ph. D. em Filosofia e Psicologia Clínica.

O dr. Motoyama é um cientista, instruído na metodologia empírica e um sensitivo que adquiriu na prática um profundo conhecimento filosófico. Ele é o supremo sacerdote do Santuário Tamamitsu em Tóquio, e um importante iogue conhecedor dos tratados da ioga. Seus esforços científicos resultaram na organização do Instituto de Psicologia Religiosa, que facilita todo o trabalho de pesquisa, e na Associação Internacional de Religião e Parapsicologia, uma organização internacional cujos membros executam pesquisas e estudos relacionados com essas áreas. O dr. Motoyama é autor de mais de trinta livros e de numerosos trabalhos e monografias, viajou muito pelo mundo todo, participando de conferências e apresentando seu trabalho.

Em reconhecimento a seu importante papel nesta área da ciência, a UNESCO elegeu-o em 1974 como um dos dez parapsicólogos mais importantes do mundo. Ele também foi reverenciado por diversas organizações científicas e religiosas de renome, e serve até hoje como consultor em diversas associações e institutos internacionais relacionados com essas áreas.

Os leitores que desejam aprender mais sobre o trabalho do dr. Motoyama, e aqueles que compartilham de seu interesse na pesquisa científica dos fenômenos psíquicos e no estudo de experiências religiosas, podem entrar em contato com a Associação Internacional de Religião e Parapsicologia (IARP) nos seguintes endereços:

IARP (Escritório principal)
4-11-7 Inokashira
Mitaka-shi
Tóquio 181
Japão
Telefone: (0422) 48-3535

IARP (Filial em USA)
399 Sunset Drive
Encinitas, Calif. 92024
Telefone: (714) 753-8857

Impresso por :

gráfica e editora

Tel.:11 2769-9056